आदिवासी स्वर–3

संस्कार और प्रथाएँ

आदिवासी स्वर–3

संस्कार व प्रथाएँ

सम्पादक

हरिनारायण दत्त

श्रीमती जसप्रीत बाजवा

वाणी प्रकाशन

वाणी प्रकाशन
4695, 21-ए, दरियागंज, नयी दिल्ली 110 002

शाखा
अशोक राजपथ, पटना 800 004

फ़ोन : +91 11 23273167 फ़ैक्स : +91 11 23275710

www.vaniprakashan.in
vaniprakashan@gmail.com
sales@vaniprakashan.in

Aadivasi Swar-3
SANSKAR WA PRATHAYEN
edited by Harinarayan Dutt, Smt. Jaspreet Bajwa

ISBN : 978-93-5229-709-2
Social Science

संस्करण 2005
आवृत्ति 2017

मूल्य : ₹695

रजौरिया प्रिंटर्स, दिल्ली-110 093 में मुद्रित

वाणी प्रकाशन का लोगो मक़बूल फ़िदा हुसेन की कूची से

प्रकाशकीय वक्तव्य

आदिवासी स्वर शृंखला का 'संस्कार और प्रथाएँ' महत्त्वपूर्ण ग्रन्थ है।

'संस्कार और प्रथाएँ' खंड में विभिन्न आदिवासी समुदायों के रहन-सहन, वेश-भूषा, आभूषण, नृत्य-संगीत, रुचियाँ, रीति-रिवाज, भाषा-बोली, कृषि, पशुपालन, खान-पान, सोच-विचार और विभिन्न संस्कारों का अध्ययन किया गया है। इसी खंड के अंतर्गत आदिवासियों के अंधविश्वासों, आस्था, देवी-देवता, पूजा-पाठ, त्यौहार—इन्हें मनाने के तौर-तरीकों आदि पर भी विहंगम दृष्टि डाली गई है।

संयोग से यह पुस्तक माला ऐसे समय में प्रकाशित हो रही है, जब एक महत्त्वपूर्ण आदिवासी जनजाति संतालों के संघर्ष का एक यादगार प्रस्थान-बिंदु 'हूल' या 'संताल विद्रोह' की 150वीं वर्षगाँठ मनाई जा रही है।

यह पुस्तक माला सदियों से जल-जंगल-जमीन और अपनी स्वतंत्र अस्मिता की तलाश में संघर्षरत विभिन्न आदिवासी समुदायों की गाथा प्रस्तुत करने का प्रयास है।

निस्संदेह, विभिन्न आदिवासी समुदायों की वर्तमान स्थिति के लिए शोषकों द्वारा विनिर्मित धूसर अतीत और जारी वर्तमान जिम्मेवार है, पर भविष्य सुनहरा हो, इसके लिए आदिवासियों के साथ हम सबको मिलकर राजनीतिक, सांस्कृतिक, सामाजिक, आर्थिक आदि कई मोर्चों पर लड़ाई लड़नी होगी, अपना दाय देना होगा। सुदूर अतीत में विभिन्न आदिवासी समुदायों के जीवट और संघर्षों की सार्थकता को जहाँ पीछे मुड़कर याद करना ही चाहिए, वहीं निकट भविष्य में उनकी सफलता और चरम को आँकने का प्रयास भी होना चाहिए। इस महत् कार्य में खुद आदिवासी समुदायों की सक्रिय भूमिका निर्णायक सिद्ध होगी।

'हूल' या 'संताल विद्रोह' के संदर्भ में देश के विभिन्न हिस्सों में फैली आदिवासी जातियों-जनजातियों के इतिहास और वर्तमान की पड़ताल और भविष्य की संभावनाओं की तलाश की जानी चाहिए।

हालाँकि अभी भी देश के विभिन्न हिस्सों में बसने-घूमने वाले आदिवासी समुदायों में अपने अस्तित्व की रक्षा के संघर्ष का माद्दा है; इसमें जब-तब कोई उबाल आता है, तो कभी यह 'कोमा' की गहराइयों में चला जाता है। बावजूद इसके, जो उनके अवचेतन में है—उनका क्या करिए!—इस गहरी नींद का फायदा हमारी वर्तमान राजनीति, हमारा पूरा तंत्र (System) उठा रहा है। व्यवस्था भोग रही है उनकी उपलब्धियों को, और वे अभिशप्त हैं, व्यवस्था की विकृतियों, असफलताओं और प्रपंचों को झेलने के लिए।

सूची

आदिवासियों का संसार

मनुष्यों की जो जातियाँ आदिमयुग से अपने मूल प्रदेश अथवा क्षेत्र में, अपनी मौलिक स्थिति एवं परिस्थितियों के साथ निवास कर रही हैं, वे आदिवासी जातियाँ अथवा जनजातियाँ कहलाती हैं। मध्यप्रदेश भारत का एक आदिवासी बाहुल्य प्रदेश है। मध्यप्रदेश के भू-भाग में प्रागैतिहासिक काल से मनुष्यों के निवास होने के प्रमाण मिलते हैं। प्रदेश में आदिवासी गोंड राजाओं का गौरवशाली राज्य रह चुका है। आज भी लगभग 46 जनजातियाँ मध्यप्रदेश में विद्यमान हैं। आदिवासी जनसंख्या का विस्तार लगभग प्रदेश के सभी जिलों में है। वर्ष 1991 की जनगणना के अनुसार विखण्डित मध्यप्रदेश के कुल 45 जिलों में अनुसूचित जनजातियों की जनसंख्या 96,82,735 रही है जिनमें धार, झाबुआ, शहडोल, छिन्दवाड़ा, बड़वानी, बैतूल, सीधी, मंडला, खरगौनी, खंडवा, डिरी, बालाघाट, जबलपुर, उमरिया, होशंगाबाद तथा रतलाम आदि जिलों में जनजातीय जनसंख्या का घनत्व सर्वाधिक है। प्रदेश के झाबुआ जिले की कुल जनसंख्या का 85.67 प्रतिशत भाग आदिवासियों का है। इसी प्रकार डिंडौरी में 67.17 प्रतिशत तथा बड़वानी में 64.83 प्रतिशत आदिवासी जनसंख्या इन जिलों की संपूर्ण आबादी के आधे से अधिक है।

किसी भी व्यक्ति की पहचान उसके चेहरे और उसके व्यक्तित्व से होती है। व्यक्तित्व में चेहरे की बनावट के साथ ही शरीर का रंग, शरीर का गठन, चाल-ढाल, तथा आचार-व्यवहार शामिल होते हैं। शरीर की बाहरी संरचना भौगोलिक परिस्थितियों, जलवायु तथा वातावरण के अनुरूप रहती है। मध्यप्रदेश के आदिवासियों को उनके व्यक्तित्व के आधार पर अलग-अलग पहचाना जा सकता है। उदाहरण के लिए पातालकोट के भारिया छरहरे शरीर के होते हैं। इनकी आँखें कुछ छोटी, नाक चौड़ी लेकिन सुडौल होती है। भारिया स्त्रियाँ भी सुंदर होती हैं। इनके होंठ पतले और चेहरा आकर्षक होता है। अपनी चाल-ढाल और उठने-बैठने की विशेष शैली के कारण भारिया आदिवासी गोंड और कोरकुओं से अलग पहचान में आ जाते हैं। कोरकू चेहरे-मोहरे से गोंड जैसे दिखाई पड़ते हैं किंतु इनका कद और घुँघराले बाल इन्हें गोंडों से अलग करते हैं। कोरकू पुरुषों की दाढ़ी अधिक घनी नहीं होती है।

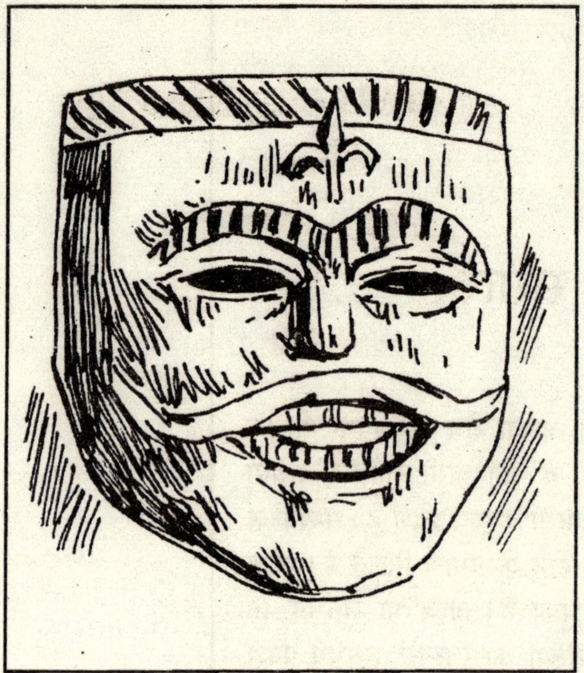

गोंड जनजाति के लोगों का चेहरा थोड़ा चपटा होता है। इनका माथा चौड़ा होता है। नाक कुछ दबी हुई और नथुने फैले हुए होते हैं। इनकी पलकें मोटी तथा उभरी हुई होती हैं। गोंडों का कद मध्यम होता है तथा शरीर सुगठित होता है। इनके शरीर का रंग साँवला होता है। गोंड स्त्रियाँ भी साँवली और सुगठित शरीर वाली होती हैं। गोंड जितने शर्मीले स्वभाव के होते हैं उतने ही मेहनती होते हैं। सहरिया आदिवासी मध्यम कद-काठी और सामान्य नाक-नक्श के होते हैं। इनके बाल जरा उलझे हुए होते हैं।

भील आदिवासी औसत मध्यम कद-काठी के होते हैं। इनके नाक-नक्श तीखे होते हैं। इनकी सुरुचिपूर्ण वेशभूषा और रहन-सहन इन्हें अन्य आदिवासी जातियों से अलग पहचान देता है। ये बहुत ऊर्जावान और हँसमुख स्वभाव के होते हैं। भील स्त्रियाँ भी अपनी साज-सज्जा के कारण अलग पहचान में आ जाती हैं। भील स्त्री-पुरुष बहुत मेहनती होते हैं।

बैगा आदिवासी इन सबसे अलग अपनी विशिष्ट पहचान रखते हैं। गोंड पुरुष सिर्फ़ लँगोट पहनते हैं। वे हाथों में धनुष-बाण या कंधे पर छोटी कुल्हाड़ी लिए रहते हैं। इनके शरीर का रंग साँवला होता है। ये हँसमुख तथा निश्चिंत स्वभाव के होते हैं। इनका व्यवहार बहुत आत्मीयता भरा होता है जिससे इनसे मिलने वाला व्यक्ति प्रभावित हुए बिना नहीं रहता है। इसी प्रकार व्यक्तित्व के आधार पर प्रत्येक जनजातियों की अपनी अलग-अलग विशेषताएँ हैं।

प्रदेश की प्रमुख आदिवासी जातियों की मुख्य विशेषताओं को जान कर आदिवासियों के संसार को सुगमता से जाना-समझा जा सकता है।

पहनावा

किसी भी व्यक्ति के पहनावे को देख कर उसके समुदाय के बारे में आसानी से जाना जा सकता है। व्यक्ति का परंपरागत पहनावा उसके समुदाय की परंपराओं एवं जातीय विशेषताओं को प्रकट करता है। आदिवासियों के संसार में सभी जनजातियों के पहनावे में परस्पर भिन्नता पाई जाती है। वैसे यहाँ एक बात ध्यान देने योग्य है कि एक ही

जनजाति के लोगों के पहनावे में पर्याप्त अंतर देखने को मिल सकता है, यदि वे अलग-अलग स्थानों में निवास कर रहे हों। मध्यप्रदेश के गोंड आदिवासी घुटनों तक लंबी धोती पहनते हैं। धोती के साथ वे जो ऊपरी वस्त्र पहनते हैं उसे बंडी कहा जाता है। कंधे पर एक कपड़ा डालते हैं तथा सिर पर एक कपड़ा बाँधते हैं। स्त्रियाँ काँछ लगा कर साड़ी पहनती हैं। वे ढीला, बड़ा ब्लाउज भी पहनती हैं जिसे पोलका कहते हैं। वे हरे, लाल, जामुनी आदि गहरे रंगों के कपड़े पहनना पसंद करती हैं।

माड़िया पुरुष कमर पर लपेट कर धोती पहनते हैं। माड़िया स्त्रियाँ कमर से लिपटी हुई साड़ी पहनती हैं जो घुटनों से कुछ ऊपर रहती है। वे गाँव से बाहर जाते समय कमर के ऊपरी हिस्से पर साड़ी के छोर को लपेट लेती हैं। साथ ही तौलिए अथवा लुंगी भी कंधे से बाँध कर निकलती हैं। भील पुरुष भी घुटनों तक लम्बी धोती पहनते हैं और साथ में बंडी पहनते हैं। भील स्त्रियाँ लाल, पीले, कत्थई, काले रंग के बूटेदार कपड़ों के लहँगे पहनती हैं। वे घुटनों तक लम्बे घाघरे भी पहनती हैं। लहँगे के साथ वे पोलका पहनती हैं। वे लम्बा दुपट्टा ओढ़ती हैं। रंगीन धागों की कढ़ाई, काँच तथा अन्य रंगों के कपड़े के टुकड़ों से बेल-बूटे, तथा विभिन्न आकृतियाँ बना कर सजाया जाता है। भिलाला पुरुष सिर पर रंगीन साफा बाँधते हैं। घुटनों तक लम्बी धोती पहनते हैं और साथ में बंडी पहनते हैं। भिलाला स्त्रियाँ बूटेदार कपड़ों के लहँगे पहनती हैं। लहँगे के साथ वे पोलका पहनती हैं। वे लम्बा दुपट्टा ओढ़ती हैं।

कोरकू सादे कपड़े पहनना पसंद करते हैं। कोरकू पुरुष घुटनों तक सफ़ेद धोती पहनते हैं। धोती के साथ वे सूती बंडी अथवा कुर्ता पहनते हैं। सिर पर पगड़ी बाँधते हैं अथवा अंगोछा बाँधते हैं। कोरकू स्त्रियाँ रंग-बिरंगे घाघरे (लुगड़ा) और चोली पहनती हैं। भारिया पुरुष धोती, कुर्ता, बंडी और सिर पर पगड़ी पहनते हैं। भारिया स्त्रियाँ सेंदरी साड़ियाँ और पोलका पहनती हैं। वे लहंगे के साथ लम्बा दुपट्टा भी ओढ़ती हैं। सहरिया पुरुष घुटनों तक लम्बी धोती के साथ रंगीन कमीज पहनते हैं। वे सिर पर साफ़ा बाँधते हैं। सहरिया स्त्रियाँ लहंगा, घाघरा, लुगड़ा, पेट्या तथा सलूखा पहनती हैं।

बैगा पुरुष लँगोटी पहनते हैं। इच्छा होने पर वे लँगोटी के साथ बंडी भी पहन लेते हैं। बैगा स्त्रियाँ घुटनों तक लम्बी साड़ी पहनती हैं। बैगा स्त्रियाँ

आमतौर पर ब्लाउज अथवा सलूखा आदि नहीं पहनती हैं। कोल पुरुष घुटनों तक धोती पहनते हैं। धोती के साथ कुर्ता और कुर्ते के ऊपर से सदरी भी पहनते हैं। कोल औरतें साड़ी और सलूखा पहनती हैं। ये कसे हुए छोटे ब्लाउज भी पहनती हैं। अगरिया पुरुष घुटनों तक लम्बी धोती पहनते हैं। धोती के साथ वे बंडी पहनते हैं। वे कंधे पर एक गमछा डालते हैं जो सिर पर बाँधने के काम भी आता है। आगरिया स्त्रियाँ काँछ लगा कर साड़ी पहनती हैं। वे ढीला, बड़ा ब्लाउज पहनती हैं।

गोंड आदिवासी अधिकतर नीले और काले रंग की बंडी पहनते हैं। गोंड स्त्रियाँ हरे, लाल, जामुनी आदि गहरे रंगों के कपड़े पहनना पसंद करती हैं। भीलों के कपड़े भी गहरे रंगों के होते हैं। भील पुरुष सिर पर रंगीन साफा बाँधते हैं। स्त्रियाँ भी लाल, पीले, कत्थई, काले रंग के बूटेदार कपड़े पहनती हैं। कपड़ों पर रंगीन धागों की कढ़ाई, काँच तथा अन्य रंगों के कपड़े के टुकड़ों से बेल-बूटे तथा विभिन्न आकृतियाँ बना कर सजाया जाता है। भिलाला पुरुष सिर पर रंगीन साफा बाँधते हैं और भिलाला स्त्रियाँ बूटेदार कपड़े पहनती हैं। कोरकू पुरुष सादे कपड़े पहनना पसंद करते हैं। भारिया पुरुष कोरकुओं जैसे सादे कपड़े पहनना पसंद करते हैं। भारिया स्त्रियाँ लाल रंग के कपड़े पहनती हैं। सहरिया स्त्रियों के वस्त्रों में रंगों की विविधता देखने को मिलती है। बैगा जनजाति के लोग वस्त्रों के मामले में सादगी पसंद होते हैं। कोल पुरुष अधिक गहरे या चटख रंगों के कपड़े नहीं पहनते हैं। कोल औरतें सादे और छींट दोनों प्रकार के कपड़े पहनना पसंद करती हैं। आगरिया पुरुष अधिकतर नीले और काले रंग की बंडी पहनते हैं। आगरिया स्त्रियाँ हरे, लाल, नीले, जामुनी आदि गहरे रंगों के कपड़े पहनना पसंद करती हैं। अन्य आदिवासी समुदायों के स्त्री-पुरुषों की वेश-भूषा अन्य प्रमुख आदिवासी समुदायों की वेश-भूषा के समान ही रहती है।

गहने तथा गोदने

अपने शरीर को सजा कर और सुंदर दिखना हर मनुष्य की इच्छा होती है। सुंदर दिखने के लिए मनुष्य ने गहने पहनने शुरू किए तथा गोदने से अपने शरीर को सजाना शुरू किया। आदिवासियों में गहनों और गोदनों के प्रति विशेष लगाव देखने को मिलता है। प्रत्येक जनजाति के गहने एक-दूसरे से भिन्नता लिए हुए होते हैं। ये गहने जिस प्रकार उन्हें परस्पर एक-दूसरे से अलग पहचान दिलाते हैं उसी तरह उनके अपने समुदाय में उनकी प्रतिष्ठा को प्रदर्शित करते

हैं। आदिवासी सोने के गहने नहीं पहनते हैं। उनके गहने प्रायः चाँदी, गिलट अथवा अन्य मिश्र धातुओं के बने होते हैं। वे लकड़ी, पंखों, मोती, मूँगे, सींगों, हाथी दाँत, घोंघे, कौड़ी आदि से बने गहने भी बड़े शौक से पहनते हैं।

मुड़िया अथवा माड़िया जनजाति की महिलाएँ गहने पहनना बहुत पसंद करती हैं। मुड़िया पुरुष भी कानों में गहने पहनते हैं। पुरुष भी गले में मालाएँ पहनते हैं। स्त्रियों तथा पुरुषों में ताबीज पहनने का भी चलन है। भील जनजाति में सबसे अधिक पारपरिक आभूषण पाए जाते हैं। भील स्त्रियाँ सिर से पाँव तक गहनों से लदी रहती हैं। भील पुरुष भी गहने पहनने में बहुत रुचि रखते हैं। वे अपने कानों में चाँदी की लड़ें लटकाते हैं, कलाइयों में कड़े पहनते हैं तथा कमर में करधनी और पैरों में घुँघरू पहनते हैं। भिलाला जनजाति के स्त्री-पुरुष भीलों की भाँति गहने पहनने में अत्यंत रुचि रखते हैं। ये अधिकतर गिलट अथवा चाँदी के आभूषण पहनते हैं।

गोंड जनजाति के स्त्री-पुरुष दोनों गहने पहनते हैं जिन्हें जुरिया, पटा बहुँटा, चुटकी तोड़ा, पैरी सतुवा, हमेल, ढार, झरका, तरकी बारी, तथा टिकुसी कहा जाता है। सिक्कों से बनी मालाएँ भी कोरकू स्त्रियों को बहुत प्रिय होती हैं। सहरिया स्त्रियाँ नाक में बड़ी-सी नथ पहनती हैं। कोरकू स्त्रियाँ कानों में झुमके, लटकन, टॉप्स तथा कर्णफूल पहनती हैं। कोरकू पुरुष गले में ताबीज तथा माला पहनते हैं। कोल एवं भारिया जनजाति की स्त्रियाँ कम गहने पहनती हैं। कोल एवं भारिया जनजाति के पुरुष भी सादगी से रहते हैं। वे गले में ताबीज अथवा कंठी पहनते हैं। बैगा जनजाति की स्त्रियाँ भील तथा भिलाला स्त्रियों की अपेक्षा कम गहने पहनती हैं। उन्हें गहनों की अपेक्षा गोदना गोदवाना अधिक प्रिय होता है।

गोदना गोदवाना एक ऐसी लोक परंपरा है जो प्राचीनकाल से चली आ रही है। देश के अन्य भागों की भाँति मध्यप्रदेश में बसने वाली जनजातियों में स्त्री-पुरुष दोनों अपने शरीर को गोदना से सजाना अत्यधिक पसंद करते हैं। यूँ तो प्रदेश की लगभग सभी जनजातियों में गोदना गोदवाने का चलन है लेकिन गोंड जनजाति में गोदने का चलन सबसे अधिक है। स्त्री और पुरुष दोनों गोदना गोदवाना पसंद करते हैं। गोदना को अंग्रेजी में

'टैटू' कहा जाता है। आदिवासी स्त्री-पुरुष पीढ़ियों से गोदना गोदवाते चले आ रहे हैं। भील, कोरकू, गोंड, बैगा, बिंझवार, आगरिया, कँवर, कमार, भतरा, माड़िया, मुरिया, और अबूझमाड़िया स्त्रियाँ गोदने अधिक गोदवाती हैं। स्त्रियों के शरीर पर गोदने अधिक बनाए जाते हैं। चेहरे पर, बाँह पर, वक्ष पर, हाथों पर, जंघा पर, पिंडलियों पर, पैर के पों, टखनों तथा पीठ पर गोदना गोदवाया जाता है। नितंब तथा कमर के निचले भाग में गोदना गोदवाना वर्जित है। गोदना गोदवाने की शुरुआत कब से हुई, इसके बारे में निश्चित रूप से कोई प्रमाण नहीं मिलते हैं किंतु जनजातियों में गोदना गोदवाने के संबंध में अनेक प्रकार के मिथक और किंवदंतियाँ प्रचलित हैं। आदिवासी यह मानते हैं कि गोदना मरने के बाद भी दूसरे लोक में साथ जाता है। गोदना गोदने वाली ये स्त्रियाँ चित्रकारी में निपुण होती हैं। सूई की सहायता से काले रंग के तरल (रासायनिक द्रव) को त्वचा में छोटे-छोटे बिंदुओं के रूप में उतारते हुए चाँद, सूरज, मोर, मधुमक्खी, वृक्ष, फूल, बैल तथा प्रतीकात्मक आकृतियाँ बना देती हैं।

नृत्य-संगीत

नृत्य और संगीत की भावना मनुष्य के भीतर से जन्म लेती है। आदिवासी संसार में नृत्य और संगीत की मौलिक शैलियाँ पाई जाती हैं। वे दिन भर के कठोर श्रम के बाद नृत्य और संगीत के द्वारा अपनी थकान को दूर करते हैं। आदिवासियों के वाद्ययंत्र भी अलग होते हैं। ढोल, माँदल, टिमकी, सिंगबाजा, नगाड़ा, मंजीरा, खरताल, ठिसकी, चुटकी, झाँझ, बाँसुरी, अलगोझा, तमूरा, चिकारा, किंदरी, भूगड़ू, पवई, चिटकोरा, थाली, कुंडी आदि वाद्य आदिवासियों के प्रमुख वाद्य हैं।

भगोरिया नृत्य भील जनजाति का विशेष नृत्य है। इसी नृत्य के समय युवक और युवतियों के विवाह तय होते हैं। इस अवसर पर ढोल, माँदल आदि वाद्य बजाये जाते हैं। करमा नृत्य गोंड और बैगा जनजाति के लोग करते हैं। करमा नृत्य करते समय माँदल, ढोल और नगाड़े बजाए जाते हैं। बैगा जनजाति के लोग करमा नृत्य करते समय विभिन्न प्रकार के मुखौटे भी लगाते हैं। सैला नृत्य भारिया जनजाति में लोकप्रिय है। इस नृत्य

के समय ढोल, टिमकी, झाँझ और बाँसुरी बजाई जाती है। सैला नृत्य को मुख्य रूप से पुरुष ही करते हैं। भारिया जनजाति के लोग सैतम नृत्य भी करते हैं। सुआ नृत्य गोंड जनजाति में प्रचलित है। इसे केवल औरतें ही करती हैं। बैगा जनजाति में बिलमा नृत्य किया जाता है।

कोरकू तथा बैगा जनजातियों में दशहेरा नृत्य किया जाता है। बैगा जनजाति के लोग होली पर्व पर फाग नृत्य करते हैं। गादली नृत्य कोरकू जनजाति में स्त्रियों के द्वारा विवाह के अवसर पर किया जाता है। नृत्य के साथ चिटकोरा नाम का विशेष वाद्य बजाया जाता है। सोलो नृत्य भील जनजाति में प्रचलित है। छेरता नृत्य-नाटिका बैगा जनजाति में प्रचलित है। इस नृत्य को मुखौटा लगा कर किया जाता है। ये मुखौटे विभिन्न प्रकार के होते हैं जो लकड़ी और चमड़े के बने होते हैं। ये नृत्य लोकगाथाओं पर आधारित होते हैं। कोरकू जनजाति के लोग होरोरया नृत्य करते हैं। अन्य विभिन्न जनजातियों में भी अनेक प्रकार के पारंपरिक नृत्यों और संगीत का प्रचलन है। जैसे—चाचरी, थापटी, ढाँढल, डोडबली, डंडानाच, चिल्लुड़ी, ठाट्या, लाहरी, चलावणी, पाली, दौड़ावणी, घोड़ आदि।

प्रचलित मान्यताएँ

प्रत्येक जाति एवं समुदाय में कुछ विशेष मान्यताएँ प्रचलित होती हैं। ये मान्यताएँ धर्म, संस्कार एवं रीति-रिवाज के रूप में देखने को मिलती हैं। आदिवासियों में भी यह विश्वास पाया जाता है कि संसार में कुछ अदृश्य शक्तियाँ होती हैं जो संसार के सभी कार्यों का संचालन करती हैं। इस संसार के सभी जड़ और चेतन तत्त्वों में आदिवासी उस अदृश्य शक्ति के प्रभाव को देखते हैं तथा उसका सम्मान करते हैं। मध्यप्रदेश की आदिम जनजातियों में बड़ादेव नामक देवता को समान रूप से पूजा जाता है। वे बड़ादेव को सबसे वरिष्ठ और प्रारंभिक देवता मानते हैं। मुड़िया आदिवासी मंदिर को 'माता गुड़ी' के नाम से पुकारते हैं। आंगादेव मुड़िया आदिवासियों के सबसे बड़े देवता हैं। आंगादेव की महादेव अथवा बड़ादेव के रूप में पूजा की जाती है। मुड़िया जनजाति में डोकरा-डोकरी नाम के देवी-देवता, हिंगलाजिन माता, बंजारन माता, भीमादेव, पाटदेव तथा नागदेव को भी प्रमुखता से पूजा जाता है।

मावली माता, बंजारन माता, महरेलिन माता, लिंगोदेव, कूर देव तथा बूढ़ादेव की गोंड आदिवासी पूजा करते हैं। कुछ जनजातियों में बूढ़ादेव को बड़ादेव के रूप में पूजा जाता है। पंडो, कँवर, उराँव आदि जनजाति के लोग शिव को बड़ादेव, लिंगोपेन आदि के रूप में अपना देवता मानते हैं। शीतला माता आदिवासी समुदाय में एक सर्वमान्य देवी है। कोरकू आदिवासी खप्पर माई की पूजा करते हैं। करमदेव पंडो, कँवर तथा उराँव आदिवासियों के प्रमुख देवता हैं। करमदेव को अच्छी फसल, पारिवारिक सुख और समृद्धि का देवता माना जाता है। ठाकुरदेघ, खैरोमाता देवी-देवता गोंड, बैगा इत्यादि सभी जनजातियों के प्रमुख देवता हैं। गोंड तथा बैगा जनजाति के लोग बघेश्वरदेव की पूजा करते हैं। भूत-भल्लिन भूतों और राक्षसों की देवी मानी जाती है। गोंड तथा बैगा इनकी पूजा करते हैं।

गोंड तथा बैगा आदिवासी कीचक राजा तथा कीचक रानी की देवता के रूप में पूजा करते हैं। उनका मानना है कि महाभारत के समय कीचक राजा तथा कीचक रानी ने जंगल में रहने वाले आदिवासियों की सहायता की थी। नांगा बैगा तथा नांगा बैगिन गोंड तथा बैगा आदिवासियों के प्रमुख देवी-देवता हैं। नांगा बैगा तथा नांगा बैगिन के बारे में एक रोचक मान्यता प्रचलित है जिसके अनुसार ये दोनों आदम और हौव्वा के समान मानवजाति के जन्मदाता हैं। इस मान्यता के अनुसार भगवान ने सबसे पहले नांगा बैगा तथा नांगा बैगिन को बनाया। नांगा बैगा तथा नांगा बैगिन जंगल में साथ-साथ रहने लगे। कुछ समय बाद इनकी दो संतानें हुईं। एक संतान बैगा के रूप में और दूसरी संतान गोंड के रूप में। इसके कुछ समय बाद कुछ और संतानें हुईं। इन्हीं संतानों में परस्पर विवाह हुआ। विवाह के बाद बैगा और गोंडों की संख्या में वृद्धि हुई। कोरकू जनजाति के लोग राम-कथा के प्रमुख खल-पात्र रावण के पुत्र मेघनाद की पूजा करते हैं। यह मान्यता है कि एक बार मेघनाद ने कोरकू जनजाति के लोगों की उनके शत्रुओं से रक्षा की थी इसलिए वे मेघनाद को एक दयालु और अच्छे देवता के रूप में मानते हैं।

देवी-देवताओं की पूजा हल्दी, सिंदूर, नारियल, झण्डा आदि चढ़ा कर की जाती है। पूजा-अनुष्ठान के समय नृत्य भी किए जाते हैं। कुछ नृत्य बिना मुखौटा लगाए किए जाते हैं तथा कुछ नृत्यों में देवी-देवताओं से संबंधित अथवा उनके प्रतीक के रूप में मुखौटा लगाकर नृत्य किया जाता है। कुछ धार्मिक अवसरों पर देवता की पूजा करने के बाद उनकी अथवा

अन्य देवी-देवताओं की गाथाएँ भी गाई जाती हैं। प्राचीनकाल में आदिवासी समुदाय अपने देवताओं को प्रसन्न करने के लिए बलि देते थे। तंत्र-मंत्र पर आधारित पूजा भी की जाती है।

मड़ई मंडप शब्द से बना है। विशेष अवसरों पर मड़ई बना कर पूजा की जाती है तथा उत्सव मनाए जाते हैं। मड़ई, मेले, त्यौहार, उत्सव आदिवासी संसार में सदियों से उत्साह और आस्था का संचार कर रहे हैं।

शिल्प-कलाएँ

आदिवासी संसार में शिल्प कला का बहुत महत्त्व है। शिल्प कला मानवीय भावनाओं को प्रकट करने का साधन है जिसके द्वारा मनुष्य ऐसे अनेक प्रकार के चित्रों, कलात्मक सामग्रियों, औजारों आदि को बनाते हैं जो उसके मन को प्रसन्न करते हैं तथा उनके दैनिक जीवन में उनके काम आते हैं। आदिवासियों में भी अनेक प्रकार की शिल्प कलाओं के प्रति रुचि दिखाई देती है। साधारण रूप से मूर्तियाँ बनाने और चित्रकारी करने की प्रत्येक जनजाति की अपनी विशेष कला एवं शैली होती है। इस शैली के द्वारा उनकी परंपरा, उनका परिवेश और उनकी स्मृतियाँ प्रकट होती हैं। इन्हीं शैलियों के द्वारा सभी जनजातियों की शिल्पकलाओं को अलग-अलग पहचाना जा सकता है। देश के अन्य भागों की भाँति मध्य प्रदेश के आदिवासी भी शिल्प कलाओं में बहुत रुचि रखते हैं। जहाँ एक ओर पुरुष कृषि के औजार, धनुष-बाण, फंदे, सुतली, रस्सी आदि बनाने में रुचि रखते हैं, वहीं दूसरी ओर घर की दीवारों पर विभिन्न प्रकार के रंग-बिरंगे चित्र बनाना प्रायः सभी जनजातियों की स्त्रियों का सबसे रुचिकर कार्य होता है। उदाहरण के लिए गोंड जनजाति की महिलाएँ अपने घर की दीवारों के किनारों की सतह ऊँची उठाकर उन्हें नील, गेरू या कजली से रंग कर दीवारों पर मिट्टी की त्रिभुजाकार तथा गोलाकार रेखाएँ बना कर उन्हें रंगों से सजाती हैं। घर की दीवार पर बनी खूँटियों, ताकों, दरवाज़ों आदि पर सुंदर-सुंदर आकृतियाँ बनाती हैं। उनकी इस कला को चीन्हा कहते हैं। दरवाज़ों के चारों तरफ बने हुए चीन्हा को दो-तीन रंगों से रंगा जाता है।

दैनिक उपयोग के सामान

गोंड जन-जाति के पुरुष अपने लिए धनुष-बाण बनाते हैं। वे कृषि कार्यों के लिए औजार, मचिया, रस्सी, सुतली, फंदे, खुमरी आदि अपने विशेष ढंग से बनाते हैं जो बड़े ही कलात्मक होते हैं। भारिया जनजाति के लोग बाँस और छींद के पत्तों से अनेक प्रकार की कलात्मक वस्तुएँ बनाने में विशेष महारत रखते हैं। पेड़ों की छालों से उनके द्वारा बनाई हुई रस्सियाँ उनकी कलाप्रियता को प्रकट करती हैं।

आदिवासी स्त्री-पुरुष बाँस और पत्तों से अनेक प्रकार की छोटी-बड़ी वस्तुएँ बनाते हैं जो उनके दैनिक जीवन के उपयोग में आती हैं। बरसात के पानी से बचाव हेतु काम में लाए जाने वाले छाते के रूप में प्रयोग में लाई जाने वाली खुमरी बाँस और पत्तों को बुन कर बनाई जाती है। यह अत्यंत सुंदर और कलात्मक होती है। इसकी संरचना ज्यामितीय होती है। पाँच कोणों के आकार वाली यह खुमरी बाँस के पतली खपचियों से बुन कर बनाई जाती है। इन खपचियों में अंदर की ओर पत्ते इस प्रकार लगाए जाते हैं कि बारिश का पानी उनमें प्रवेश नहीं कर पाता है। इसी प्रकार गोंड जनजाति में बाँस से एक विशेष तरह की टोकरी बनाते हैं जिस पर ढक्कन लगा होता है। ढक्कन को बाँस की सुंदर छोटी-छोटी चौकोर डिबियानुमा आकृतियों से सजाया जाता है। यह टोकरी विवाह तथा अन्य सामाजिक संस्कारों के समय विशेष रूप से काम में लाई जाती है। इस टोकरी को सिंघोरा पेटी कहा जाता है। विवाह उत्सव के समय महिलाएँ इसे सिर पर रख कर नृत्य भी करती हैं।

आदिवासी पेड़ों की छाल और रस्सी आदि को तुम्बे में लपेट कर पेय पदार्थ रखने का पात्र बनाते हैं। ये पात्र देखने में कलात्मक दिखते हैं और उपयोग करने में भी सुविधाजनक होते हैं। ताड़ के पत्तों से स्त्री और पुरुषों के उपयोग के बटुए बनाए जाते हैं। पेड़ों की छालों से बनाई गई रस्सियों के द्वारा बुनकर थैला बनाया जाता है जिसे सामान रखने में उपयोग में लाया जाता है। पेड़ की छालों की रस्सियों से सिर पर घड़ा अथवा टोकरी रखने के लिए काम में लाई जाने वाली गोलाकार कलात्मक वस्तु बनाई जाती है, जिसे चोमल कहते हैं। चोमल बनाने के लिए ताड़ के पत्तों का भी प्रयोग किया जाता है।

लकड़ियों से भी विभिन्न प्रकार की सुंदर वस्तुएँ, मूर्तियाँ, खिलौने आदि बनाने में

आदिवासी कुशल होते हैं। दैनिक उपयोग में आने वाले सामानों में अनाज मापने का बरतन बनाया जाता है। जिसे काठा कहते हैं। मुरिया जनजाति के लोग बाल सँवारने के लिए लकड़ी एवं बाँस की कंघियाँ बनाते हैं। इन कंघियों पर नक्काशीदार ज्यामितीय आकृतियाँ बनी रहती हैं। दरपन का फ्रेम, बालों में लगाने वाले पिन, हाथों में पहनने के कंगन, गले में पहनने की माला भी लकड़ी की गोल, चौकोर आकृतियों वाली बनाई जाती है। अनाज कूटने का ऊसर-मूखर, आटा गूँधने की थाल, बैठने की चौकी तथा मचिया, कलछी, बीजों से तेल निकालने के लिए यंत्र आदि वस्तुएँ आदिवासी लकड़ी के द्वारा बनाते हैं, जो विशेष प्रकार के बेल-बूटों से सजी रहती हैं। भील जनजाति में आटा गूँधने की लकड़ी की बनी थाली को कठड़ा कहते हैं। जिस पर फूल-पत्ते, बेल-बूटे आदि बने रहते हैं। भील जनजाति में ही चारपाई के पायों को भी फूल-पत्तियों, बेल-बूटों और आड़ी, खड़ी तिरछी रेखाएँ बना कर सुंदर नक्काशी से सजाया जाता है। बीजों से तेल निकालने के लिए बनाए जाने वाले लकड़ी के यंत्र को भी सुंदर नक्काशी से सजाया जाता है। यह यंत्र पीची गेढ़ा कहलाता है।

पालतू पशुओं के उपयोग में लाए जाने वाले लकड़ी के सामानों की सजावट भी देखते बनती है। बैलों के गले में पहनाई जाने वाली घंटियाँ भी लकड़ी की बनाई जाती हैं, इन्हें खटखटा, टापुर, कोटोड़का आदि नामों से पुकारा जाता है। इन पर भी नक्काशी बनी रहती है।

भील जाति के लोग दीपक रखने का स्तम्भ (स्टैंड) बनाते हैं जिन्हें दिवानियाँ कहते हैं। लकड़ी के एक आयताकार पटिए पर उसके निचले भाग से थोड़ा ऊपर लकड़ी को एक और छोटा पटिया लगाते हैं जिस पर दीपक रखा जाता है। दिवानियाँ का आकार अंग्रेजी के एल अक्षर के समान होता है। इसे दरवाजे की चौखट या दीवार के सहारे लटकाया जाता है। लकड़ी की पट्टियों से बनाए जाने वाले दिवानियाँ का ऊपरी भाग मंदिर के कलश के समान होता है जिस पर मोर, चौक, गोदना चिह्न आदि बने होते हैं। पशु-पक्षी, बेल-बूटे और मानव आकृतियाँ भी इन पर बनाई जाती हैं।

चित्रकारी से सजावट

भारिया जनजाति की महिलाएँ गोंड जनजाति की महिलाओं की ही भाँति दरवाज़ों पर चित्र बनाने में निपुण होती हैं। सहरिया जनजाति के लोग अनाज रखने के लिए मिट्टी के बड़े-बड़े, बहुत ही सुंदर बरतन बनाते हैं जिन पर तरह-तरह की चित्रकारी तथा मिट्टी से बनी, उभरी हुई आकृतियाँ सजी रहती हैं। इन बरतनों को पेयी अथवा कोठी कहा जाता है। पेयी अथवा कोठी को रंगने के लिए पीली मिट्टी, छूही अथवा चूने का उपयोग किया जाता है। घर की दीवारों पर तरह-तरह के चित्र सहरिया जनजाति के लोग भी बनाते हैं। छूही, चूना या पीली मिट्टी से घर की दीवारों को पोत कर उस पर अनेक सुंदर आकृतियाँ बनाते हैं। घर के सामने आँगन में भाँति-भाँति के माँडने बनाए जाते हैं। सहरिया जनजाति के लोग अपने घर के आँगन में माँडने बनाने में बहुत रुचि रखते हैं। भील जनजाति में भी शिल्पकलाओं के प्रति विशेष रुचि देखी जाती है। भील स्त्रियाँ अपने घर के आँगन में माँडने बनाती हैं जो अत्यंत ही आकर्षक होते हैं। भीलों में घरों की दीवार पर विशेष प्रकार के चित्र बनाने का भी चलन है। भील जनजाति में पिथौरा पर्व परंपरागत रूप में मनाया जाता है। इस पिथौरा पर्व पर जो चित्र बनाए जाते हैं, वे एक विशेष शैली के होते हैं। उनकी इस विशेष शैली को भीलों की चित्रकला की पिथौरा शैली कहा जाता है। भीलों की पिथौरा शैली जनजातियों की चित्रकला शैलियों में विशेष स्थान रखती है।

कोरकू जनजाति के लोग भी घर की दीवारों को विभिन्न आकृतियों एवं रंगों से चित्रित करते हैं। घर के प्रवेश-द्वार पर जिस विशेष प्रकार का चित्र बनाया जाता है उसे गुदनी कहते हैं। गुदनी नामक इस चित्र को लाल मिट्टी या सफ़ेद खड़िया मिट्टी से बनाया जाता है उस गुदनी का मांगलिक कार्यों में भी विशेष महत्त्व होता है। स्त्रियाँ जब गुदनी नामक चित्र बनाती हैं उस समय सूपे में गोबर से बनाई हुई कुल देवता की मूर्ति को रख कर लोकगीत गाती हैं। मध्यप्रदेश की अन्य सभी

जनजातियों में भी शिल्प कलाओं की विविधता देखने को मिलती है।

सजावटी सामान एवं खिलौने

आदिवासी लकड़ी के सजावटी सामान भी बनाते हैं। मंडला के गोंड, बैगा जनजाति के लोग विभिन्न प्रकार की सजावटी मूर्तियाँ, पशु-पक्षी, सारस, सर्प, जंगली बिलाव आदि बनाते हैं। शहडोल जिले के गोंड पनिहारिन, किसान, माँदल बजाने वाला, माता और शिशु की सुंदर मूर्तियाँ बनाते हैं, जिनका शिल्प अपनी अलग विशेषता लिए हुए होता है। इन पर किसी प्रकार की कोई नक्काशी न होते हुए भी ये मूर्तियाँ आकर्षक दिखती हैं। पातालकोट के भारिया आदिवासी लकड़ी के बकुला, उल्लू, बैल, घोड़े, हाथी, मोर आदि बनाते हैं। आदिवासियों में लकड़ी के मनोरंजक खिलौने बनाने का भी प्रचलन है। धार, झाबुआ में रहने वाले भील, भिलाला आदिवासियों में भगोरिया मेले का विशेष महत्त्व है। इस मेले में हाट-बाजार लगने के साथ ही युवक-युवतियों का स्वयं के द्वारा विवाह भी तय किया जाता है। इस अवसर पर युवक अपने हाथ में धनुष-बाण लिए होते हैं, वहीं एक युवक अपने हाथ में बाँस की लकड़ी की बनी चिड़िया रखे रहता है जो अन्य युवक-युवतियों के बीच में नृत्य करता है। लकड़ी की बनी ये चिड़िया नृत्य के दौरान बड़ी मनोरंजक लगती है।

पांडो ओर कँवर जनजाति के लोग लकड़बाबा नामक लकड़ी का एक विशेष खिलौना बनाते हैं। इसमें साल अथवा बीज की लकड़ी से बना हुआ एक स्टैंड होता है। जिस पर एक कठपुतली रखी जाती है। इस कठपुतली के कंधों पर सूराख कर बाँस की कमानीदार कमचियाँ लगाई जाती हैं। दोनों कमचियों में मिट्टी से बने हुए एक समान वजन के गुटके लगाए जाते हैं जो कठपुतली के बैलेंस को बनाए रखते हैं। यह लकड़बाबा खिलौना कला एवं तकनीक की दृष्टि से अत्यंत आकर्षक और विस्मयकारी होता है।

मुखौटे

आदिवासियों में लकड़ी के मुखौटे बनाने का विशेष चलन है। मध्य प्रदेश के आदिवासियों

में भी त्यौहारों के अवसर पर मुखौटे लगाकर नृत्य करने का चलन है। गोंड, परधान जनजाति में कठभेभा नाम मुखौटा लगाया जाता है। फसल कटाई के बाद छेरता उत्सव मानते समय यह मुखौटा लगाकर नृत्य किया जाता है। बैगा युवक खेखड़ा नाम मुखौटा लगाकर नृत्य करते हैं। नागदेव, अम्मरदेव, खिसरादेव, लक्ष्मीग्वाल, भैंसासुर, मरही देवी, लिंगोदेव, बड़ा देव, कूर देव, लहासुर देव, नागदेव, बँधारीमरा देव, सैहा बाबा, ठाकुर देव, मल्लू देव, बूढ़ा देव, रक्सामसान, फकीर, गायकी, बसोड़, पंडित, कालाबा, काली माई, गिलट बाबा, खप्पर माई, भीम मुखौटा, बाघ देव, जल देव, कलहासिन माता, त्रिशूलधारी देवी, भूतभल्लिन, शीतला माता, मसान देव, बघोरी देव, झाँक करम देव, धनरसिया, कुदरगढ़ी घमसान देव, गणपति बहनाऊदानो और दानी, बंजारन माता, झाराल, बघरोन देव, बकासुर देव, अँधियारी देवी, गंदीला मढैया देव, दानव प्रेत, रेंगतई खजई मुखौटा, दयैत बाबा, मुठवा बाबा, खैर दाई, हरना छापर दाई, सिबरिया देवी, महरेलिन माता, दूल्हा देव, खेड़ा देव, खरखुड़ी माई, बरासिन देवी, काली महरानी आदि के मुखौटे बनाए जाते हैं, इन्हें बैंगा, गोंड, परधान, भील, सहरिया कँवर, पांडो उरांव, मुड़िया, भारिया, कोरकू आदि के द्वारा विशेष अवसरों पर लगा कर नृत्य किया जाता है तथा इनकी पूजा की जाती है। ये मुखौटे सेम्हल, सरई, बीजा, हल्दू, आम, खैर, सागोन, सलई, खम्हार, साजा आदि लकड़ियों से बनाए जाते हैं। इन मुखौटों पर आँख, नाक और मुख को छिद्र के रूप में बनाया जाता है। अलग-अलग मुखौटे की आकृतियाँ अलग-अलग होती हैं। जिनके द्वारा इन्हें पहचाना जाता है। जैसे—नागदेव के मुखौटे में मानवीय चेहरे पर माथे पर नाग की आकृति बनाई जाती है। जबकि लक्ष्मीग्वाल को बड़े-बड़े दाँत, लंबे गोलाकार कान और सिर पर मालाओं की पंक्तियों से सुगमता से पहचाना जाता है। सेहा बाबा के सिर पर पगड़ी और विशेष प्रकार की मूँछें रहती हैं। खप्पर माई के गालों पर खप्पर बनाया जाता है। जलदेव नामक मुखौटे के सिर पर बाल, बड़े दाँत और लम्बी नाक तथा पूरे चेहरे पर पानी के प्रतीक के रूप में बनाए गए गड्ढे होते हैं। बाघदेव के मुखौटे में बाघ, मसान देव के मुखौटे में बंदर की आकृतियाँ बनी रहती हैं।

घर-द्वार

जब से मनुष्य ने समुदाय में रहना प्रारंभ किया उसके भी पहले से वह झोंपड़ीनुमा घर में रहना सीख चुका था। यह झोंपड़ी घास-फूँस, बाँस, लकड़ी पत्तों आदि से बनी होती थी। धीरे-धीरे घास-फूँस और लकड़ी पत्तों से बनी इन झोंपड़ियों का स्थान मिट्टी, पुआल, खपरैल आदि ने ले लिया। आदिवासियों के घर सामान्य रूप से कच्चे होते है। जो उनकी जानवरों, धूप, वर्षा, आँधी, शीत, ओले आदि से रक्षा करते हैं। प्रत्येक जनजाति के घरों की बनावट अलग-अलग होती है। गोंड आदिवासियों के घर मिट्टी, पुआल, लकड़ी से बने होते हैं। जिनमें छींद के पत्तों, खपरैल और बाँस का भी प्रयोग किया जाता है। घर के बीचोंबीच एक आँगन होता है। आँगन के तीन ओर कमरे बने होते हैं। तथा एक ओर लकड़ियों की बाड़ी से बनाई गई गोशाला होती है। घर के मुख्य दरवाजे को फरिका कहते हैं। फरिका को विशेष रूप से सजाते हैं। घर एक विशेष कमरा होता है जो अतिथियों के लिए रहता है। इसे बंगला कहा जाता है। घर के पीछे बाड़ी रहती है। बाड़ी में पेड़-पौधे लगाए जाते हैं। एक घर लगभग दस-बारह फुट चौड़ा और तीस-पैंतीस फुट लंबा होता है। गोंड महिलाएँ अपने घरों को नोहडोरा नामक भित्ति चित्रों से सजाती हैं।

सहरिया आदिवासियों के घर एक-दूसरे से जुड़े होते हैं। अँग्रेजी के उल्टे यू अक्षर की भाँति जुड़े हुए घरों की शृंखला को सहराना कहते हैं। प्रत्येक सहराना के मध्य में सामूहिक बैठक का स्थान होता है।

कोरकू जनजाति के घर मिट्टी, पुआल, लकड़ी आदि से बने तथा कच्चे होते हैं, किंतु वे घरों की दो समानांतर कतारों को एक आड़ी शृंखला से जोड़ देते हैं। इन समानांतर के बीच लगभग पैंतीस से चालीस फुट तक का फासला होता है। जुड़े हुए घरों की इन शृंखलाओं से सुरक्षा और आपसी निकटता को बल मिलता है। भीलों के गाँव फलियों में बँटे होते हैं, बाँस,

लकड़ी, मिट्टी से बने इनके कच्चे मकानों की दीवारें और फर्श गोबर से लिपे होते हैं जिन पर ये विभिन्न आकृतियों के चित्र बनाते हैं।

भारिया, बैगा, सहरिया और गोंड जनजाति के लोग घर की दीवारों पर सफ़ेद या पीली मिट्टी से पुताई करते हैं तथा उन पर चित्र बनाते हैं जबकि कोरकू जनजाति के लोग लाल मिट्टी से दीवार की पुताई करते हैं। सभी आदिवासियों के घर गृहस्थी के सामान प्रायः एक समान होते हैं। उनके नाम अलग-अलग जनजतियों में अलग-अलग होते हैं। खाट, चटाई, मचिया, अनाज रखने की कोठी, कृषि के औजार, मूसर, चक्की आदि सामान आदि लगभग हर घर में पाए जाते हैं। मछली पकड़ने की कुमानी, शिकार करने के धनुष-बाण आदि भी वे घरों में रखते हैं।

पहले आदिवासियों के द्वारा काम में लाए जाने वाले बरतन मिट्टी के हुआ करते थे, अब मिट्टी के साथ-साथ पीतल, काँसे, लोहे, अल्यूमीनियम तथा प्लास्टिक के भी होते हैं। पानी रखने के लिए मिट्टी के घड़े, सुराही आदि बरतनों का प्रयोग किया जाता है। भील जनजाति के लोग अपने घरों में घड़े रखने के लिए घर के आँगन में मचान दीवार के सहारे खड़ी की जाती है। जिससे घड़ों का पानी वातानुकूलित होता रहता है। मचान के पास दीवार पर एक आला बना रहता है। जिसमें पानी निकालने के लिए गिलास आदि रखा जाता है। गोंड आदिवासियों के घरों में यह मचान घर के अंदर बनाई जाती है।

कोल जनजाति के लोग धूल एवं कीचड़ से बचाने के लिए खटियाँ दीवार से सट कर बनाए गए सँकरे चबूतरों पर टिका कर रखते हैं।

सहरिया आदिवासियों के घरों के आँगन में अलाव तापने का कूड़ा बनाया जाता है, जिसके चारों ओर बैठ कर परिवार एवं पड़ोस की महिलाएँ आग तापती हैं।

खान-पान

आदिवासी जंगल में निवास करते हैं इसलिए भोजन के रूप में वे वनोपज तथा कृषि पर निर्भर रहते हैं। वे महुआ, कंद, मूल, फल आदि खाते हैं। वे कोदो, कुटकी, ज्वार, बाजार चना, चावल, सावाँ, मक्का, गेहूँ आदि की खेती करते हैं। महुए की शराब इनका प्रिय पेय होता है। जिसका प्रयोग मुख्य रूप से त्यौहारों एवं उत्सवों के अवसर पर बहुतायत में किया जाता है।

गोंड जनजाति का मुख्य आहार कोदो हे, जिसे पका कर बनाई जाने वाली सामग्री को भात और पेज कहते हैं। त्यौहार के अवसर पर मीठा चावल, दाल-रोटी, खिचड़ी आदि बनते हैं। शाक-सब्जी, जंगली फल-फूल तथा मांस-मछली भी खाते हैं। कंद-मूल को सुखा कर रख लेते हैं और फिर उसे भून कर खाते हैं।

भारिया जनजाति के लोग सब्जी-भाजी उपयोग करते हैं। लौकी, कद्दू, सेम, चना, बरबटी, टिंडा आदि सब्जियाँ उगाते हैं। आलू, शकरकंद, सेतकंद, बरहाकंद, आदि कंद-मूल भी भारिया आदिवासी खाते हैं। भात और पेज नियमित भोजन के रूप में लेते हैं। बरसात के दिनों में आम के बीज की रोटी और महुआ खाते हैं। त्यौहार के दिनों में मक्का, ज्वार, गेहूँ के आटे की रोटी और आटे में महुआ मिला कर मीठा पकवान बनाते हैं जिसे ठेठरा कहते हैं। चावल में गुड़ डाल कर खीर भी त्यौहारों पर बनाई जाती है।

सहरिया जनजाति के लोग कंद-मूल फल और हरी सब्जियाँ विशेष रूप से खाते हैं, ज्वार, बाजरा, मक्का और चने का उपयोग नियमित भोजन के रूप में करते हैं। रोटी के साथ कढ़ी भी बनाई जाती है। सहरिया जनजाति की स्त्रियाँ विभिन्न प्रकार की चटनियाँ बनाने में निपुण होती हैं। इन्हें पेड़, पौधों, जड़ी-बूटियों का अच्छा ज्ञान होता है। त्यौहार के समय पर बेसन की बाटी बनाने का चलन है।

सभी आदिवासियों में मद्यपान और मांस-मछली का आहार भी बहुप्रचलित है।

वनोपज

आदिवासियों का निवास मुख्यतया जंगल में होता है। इसलिए वे वनोपज पर अधिक निर्भर होते हैं। मध्यप्रदेश के आदिवासी जंगल में प्राप्त होने वाले वनोपज को एकत्रित करते हैं तथा इन्हें बाजार में ले जा कर बेचते हैं। जिससे इन्हें धन की प्राप्ति होती है। इस कार्य में इनका पूरा परिवार समान रूप से लगा रहता है। मौसम के अनुसार से तेंदू पत्ता, लाख, गोंद, महुआ, हर्रा, बहेरा, अचार-चिरौंजी, गुल्ली कोसा, भिलावा, तीखुर, बेचाँदी, आदि इकट्ठा करते हैं।

कृषि

पहले आदिवासी मात्र वनोपज और शिकार पर निर्भर रहते थे किंतु धीरे-धीरे उन्होंने कृषि कार्य करना प्रारंभ कर दिया। सीमित साधनों और सीमित ज्ञान के बाद भी वे अपने खेतों में अनेक प्रकार के अनाज का उत्पादन करते हैं। इनके खेत छोटे-छोटे टुकड़ों में बँटे होते हैं। ये सिंचाई के लिए वर्षा के जल पर निर्भर रहते हैं। ये खेतों में कोदो, कुटकी, धान, बाजरा, ज्वार, मक्के की फसल मुख्य रूप से उगाते हैं। इनके साथ ही अरहर, मूँग, उड़द, कुल्थी आदि दलहन तथा तिलहन भी उगाते हैं।

कृषि कार्य में हर आयु के पुरुष, स्त्री एवं बच्चे सभी बराबरी से भाग लेते हैं।

औषधियाँ

पीढ़ियों से जंगलों में निवास करने के कारण आदिवासियों को ज़ंगल में उगने वाली औषधियों का अच्छा ज्ञान होता है। तरह-तरह की जड़ी-बूटियों का उपयोग करके वे औषधियों का निर्माण करते हैं। रोग के लक्षणों के आधार पर अलग-अलग जड़ी-बूटियाँ काम में लाई जाती हैं। सभी प्रकार के पौधों के फूल, पत्ते, तने, जड़, बीज आदि का औषधीय ज्ञान आदिवासियों को होता है। बैगा जनजाति के लोग जंगल से मिलने वाली औषधियों के द्वारा अचूक इलाज करना जानते हैं।

पशुपालन

पशुओं के प्रति आदिवासियों को प्रारंभ से ही लगाव रहा है। गाय, बैल, बकरी, मुर्गा, कुत्ता, आदि मुख्य रूप से पाले जाते हैं। वे बत्तख, सूअर भी पालते हैं। बैलों का उपयोग खेती के कामों में किया ज़ाता है। गाय से दूध, गोबर आदि प्राप्त करते हैं। गायों को बाड़ा अथवा गोशाला बना कर रखा जाता है। सामूहिक गोशाला को खरखि कहते हैं। पशुओं को चारा-पानी देने के लिए लकड़ी के लट्ठे की डोंगी बनाई जाती है। मुर्गे और बकरे मुख्य रूप से मांसाहार के लिए पाले जाते हैं। आदिवासियों में मुर्गों की लड़ाई एक लोकप्रिय खेल है। मुर्गियों को रखने के लिए मोटे बाँसों पर बाँस की खपचियाँ बाँध कर सूपनुमा टोकरी रखते हैं।

कुत्ते एक वफ़ादार पशु के रूप में रक्षा कार्य के लिए पाले जाते हैं। ये गाँव तथा घर में आदिवासियों के साथ आते-जाते हैं। कोल आदिवासी बकरी के बच्चों को रखने के लिए एक पिंजरेनुमा बाँस की उल्टी टोकरी बनाते हैं, जिसे ढोल कहते हैं।

बैगा आदिवासी अपने घर से थोड़ी दूरी पर सूअर का बाड़ा बनाते हैं। जिसमें वे अपने पालतू सूअरों को रखते हैं। यह बाड़ा मोटे-मोटे लट्ठों से बनाया जाता है।

संस्कार

वैदिक ग्रंथों में सोलह प्रकार के संस्कारों का उल्लेख मिलता है। किंतु जीवन में सबसे महत्त्वपूर्ण तीन प्रकार के संस्कार होते हैं—जन्म, विवाह और मृत्यु। ये तीनों संस्कार मनुष्य के जीवन को प्रभावित करते हैं। जब शिशु जन्म लेता है तब एक जीवन का आरंभ होता है। शिशु के बड़े होने पर उसका विवाह होता है। विवाह के बाद उसके शिशु के रूप में दूसरी पीढ़ी का जन्म होता है। अतः इन दोनों घटनाओं को खुशी के संस्कार के रूप में मनाया जाता है। बच्चे के जन्म पर खुशियाँ मनाई जाती हैं तथा विवाह पर उत्सव की तरह अपना उल्लास प्रकट किया जाता है। जीवन-क्रम में मृत्यु का स्थान सबसे अंतिम है। मृत्यु जीवन क्रम को रोक देती है। मृत्यु एक पीढ़ी का अंत कर देती है। इसीलिए मृत्यु को शोक के संस्कार के रूप में देखा जाता है। तथा इसे मरने वाले मनुष्य के जीवन क्रम का अंतिम संस्कार भी कहा जाता है। आदिवासी समुदाय भी जन्म, विवाह और मृत्यु के संस्कारों को मानता है।

जन्म

जन्म के संबंध में सभी आदिवासी समुदायों में अपनी-अपनी धारणाएँ हैं। जन्म के संबंध में उनमें अलग-अलग कथाएँ भी प्रचलित हैं किंतु उन सभी धारणाओं एवं कथाओं का सारांश एक ही है। प्रायः सभी आदिवासी समुदाय यह मानते हैं कि माँ के पेट में आने से पहले भगवान बच्चे को बनाता है। उदाहरण के लिए दंडामी

माड़ियाओं की मान्यता को देखा जा सकता है। दंडामी माड़िया मानते हैं कि भगवान यह तय करता है कि किस आत्मा को बच्चे के रूप में किस घर में पैदा होने के लिए भेजना है। इसके बाद वह अपने एक दूत को उस घर में भेजता है। इस दूत को जनमबीमा कहा जाता है। जिस समय जनमबीमा उस घर में आता है, ठीक उसी समय लिंगो डेंगो लिंग और बोड़खाँ बेट शक्तियाँ आपस में मिलती हैं। उसी समय भगवान सूप से फटक कर आत्मा को माँ के पेट में भेज देता है। यही आत्मा गर्भ के रूप में माँ के पेट में पलती है। और सही समय आने पर शिशु के रूप में जन्म लेती है।

यदि शिशु के जन्म के समय किसी प्रकार की कठिनाई आती है तो गाँव के गुनिया को बुलाया जाता है। गुनिया झाड़-फूँक कर के उस कठिनाई को दूर करता है। गुनिया जाँच करके यह भी बता देता है कि शिशु का जन्म कितनी देर में होगा तथा जन्म देने वाली माँ को कितनी पीड़ा सहनी होगी। यह सब वह अपने अनुभव के आधार पर बताता है।

नामकरण संस्कार

शिशु का नाम रखा जाना प्रत्येक समुदाय में महत्त्वपूर्ण होता है। नाम रखे जाने के बाद से ही उसे दुनिया में अपनी एक पहचान मिलती है। इसीलिए नामकरण के कार्य को एक संस्कार के रूप में माना जाता है। शिशु के नामकरण संस्कार के दिन आदिवासी परिवार अपने अन्य रिश्तेदारों और गाँव के लोगों को अपने घर आने का निमंत्रण देते हैं। इस अवसर पर सभी अतिथियों को महुए से बना पेय पिलाया जाता है। शाकाहारी तथा मांसाहारी भोजन कराया जाता है। बच्चे के नाम रखने का कार्य गुनिया करता है। वह इस संबंध में घर के बड़े-बुजुर्गों से भी सलाह लेता है। बच्चे का नाम रख दिए जाने के बाद गुनिया तथा सभी अतिथियों को उपहार दे कर विदा किया जाता है।

भील आदिवासियों में नामकरण संस्कार अनूठे ढंग का होता है। बच्चे के जन्म के तीसरे दिन माँ सुबह उठकर नहाती-धोती है।

फिर वह अपनी झोंपड़ी के मुख्य द्वार पर आ कर खड़ी होती है। इस समय उसकी दृष्टि पहली बार जिस वस्तु पर पड़ती है उसी वस्तु के आधार पर बच्चे का नाम रख दिया जाता है। इस प्रकार देखा जाए तो भीलों में अपने बच्चे का नाम रखने का अधिकार बच्चे की माँ को होता है।

बच्चे की शारीरिक विशेषताओं जैसे—शरीर का रंग, बालों का रंग, आँखों का रंग, कद-काठी आदि के आधार पर भी नामकरण कर दिया जाता है।

घोटुल अर्थात् सामाजिक शिक्षा

वैसे तो प्रत्येक आदिवासी समुदाय में युवाओं में अनुशासन और सामाजिक शिक्षा देने का चलन है। इस प्रकार की शिक्षा प्रायः वे अपने गाँव, समाज, परिवार के बीच रह कर अपने बड़ों से ग्रहण करते हैं। लेकिन बस्तर की मुरिया जनजाति में युवाओं को सामाजिक शिक्षा देने का एक विशेष संस्कार होता है जिसे घोटुल कहा जाता है। घोटुल एक प्रकार का युवा संगठन तथा सांस्कृतिक केंद्र होता है। अविवाहित युवक-युवतियाँ इस संगठन के सदस्य होते हैं। घोटुल का प्रत्येक युवक चेलिक और प्रत्येक युवती मोटियारी कहलाती है। चेलिकों का मुखिया सिरेदार कहलाता है तथा मुटियारिनों की मुखिया बेलोसा कहलाती है। घोटुल की देख-रेख और व्यवस्था बनाए रखने के लिए एक समिति गठित की जाती है। समिति के प्रत्येक सदस्य के अलग-अलग पदनाम तथा अधिकार होते हैं। घोटुल में रहते हुए कोई भी युवक-युवती अनुशासनहीनता नहीं कर सकता है। यदि कोई अनुशासनहीनता करता है तो उसे दंड भुगतना पड़ता है। अनुशासनहीनता की गंभीरता के अनुसार दंड के रूप में कोड़े से पीटे जाने तक का दंड दिया जाता है। डंडे से पीटने का दंड भी दिया जाता है। एक दंड जंगल से लकड़ियाँ लाने का भी होता है जिसमें दंडित युवा को अकेले ही लकड़ी काट कर लाने के लिए जाना पड़ता है। आर्थिक दंड भी दिए जाते हैं। घोटुल के दौरान युवक-युवतियों को आपस में भी अनुशासिन व्यवहार करना होता है। विवाह हो जाने पर घोटुल की सदस्यता स्वतः समाप्त हो जाती है।

सभी युवक-युवतियाँ जहाँ रहते हैं, वह घोटुल गृह लकड़ी, मिट्टी और घास का बना होता है। घोटुल गृह के सामने लकड़ी के खंबों पर घास अथवा खपरैल की छत बना कर एक मंडप बनाया जाता है। घोटुल गृह को लकड़ियों के बाड़े से घेर दिया जाता है। बाड़े के भीतर एक लंबा-चौड़ा आँगन होता है। इस आँगन के बीचोंबीच घोटुल स्तंभ खड़ा किया जाता है। इस स्तंभ के चारों ओर घूम-घूम कर युवक-युवतियाँ नृत्य करते हैं। घोटुल स्तंभ पर चिड़िया, गाय-बैल, वन्य पशु, धनुष-बाण, पेड़-पौधे, नृत्य करते युवक-युवतियाँ तथा माँदल बजाता युवक आदि उकेर कर बनाए जाते हैं।

विवाह

पहले आदिवासी समुदाय में बालविवाह की प्रथा थी। तब वे सात-आठ वर्ष की उम्र में ही बच्चे का विवाह कर दिया करते थे। अब यह प्रथा समाप्त हो गई है। अब बच्चों के बालिग हो जाने पर ही उनका विवाह किया जाता है। सभी आदिवासी समुदायों में विवाह का संस्कार–अलग-अलग ढंग से पूरा किया जाता है। आदिवासियों में दो प्रकार की विवाह पद्धति प्रचलित हैं–

1. माता-पिता द्वारा तय विवाह
2. युवाओं द्वारा स्वयं तय किया गया विवाह

1. माता-पिता द्वारा तय किया गया विवाह–इस प्रकार की विवाह पद्धति लगभग सभी आदिवासी समुदायों में प्रचलित है। इसमें लड़के के लिए योग्य लड़की और लड़की के लिए योग्य लड़के की खोज की जाती है। परस्पर योग्य लड़का और लड़की के मिल जाने पर उनके माता-पिता आपस में मिलते हैं तथा लड़का और लड़की का विवाह तय करते हैं।

दंडामी माड़ियाओं में लड़की को यह अवसर दिया जाता है कि वह लड़के से मिल कर उसे परख ले। यदि लड़की को लड़का पसंद आ जाता है तो संबंध पक्का समझा जाता है। यदि लड़की को लड़का पसंद नहीं आता है तो वह अपने माता-पिता से इस बारे में स्पष्ट बता देती है। इस पर माता-पिता इस बात पर विचार करते हैं कि लड़की किस कारण से मना कर रही है। जब उन्हें लगता है कि लड़की का निर्णय सही है तो

वे उस लड़के के संबंध को मना करके दूसरा लड़का ढूँढ़ना शुरू कर देते हैं।

2. युवाओं द्वारा स्वयं तय किया गया विवाह—कुछ आदिवासी समुदायों में विवाह योग्य लड़की और लड़के को स्वयं अपने लिए जीवनसाथी चुनने की स्वतंत्रता रहती है। इस तरह की व्यवस्था का सबसे अच्छा उदाहरण है भील आदिवासियों का भगोरिया उत्सव।

भगोरिया उत्सव भीलों के जीवन में बहुत अधिक महत्त्व रखता है। इसी उत्सव में विवाह योग्य युवक और युवतियाँ एक-दूसरे से मिलते हैं, साथ-साथ नृत्य करते हैं, एक-दूसरे को पसंद करते हैं तथा एक-दूसरे को जीवन साथी के रूप में चुनते हैं। भगोरिया उत्सव के समय मेले की भाँति एक हाट लगता है। इस मेले में युवा लड़के तथा लड़कियाँ अपने माता-पिता के साथ आते हैं। मेले के बीचोंबीच एक नृत्य का आयोजन होता है जिसमें सभी युवक और युवतियाँ साथ-साथ नृत्य करते हैं। नृत्य के समय युवक अपने हाथों में धनुष-बाण रखते हैं। नृत्य करने वाले युवक-युवतियों के मध्य एक युवक अपने हाथ में एक बाँस रखे रहता है जिसमें लकड़ी की चिड़िएँ बँधी होती हैं। वह धागे से चिड़ियों की चोंच और दुम बारी-बारी से खींचता है जिससे चिड़िएँ फुदकती हुई प्रतीत होती हैं।

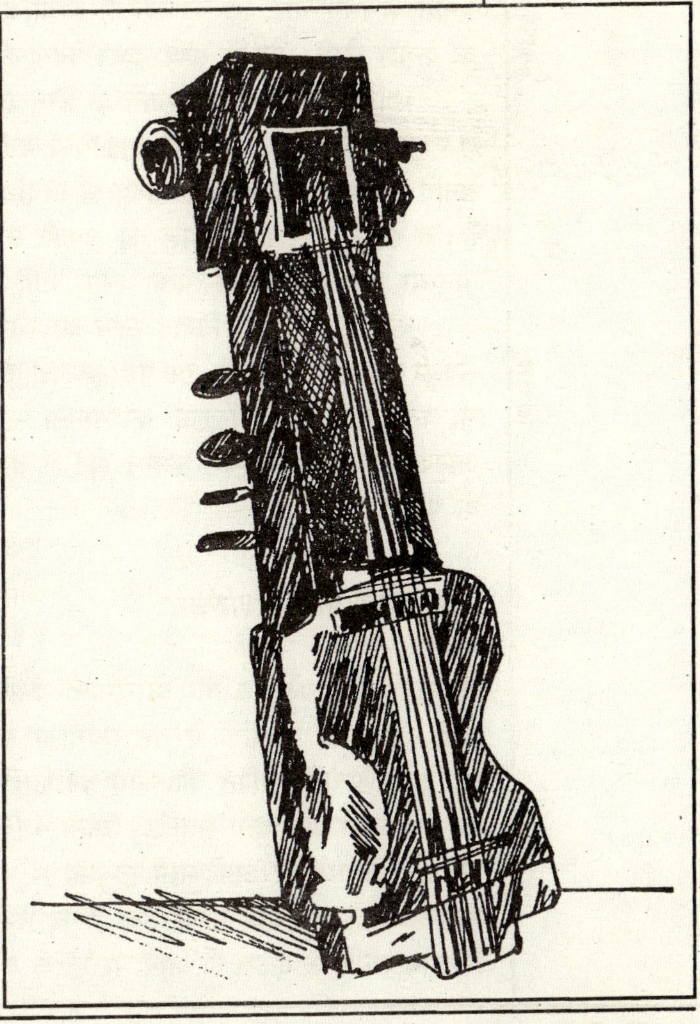

नृत्य के दौरान यदि कोई युवक और युवती आपस में एक-दूसरे को पसंद कर लेते हैं तो युवक युवती को गुलाल लगा कर इस बात को प्रकट कर देता है। इसके बाद युवक के परिवार की ओर से युवती के घर एक तीर और एक चोली भेजी जाती है। युवती के परिवार वाले यदि चोली रख लेते हैं और तीर लौटा देते हैं तो यह मान लिया जाता है कि लड़की वालों को यह संबंध स्वीकार है। यदि तीर रख लिया जाता है और चोली लौटा दी जाती है तो यह संबंध अस्वीकार करने का संकेत होता है। किंतु आमतौर पर भगोरिया उत्सव में युवक और युवतियों द्वारा परस्पर एक-दूसरे को पसंद

कर लिए जाने के बाद विवाह कर दिया जाता है।

मध्यप्रदेश के अन्य किसी भी आदिवासी समाज में भगोरिया-उत्सव के समान विवाह संस्कार नहीं पाया जाता है।

विवाह स्तंभ—लगभग सभी आदिवासी समुदायों में विवाह के अवसर पर घर के आँगन में विवाह स्तंभ खड़ा किया जाता है। मंडला जिले के गोंड आदिवासी इसे खांभ अथवा खांब कहते हैं। गोंडों में यह मान्यता है कि पहला खांभ उनके प्रमुख भगवान महादेव ने स्वयं बनाया था। यह खांभ मुख्य रूप से साल की लकड़ी का बनाया जाता है। इसमें पशु, पक्षी और मानव की आकृतियाँ बनाई जाती हैं। बैगा आदिवासियों में विवाह स्तंभ को सजन कहा जाता है। बैगाओं की मान्यता है कि चार वृक्ष (चार-चिरौंजी वाला चार वृक्ष) में दूल्हा देव और दूल्ही देवी का वास रहता है अतः वे विवाह स्तंभ बनाने के लिए चार वृक्ष की लकड़ी चुनते हैं। विवाह स्तंभ के ऊपरी भाग में वे मंदिर के कलश जैसी आकृति तथा दूल्हा देव-दूल्ही देवी की आकृतियाँ बनाते हैं।

भारिया विवाह स्तंभ बनाने के लिए हल्दू वृक्ष की लकड़ी का उपयोग करते हैं। वे विवाह स्तंभ पर ज्यामितीय आकृतियाँ बनाते हैं तथा उस पर दीपक रखने का स्थान बनाते हैं। पांडो तथा कँवर आदिवासी विवाह स्तंभ को गऊरा-खूँआ के नाम से पुकारते हैं। वे इसे सिधा अथवा साल की लकड़ी से बनाते हैं। इस विवाह स्तंभ में परंपरा के अनुसार हंसा-हंसुली देवी-देवता बनाए जाते हैं।

कोरकू आदिवासी विवाह स्तंभ को खाम कहते हैं। यह महुआ, आम अथवा हल्दू लकड़ी का बनाया जाता है। इस पर फूल-पत्ते, बेल-बूटे, गोत्र चिह्न तथा गोदना की आकृतियाँ भी बनाई जाती हैं। कोरकुओं का मानना है कि खाम पर गोत्र चिह्न अथवा गोदना की आकृतियाँ बनाने से पूर्वज प्रसन्न होते हैं तथा विवाह संस्कार बिना किसी विघ्न-बाधा के पूरा हो जाता है।

मृत्यु एवं अंतिम संस्कार

जीवन के क्रम को पूरा कर के समाप्त करने वाली सबसे बड़ी घटना होती है—मृत्यु। सभी आदिवासी समुदायों में यह सर्वमान्य मान्यता है कि यमराज मृत्यु का देवता है। यह देवता प्रत्येक व्यक्ति की आयु का लेखा-जोखा रखता है तथा आयु पूरी हो जाने पर उसे अपने पास बुला लेता है। किसी व्यक्ति की मृत्यु हो जाने पर दाह-संस्कार करने की प्रथा लगभग हर आदिवासी समुदाय में पाई जाती है। परिवार के किसी सदस्य की मृत्यु हो जाने पर गाँव वालों तथा अन्य रिश्तेदारों के पास इसकी सूचना भेजी जाती है। सब लोगों के एकत्र हो जाने पर मृतक को श्मशान भूमि में ले जाया जाता है, जहाँ

विधि-विधान पूर्वक उसके शव को अग्नि में जला कर उसका दाह-संस्कार किया जाता है।

आदिवासी समुदायों में मृत्यु के उपरांत स्मृति-स्तंभ लगाने की भी परंपरा है। यद्यपि यह स्मृति-स्तंभ प्रायः विशिष्ट व्यक्ति के मरने के बाद उसकी याद में लगाया जाता है। कोरकू आदिवासियों में इस प्रकार के स्मृति-स्तंभ को मंडा, मुंडा, मांडो अथवा गाथा पटिया कहा जाता है। यह स्मृति-स्तंभ आम, सागौन अथवा सेम्हल की लकड़ी का बनाया जाता है। इस स्मृति-स्तंभ पर मुख्य रूप से चंद्रमा, सूरज तथा घुड़सवार की आकृतियाँ बनाई जाती हैं। इसे सजाने के लिए बेल-बूटे, पशु-पक्षी, गोदना चिह्न आदि आकृतियाँ भी बनाई जाती हैं।

भील-भिलाला आदिवासियों में किसी की अस्वाभाविक मृत्यु होने पर उसकी याद में स्मृति-स्तंभ लगाया जाता है। अस्वाभाविक मृत्यु होने का अर्थ है कि यदि किसी को

शेर अथवा किसी जंगली जानवर ने मार दिया हो, पानी में डूब कर मरा हो, आग से जल कर मरा हो, पेड़ से गिरने से मरा हो अथवा लड़ाई-झगड़े में मरा हो। भील-भिलालाओं में मृतक को जलाने और दफनाने दोनों की परंपरा है। भीलों में स्मृति-स्तंभ को गाथा कहा जाता है। गाथा नामक स्मृति-स्तंभ लकड़ी तथा पत्थर दोनों के बनाए जाते हैं। स्मृति-स्तंभ बनाने वाला कारीगर इसके लिए सही लकड़ी या पत्थर का चयन करता है। इस स्मृति-स्तंभ में तलवारधारी वीर पुरुष, घुड़सवार, युद्ध के दृश्य, शिकार के दृश्य आदि बनाए जाते हैं। इन पर सूरज और चंदा की आकृतियाँ भी बनाई जाती हैं।

दंडामी माड़िया आदिवासी अपने पूर्वजों की स्मृति में स्मृति-स्तंभ लगाते हैं। वे इन स्मृति-स्तंभों को बीत, उरुसकाल, खंभ तथा मट्ठ के नाम से पुकारते हैं। बीत छोटे-छोटे पत्थरों के ढेर से बना होता है। उरुसकाल एक फीट से पंद्रह-बीस फीट लंबे शिला खंड का बना होता है। खंभ भी लकड़ी अथवा पत्थर का बना होता है किंतु इसे सजाने के लिए इसमें कुछ आकृतियाँ बनाई जाती हैं। मट्ठ मठ के आकार का मंदिर जैसा स्मारक होता है।

मुरिया जनजाति में स्मृति-स्तंभ को गायत्री खंभ कहा जाता है। वे इसे महुआ की लकड़ी से बनाते हैं। इस स्मृति-स्तंभ को बेल-बूटे, फूल-पत्ते तथा ज्यामितीय आकृतियों से सजाया जाता है। कुछ स्मृति-स्तंभ पर त्रिशूल और मगरमच्छ का सिर भी बनाया जाता है।

इस प्रकार आदिवासी समुदाय अन्य समुदायों की भाँति अपने विशिष्ट संस्कारों, मिथकों, मान्यताओं तथा रीत-रिवाजों के साथ सदियों से अपनी विशेष परंपराओं को सँजोए हुए हैं।

आदिवासियों के देवी-देवता

मनुष्य का जीवन मिथकों, मान्यताओं से भरा हुआ है। इन मिथकों और मान्यताओं के प्रमुख पात्र हैं—विभिन्न प्रकार के देवी-देवता। इसके दो प्रमुख कारण हैं—पहला कारण यह है कि आदिवासी सदियों से घने जंगलों, पहाड़ों और गुफाओं में अपना जीवन व्यतीत करते आए हैं। घने जंगल और वहाँ रहने वाले वन्य पशु रहस्य और भय का वातावरण पैदा करते हैं। इसलिए आदिवासियों ने अपने आस-पास के वातावरण से प्रभावित होकर अनेक रहस्यमय चरित्रों की कल्पना की। इन चरित्रों में कुछ चरित्र मनुष्य के आकार के थे, तो कुछ पशुओं के आकार के मिले-जुले रूप थे। इन चरित्रों की ये आदिवासी अपने देवी-देवताओं के रूप में पूजा करते हैं।

विभिन्न प्रकार के देवी-देवताओं को मानने तथा उनकी पूजा करने का दूसरा कारण ये है कि मानव प्रत्येक उस शक्ति को अपने से बड़ा मानता है जो उसकी रक्षा करती है अथवा वह जिससे डरता है। इसलिए मनुष्य ने जब अनुभव किया कि पानी जीवन की रक्षा करता है। पानी के बिना मनुष्य जीवित नहीं रह सकता है तो उसने पानी को 'जल देवता' के रूप में मानना शुरू कर दिया। मनुष्य ने जब देखा कि वनों से बहुत सारी सुविधाएँ मिलती हैं। वह जंगल में बनी गुफाओं में रह सकता है, वहाँ उत्पन्न होने वाले फल-फूल, कंद-मूल आदि खा सकता है। जंगल में पलने वाले पशुओं का शिकार करके अपना पेट भर सकता है तथा उनकी खालों से अपने शरीर को ढाँक कर ठंड से बचा सकता है। इसलिए वन उसे पालन-पोषण करने वाले के समान लगे और उसने वन की 'वन-देवता' के रूप में पूजा करनी शुरू कर दी।

शेर जैसे मांसभक्षी तथा सर्प जैसे विषैले प्राणियों ने मनुष्य को भयभीत किया। इसलिए इन भयभीत करने वाले प्राणियों को प्रसन्न करने के लिए मनुष्य ने देवता के रूप में पूजना शुरू कर दिया। आदिवासियों ने भी अपने आस-पास के वातावरण में जिन वस्तुओं या प्राणियों को रहस्यमय पाया अथवा जिनसे वे भयभीत हुए, उन्हें अपने देवी-देवता के रूप में मानने लगे। आदिवासियों के कुछ देवी-देवता ऐसे भी हैं जिनका आधार पूरी

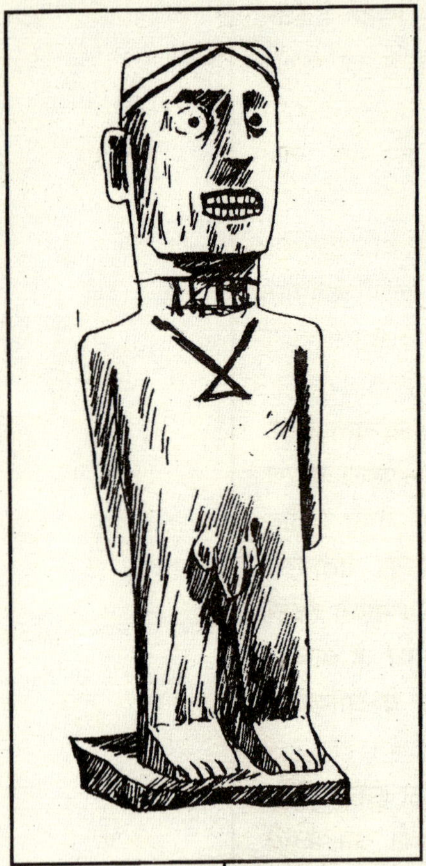

तरह से काल्पनिक है।

मध्य प्रदेश के प्रमुख आदिवासी हैं—गोण्ड, भील, बैगा, भारिया, खैरनार, कोल, भैना, कोरकू, अगरिया, पारधी, पनिका, सहारिया, सोर, माड़िया, पण्डो, कँवर, भतरा, उराँव आदि। जिस प्रकार हर समाज में पारिवारिक और सामाजिक खुशियाँ मनाने के लिए त्यौहार मनाए जाते हैं, ठीक उसी प्रकार आदिवासी समाज में भी त्यौहारों का बड़ा महत्त्व है। त्यौहारों को मनाने का एक उद्देश्य देवताओं को प्रसन्न करना भी होता है। सभी आदिवासी समुदाय अपने-अपने देवताओं की पूजा और प्रार्थना करते हैं तथा अपने-अपने त्यौहार मनाते हैं। ये त्यौहार मुख्य रूप से पूर्णिमा और अमावस्या को मनाए जाते हैं। त्यौहारों के समय देवताओं को अच्छे-अच्छे पकवानों का भोग लगाया जाता है।

अधिकांश धार्मिक नृत्य ईश्वर को प्रसन्न करने के लिए किए जाते हैं। जब कभी लोग बीमार पड़ने लगते हैं तो आदिवासियों को लगता है कि यह बीमारी ईश्वर के अप्रसन्न होने से आई है। प्राचीन समय में आदिवासी समुदाय के मध्य चिकित्सा पद्धति का विकास नहीं हुआ था। आदि मानव प्रकृति के विभिन्न रूपों को देवता के रूप में मानते थे। बीमारी का शिकार होने पर वे अपने देवताओं को प्रसन्न करने का प्रयास करते। वे नाचते-गाते हुए देवताओं से प्रार्थना करते ताकि देवता प्रसन्न हो जाएँ और उनकी बीमारी दूर कर दें। किसी अच्छे काम को प्रारम्भ करने से पहले वे देवता को प्रसन्न करने के लिए उसके सामने नाचते थे। आज भी यह परंपरा उनमें चली आ रही है।

कई जनजातियाँ नृत्य के समय तरह-तरह के मुखौटे लगाती हैं जिनमें से कुछ देवताओं के मुखौटे होते हैं तो कुछ असुर शक्तियों के। इन मुखौटों को लगाकर नृत्य करने का एकमात्र उद्देश्य होता है, संबंधित देवी-देवता को प्रसन्न करना। आदिवासियों की अपनी धारणाएँ तथा मान्यताएँ हैं। इसलिए जिन पात्रों को महाकाव्यों में खलपात्र के रूप में उल्लेख किया गया है, आदिवासी उन्हें अपने रक्षक देवता के रूप में मानते हैं। इसी प्रकार की भिन्नता एवं विविधता आदिवासी धार्मिक परिवेश में देखने को मिलती है और यह उनके रहन-सहन तथा परिस्थितियों के अनुरूप लगती है। इस विविधता की झलक उनके धार्मिक नृत्यों के मुखौटों में भी देखने को मिलती है। जैसे—धार, झाबुआ के भी जन जाति के नर्तक नाचने के समय लकड़ी अथवा चमड़े के मुखौटे लगाते हैं, जिसे *राय बुड़ला* कहते हैं। ये मुखौटे भारी और बड़े आकार के होते हैं। गोण्ड आदिवासी छेरता नृत्य करते समय भूत, प्रेत, राक्षस आदि के मुखौटे लगाते हैं जिन्हे *कठभेभा* कहा जाता है।

बैगा आदिवासी छेरता नृत्य के समय रावण और हिरण्यकश्यप के मुखौटे लगाते हैं जिन्हें खेखड़ा कहते हैं। होली पर्व पर फाग नृत्य करते समय बैगा पुरुष रावण का मुखौटा लगाते हैं जबकि स्त्रियाँ साही पशु के काँटों से बना हुआ मुकुट लगा कर नृत्य करती हैं। इस मुकट को गिज्जी कहते हैं, जो रावण की पत्नी मंदोदरी का रूप माना जाता है।

मध्यप्रदेश के विखंडन के पूर्व छत्तीसगढ़ मध्यप्रदेश का अभिन्न अंग था। छत्तीसगढ़ के अलग राज्य के रूप में स्थापित हो जाने के बाद बस्तर, सरगुजा आदि आदिवासी बाहुल्य क्षेत्र मध्यप्रदेश से अलग होकर छत्तीसगढ़ राज्य के अंग बन गए। छत्तीसगढ़ की माड़िया, गोण्ड, पण्डो, कँवर, भतरा, उराँव आदि आदिवासी जातियों के लोग वर्तमान मध्यप्रदेश के अंचल में भी निवास करते हैं और वे अपने रीति-रिवाज तथा धार्मिक संस्कारों, अनुष्ठानों को मानते हैं। इसीलिए यहाँ मध्यप्रदेश के आदिवासियों के साथ वर्तमान छत्तीसगढ़ के आदिवासी समुदायों के देवी-देवताओं का भी उल्लेख किया जा रहा है। अतः मध्यप्रदेश (छत्तीसगढ़ सहित) के आदिवासियों के प्रमुख देवी-देवता इस प्रकार हैं—

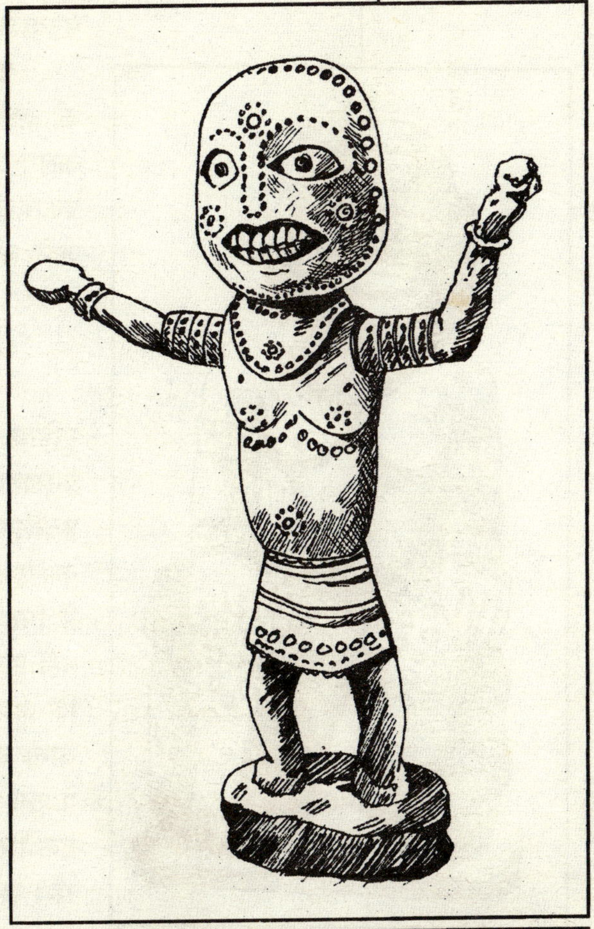

आंगादेव

आंगादेव मुड़िया आदिवासियों के सबसे बड़े देवता हैं। आंगादेव का मंदिर गाँव की सीमा पर बनाया जाता है। मुड़िया अथवा माड़िया आदिवासी मंदिर को 'माता गुड़ी' के नाम से पुकारते हैं। मंदिर के भीतर लोहे की साँकल में झूलते हुए आंगादेव की प्रतिमा स्थापित की जाती है। वर्ष में एक बार जात्रा और सेषा नामक त्यौहार मनाया जाता है। इस त्यौहार के अवसर पर आंगादेव की सवारी निकाली जाती है। आंगादेव की प्रतिमा बेल की लकड़ी से बनाई जाती है।

आंगादेव की महादेव अथवा बड़ादेव के रूप में पूजा की जाती है। आंगादेव के बारे में एक कथा प्रचलित है। इस कथा के अनुसार प्राचीन काल में मुड़िया आदिवासियों के एक राजा को लगा कि उसके राज्य के सभी लोग काम-काज छोड़ कर पूजा-पाठ में

ही लगे रहते हैं। इस पर राजा ने सोचा कि यदि राज्य के सभी देवी-देवताओं की प्रतिमाओं को नदी में बहा दिया जाए। जब राज्य में देवी-देवता ही नहीं रहेंगे तो लोग भी पूजा-पाठ करना छोड़ देंगे। राजा ने आंगादेव, पाटदेव, हिंगलाजिन, कोदई माता आदि सभी देवी-देवताओं की प्रतिमाओं को नदी में बहा दिया। इनमें सभी देवी-देवता नदी की धारा में बहने लगे, लेकिन यह देख कर सब चकित रह गए कि आंगादेव धारा के विपरीत बहकर वापस आ रहा है। प्रतिमाओं को बहाने वाले लोग डर कर भाग खड़े हुए। उन्होंने राजा के पास जा कर उसे इस घटना की जानकारी दी। राजा समझ गया कि उसने देवी-देवताओं की प्रतिमाओं को बहाने का आदेश देकर ठीक नहीं किया है। देवी-देवता इससे अप्रसन्न हो गए हैं। तब राजा भागा-भागा नदी के किनारे पहुँचा। उसने देखा कि नदी के तट पर आंगादेव की प्रतिमा खड़ी हुई है। राजा ने आंगादेव की पूजा-अर्चना की और प्रतिमा को वापस गाँव में लाकर स्थापित करने की घोषणा कर दी। किन्तु आंगादेव ने गाँव के भीतर जाने से मना कर दिया। तब गाँव की सीमा पर एक मंदिर बनवाया गया। और उसमें आंगादेव की प्रतिमा स्थापित की गई।

मुड़िया पुजारी जो गुनिया और सिरहा कहलाते हैं आंगादेव की बड़ी श्रद्धा के साथ पूजा करते हैं। आंगादेव की प्रतिमाएँ अलग-अलग स्थानों पर निवास करने वाले मुड़िया अलग-अलग प्रकार से बनाते हैं। यद्यपि शिल्प के आधार पर प्रतिमाओं में पाया जाने वाला अंतर बहुत कम होता है।

डोकरा-डोकरी

मुड़िया जनजाति में डोकरा-डोकरी नाम के देवी-देवता को भी प्रमुखता से पूजा जाता है। डोकरा-डोकरी के बारे में एक कथा प्रचलित है। इस कथा के अनुसार बहुत समय पहले मुड़ियाओं का एक छोटा-सा गाँव था, जिसका नाम था पेण्ड्रवंड। इस गाँव में मिटकी नाम की एक लड़की रहती थी। मिटकी का विवाह नहीं हुआ था। मिटकी के सात भाई थे। सातों भाइयों ने सोचा कि अब मिटकी बड़ी हो गई है इसलिए उसका विवाह कर दिया जाना चाहिए। सातों भाई मिटकी से बहुत प्रेम करते थे इसलिए वे उसे ससुराल नहीं भेजना चाहते थे। इसलिए सातों भाइयों ने एक ऐसा लड़का चुना जो घरजँवाई बन कर उन्हीं लोगों के साथ रहे। लड़के का नाम था झिटकू। वह अनाथ था इसलिए उसने

घरजँवाई बनना स्वीकार कर लिया। सातों भाई, उनकी बहन मिटकी और उनका बहनोई झिटकू साथ-साथ हँसी-खुशी से रहने लगे।

एक दिन किसी गुनिया ने सातों भाइयों के कान भर दिए कि अगर वे अपने खेत में किसी मनुष्य की बलि दे देंगे तो फसल अच्छी होगी। सातों भाइयों ने सोचा कि किसकी बलि दी जाए? बहुत सोच-विचार करने पर उन्हें लगा कि झिटकू की बलि देनी चाहिए। सातों भाई दूसरे दिन सवेरे झिटकू को खेत घुमाने के बहाने से अपने साथ खेत में ले गए। खेत में पहुँचकर सातों भाइयों ने झिटकू की बलि दी और उसके शरीर को वहीं खेत की मिट्टी में दबा दिया। शाम को जब सातों भाई घर लौटे और झिटकू उनके साथ नहीं लौटा तो मिटकी ने अपने पति झिटकू के बारे में अपने भाइयों से पूछा। उन्होंने झूठ बोलते हुए कह दिया कि उन्हें पता नहीं है कि झिटकू कहाँ है? मिटकी को झिटकू की चिंता सताने लगी। धीरे-धीरे अँधेरा घिरने लगा लेकिन झिटकू नहीं आया। तब मिटकी झिटकू के लिए एक टोकरी (गपा) में कुछ खाने का सामान लेकर उसे ढूँढ़ने निकली। वह झिटकू को ढूँढ़ते-ढूँढ़ते खेत में जा पहुँची। खेत में जहाँ सातों भाइयों ने झिटकू को गाड़ा था वहाँ पहुँचने पर मिटकी को मिट्टी में एक अँगुली दिखाई दी। अँगुली देखते ही मिटकी का हृदय धक् से रह गया। उसने अँगुली पकड़कर जैसे ही हिलाया वैसे ही मिट्टी जरा सरक गई और झिटकू का मृत शरीर दिखाई दिया। मिटकी दुखी होकर वहीं गिर पड़ी और दूसरे ही पल उसकी भी मृत्यु हो गई। जब गाँव वालों को इस घटना का पता चला तो वे मिटकी और झिटकू के आपसी प्रेम के प्रति श्रद्धा से भर उठे। धीरे-धीरे मिटकू और झिटकी को 'डोकरा-डोकरी' के रूप में देवी-देवता की भाँति पूजा जाने लगा। मुड़िया आदिवासियों में यह मान्यता है कि डोकरा-डोकरी सभी प्रकार की रोग-व्याधियों तथा कष्टों से उनकी रक्षा करते हैं।

मुड़िया आदिवासी हर वर्ष माघ महीने में किसी एक रविवार को डोकरा-डोकरी की पूजा करते हैं। डोकरा-डोकरी की मूर्ति लकड़ी की बनाई जाती है। इसमें डोकरा अर्थात झिटकू को अपने कंधे पर कुल्हाड़ी टिकाए हुए तथा डोकरी अर्थात मिटकी को अपने हाथ में टोकरी (गपा) लिए हुए बनाया जाता है। मिटकी को 'गोण्डिन' तथा 'गपागोसिन' (टोकरी धारण करने वाली) भी कहा जाता है।

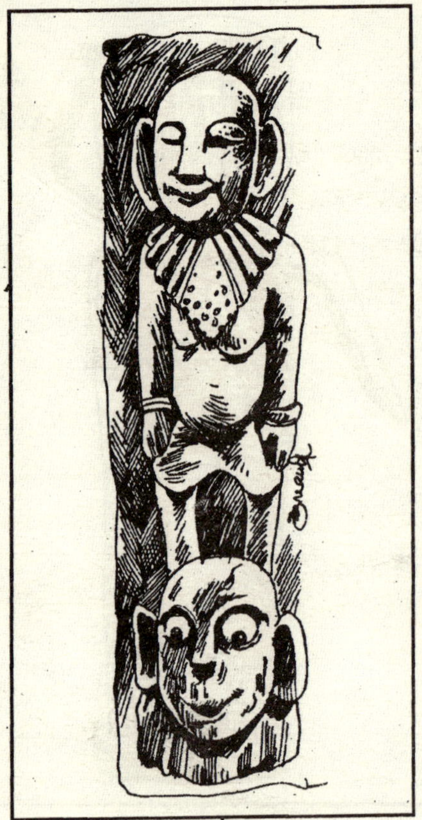

हिंगलाजिन माता

हिंगलाजिन माता मुड़िया आदिवासियों की प्रमुख देवी हैं। हिंगलाजिन देवी को काली माता के समान माना जाता है। इनकी प्रतिमा में इन्हें एक हाथ में खीलें (धान की लाई) तथा दूसरे हाथ में रक्त से भरा हुआ पात्र लिए बनाया जाता है। हिंगलाजिन माता के बारे में यह मान्यता प्रचलित है कि ये दुष्टों, दुःखों और कष्टों से रक्षा करती हैं। इनकी मूर्ति भी लकड़ी से बनाई जाती है।

मावली माता

मावली माता की गोण्ड आदिवासी मातृदेवी के रूप में पूजा करते हैं। एक बहुप्रचलित मान्यता के अनुसार मावली माता बस्तर की दन्तेश्वरी देवी की बुआ है। इसलिए वे दन्तेश्वरी देवी से भी बड़ी हैं। मावली माता की प्रतिमा एक झूले के रूप में बनाई जाती है। जिसे माता-झूला कहा जाता है। इस झूले में सबसे ऊपर दो शेरों की आकृति बनी होती है। उसके नीचे मावली माता की प्रतिमा को झूला झूलती हुई मुद्रा का बनाया जाता है। इसी झूले में सबसे नीचे सहायक माता की प्रतिमा होती है। झूले के स्तंभों पर सबसे ऊपर कलश तथा छत्र बनाया जाता है, इनके नीचे पशु-पक्षियों की आकृतियाँ बनाई जाती हैं।

बंजारन माता

मुड़िया तथा गोण्ड आदिवासियों में बंजारन माता नामक देवी की भी मान्यता है। बंजारन माता की प्रतिमा को लहँगा और कानों में कुण्डल पहने हुए बनाया जाता है। उनके एक हाथ में मयूरपंख तथा दूसरे हाथ में थाली बनी होती है। यह देवी दरिद्रता और दुख-कष्टों को दूर करने वाली मानी जाती है। बंजारन माता की प्रतिमा प्रायः पत्थर की बनाई जाती है। इन्हें वन-देवी के रूप में भी पूजा जाता है। इसीलिए पूजा के समय अन्न तथा वनोपज के प्रतीक स्वरूप चावल, तंबाकू आदि वस्तुएँ प्रसाद के रूप में चढ़ाई जाती हैं।

भीमादेव

भीमादेव वर्षा के देवता हैं। मुड़िया आदिवासियों में यह मान्यता है कि यदि भीमादेव प्रसन्न रहते हैं तो अच्छी वर्षा होती है और अच्छी वर्षा होने से धान की अच्छी फसल होती है। भीमादेव के साथ सदैव उनकी देवी की प्रतिमा भी बनाई जाती है। भीमादेव के बारे में यह कथा प्रचलित है कि आदिवासियों में भीमा नामक एक राजा था जो बहुत आलसी था। वह राज-काज के काम में रुचि नहीं लेता था। आलस्य के कारण उसे अपनी प्रजा के दुख-सुख की भी चिंता नहीं रहती थी। एक बार लगातार चार साल तक वर्षा नहीं हुई, जिससे राज्य में अकाल पड़ गया। प्रजा ने राजा के पास जा कर सहायता करने की विनती की। इस पर राजा को अपने आलस्य पर बड़ी लज्जा आई। उसने तत्काल इन्द्रदेव से प्रार्थना करनी शुरू की। इन्द्रदेव भीमा के सामने प्रकट हुए। इन्द्रदेव ने कहा कि जिस राज्य का राजा आलसी हो मैं वहाँ वर्षा क्यों करता? तब भीमा ने कहा कि अब मुझे अपनी गलती समझ में आ गई है। मेरे आलसी होने के कारण मेरी प्रजा को कष्ट सहना पड़ रहा है। इसलिए मैंने अब आलस्य को छोड़ दिया है। इस पर इन्द्रदेव ने कहा कि यदि ऐसा है तो तुम स्वयं खेत पर जाओ, वहाँ जा कर हल चलाओ, खेत को जोतो और बीज बोओ। यदि तुम ऐसा करोगे तो मैं समझ जाऊँगा कि तुमने अपना आलसी स्वभाव बदल लिया है और तब मैं अच्छी वर्षा करूँगा। भीमा ने इन्द्रदेव के कहने के अनुसार खेत में जा कर हल चलाया और बीज बोया। इसके बाद राज्य में भरपूर वर्षा हुई और अच्छी फसल हुई। इसीलिए आदिवासियों का मानना है कि भीमादेव ही इन्द्र को मना सकते हैं और अच्छी वर्षा करा सकते हैं।

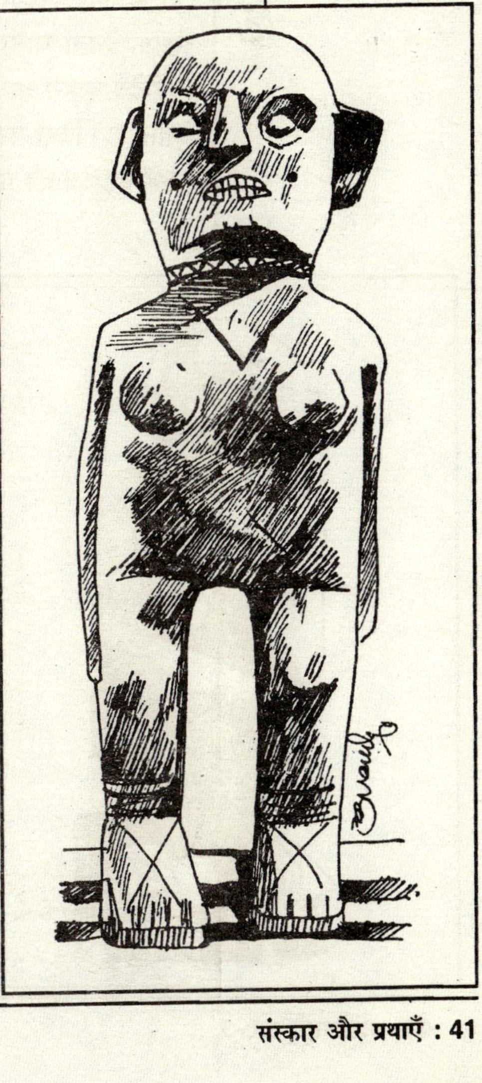

पाटदेव

पाटदेव भी मुड़िया आदिवासियों के प्रमुख देवताओं में से एक हैं। पाटदेव के विषय में यह मान्यता प्रचलित है कि पाटदेव यात्रा में जाने वाले लोगों की रक्षा करते हैं। एक किंवदंती के अनुसार तिमनार गाँव में एक विशालकाय नाग घूमा करता था। तिमनार के निवासी नाग के इस तरह घूमने से बड़े भयभीत

रहते थे। तब सभी लोगों ने गाँव के पुजारी से कहा कि वे कोई उपाय करें और गाँव के लोगों को नाग के भय से छुटकारा दिलाएँ। इस पर पुजारी ने गाँव वालों को समझाया कि तुम लोग यदि पाटदेव की पूजा करोगे तो नागदेव के भय से तुम्हें मुक्ति मिल जाएगी। गाँववालों ने पुजारी के बताए अनुसार पाटदेव के प्रतीक के रूप में बेल की लकड़ी के दो खंबों पर लकड़ी का ही एक आड़ा पाट रख कर पाटदेव की पूजा की। जिससे नागदेव ने गाँव में घूमना बंद कर दिया और गाँववालों को नागदेव का भय नहीं रहा। उसी समय से मुड़िया आदिवासी पाटदेव की पूजा-अर्चना करते आ रहे हैं।

बूढ़ादेव अथवा बड़ादेव

गोण्ड और परधान जनजातियों में बूढ़ादेव की बहुत मान्यता है। बूढ़ादेव को परिवार का रक्षक देवता माना जाता है। गोण्ड एवं परधान जनजाति के आदिवासी यह मानते हैं कि बूढ़ादेव बाहरी बाधाओं को घर में प्रवेश करने से रोकते हैं। बूढ़ादेव का मुखौटा भी बनाया जाता है। जिसे परधान जनजाति के गायक अपने साथ लेकर गोण्डों के पास जाते हैं और उन्हें बूढ़ादेव की गाथाएँ सुनाते हैं। परधान गोण्डों के छोटे भाई माने जाते हैं। गाथाएँ सुनाने के बदले इन्हें सूपा भर धान दिया जाता है। इसलिए ये 'परधान' कहलाते हैं। परधान अन्य प्रकार की गाथाएँ भी गाते हैं जिनमें रामायणी और पंडवाणी प्रमुख हैं। रामायणी राम-कथा पर आधारित तथा पंडवाणी महाभारत-कथा पर आधारित होती है। फिर भी बूढ़ादेव की गाथा का इनके लिए अपेक्षाकृत अधिक धार्मिक महत्त्व रहता है।

कुछ जनजातियों में बूढ़ादेव को बड़ादेव के रूप में पूजा जाता है। बड़ादेव वस्तुतः शिव का ही आदिवासियों में प्रचलित एक नाम कहा जा सकता है। ये लोग मानते हैं कि मृत्यु हो जाने पर यदि मनुष्य भगवान के पास नहीं जा पाता है तो भूत बनकर उसे कष्ट सहने पड़ते हैं। बड़ादेव मनुष्य को भूत बनने से बचाते हैं तथा मृत्यु के बाद सीधे अपने पास बुला लेते हैं। बड़ादेव की पूजा प्रेतबाधा दूर करने के लिए भी की जाती है। ऐसे समय ओझा, गुनिया आदि तंत्र-मंत्र के साथ बड़ादेव की पूजा करते हैं।

शिव

सरगुजा क्षेत्र के पण्डो, कँवर, उराँव आदि जनजाति के लोग शिव

को बड़ादेव, लिंगोपेन आदि के रूप में अपना देवता मानते हैं। शिव की मूर्ति एक ही लकड़ी पर उकेर कर बनाई जाती है। इसमें शिव को प्रचलित शिव-कथाओं की तरह सिर पर चन्द्रमा, गले में सर्प, हाथ में त्रिशूल तथा डमरू रखे हुए बनाया जाता है।

त्रिशूलधारी देवी

शहडोल क्षेत्र की आदिवासी जनजातियों में दशहरा पर्व के समय त्रिशूलधारी देवी की पूजा किए जाने की परंपरा है। त्रिशूलधारी देवी की स्थापना गाँव के बाहर मड़िया बना कर की जाती है। यह माना जाता है कि त्रिशूलधारी देवी सभी प्रकार के संकट, बीमारियों तथा बाधाओं से रक्षा करती है। त्रिशूलधारी देवी की आकृति में मुँह में त्रिशूल, माथे पर तिकोनी आकृति और उभरी हुई बिन्दी रहती है। गोण्ड, बैगा, अहीर, पनिका तथा बारी आदि जनजाति के लोग बड़ी श्रद्धा के साथ त्रिशूलधारी देवी की पूजा करते हैं।

शीतला माता

शीतला माता आदिवासी समुदाय में एक सर्वमान्य देवी है। इसे रोग-व्याधि की देवी माना जाता है। चेचक अथवा छोटी माता जैसी कष्टदायी बीमारियों के प्रकोप को शांत करने के लिए रोज सुबह जल से भरा लोटा रोगी के सिर से पैर तक घुमाया जाता है। फिर शीतला माता की प्रतिमा पर उस लोटे के जल को चढ़ाया जाता है। यह क्रिया तब तक चलती रहती है जब तक कि रोगी ठीक नहीं हो जाता है।

खप्पर माई

कोरकू आदिवासी चैत्र और क्वार मास में खप्पर माई की मुखौटा मूर्ति बनाकर घर के आँगन में आधा गाड़ देते हैं। फिर मूर्ति के सिर पर खप्पर रख कर हवन किया जाता है। खप्पर माई को सभी दैवीय शक्तियों का प्रतीक माना जाता है। खप्पर माई की भक्ति में डूबने वाले भक्तों पर कभी-कभी खप्पर माई स्वयं आ जाती है। यह एक प्रकार का भक्ति-उन्माद होता है जिसे 'देवी आना' अथवा 'भाव आना' भी कहा जाता है।

करमदेव

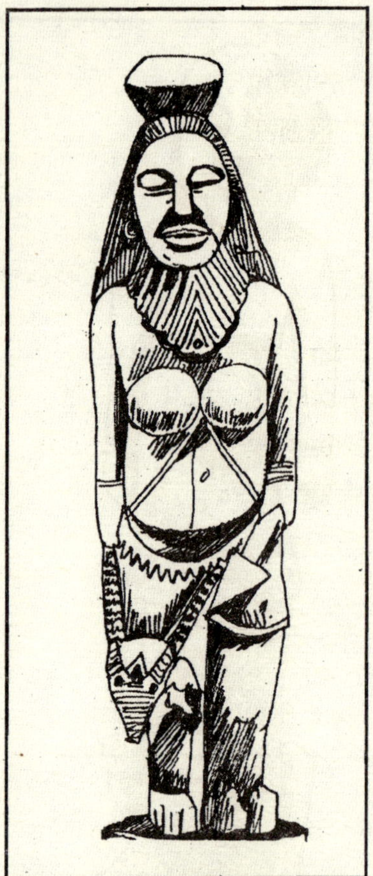

करमदेव पण्डो, कँवर तथा उराँव आदिवासियों के प्रमुख देवता हैं। करमदेव को अच्छी फसल, पारिवारिक सुख और समृद्धि का देवता माना जाता है। करमदेव की प्रतिमा लकड़ी की बनाई जाती है। जिसमें उन्हें एक कदंब के पेड़ के नीचे खड़े हुए दिखाया जाता है। वे अपने दोनों हाथों को सिर से ऊपर उठा कर कदंब के पेड़ को पकड़े रहते हैं। करमदेव को उनकी प्रतिमा में कमर पर धोती और गले में एक गहना पहने दिखाया जाता है।

टाँगीनाथदेव

टाँगीनाथदेव सरगुजा क्षेत्र के आदिवासियों के एक अन्य प्रमुख देवता हैं। यह माना जाता है कि टाँगीनाथ जंगल में गाँव की सीमा पर निवास करते हैं। ताकि जंगली जानवरों तथा अन्य प्रकार के बाहरी संकटों से गाँव की सुरक्षा कर सकें। टाँगीनाथदेव की प्रतिमा में उन्हें धोती पहने, गले में आभूषण तथा सिर पर एक कपड़ा पहने हुए बनाया जाता है। उनका एक हाथ आशीर्वाद देने की मुद्रा में रहता है। अपने दूसरे हाथ में वे एक टाँगी (कुल्हाड़ी) रखे होते हैं, जो उनके सिर के ऊपर टिकी होती है।

फसल कटाई के बाद पौष माह में मनाए जाने वाले घिर्रा उत्सव में आदिवासी युवक लकड़ी का बना हुआ एक विशेष प्रकार का मुखौटा लगा कर नृत्य करते हैं। इस मुखौटे को कठमुहा खिसरा कहा जाता है। एक किंवदंती के अनुसार कठमुहा खिसरा भी टाँगीनाथदेव का प्रतीक होता है। एक और मान्यता के अनुसार टाँगीनाथ जादू-टोना से भी रक्षा करते हैं।

नागदेव

नाग की पूजा आदिकाल से परंपरागत रूप से की जा रही है। आदिवासी भी नागदेव की पूजा करते हैं। लगभग सभी जनजातियों में नागदेव का महत्त्व है। इसका सबसे बड़ा कारण यह है कि जनजातीय लोग आदिकाल से वनों में अथवा वनों के निकट रह रहे हैं। वनभूमि में नागों की विविध प्रजातियाँ पाई जाती हैं। इनमें से विषैले नागों के काटने से मृत्यु तक हो जाती है। जिसे आदिवासी नागदेव के नाराज होने का परिणाम मानते

हैं। इसलिए वे नागदेव को प्रसन्न करने के लिए उनकी फन-युक्त मूर्ति बनाते हैं तथा पूजा करते हैं। नागदेव की मूर्तियाँ लकड़ी तथा पत्थर दोनों की बनाई जाती हैं। कभी-कभी नाग-नागिन की मूर्ति एक साथ भी बनाई जाती हैं तथा उनकी एक साथ पूजा की जाती है।

मोती बरिहैया देव

मोती बरिहैया देव सरगुजा क्षेत्र में रहने वाले आदिवासियों के एक ऐसे देवता हैं जो उनके गाँव, खेत और पालतू पशुओं की रक्षा करते हैं। बीमारी दूर करने के लिए भी मोती बरिहैया देव की पूजा की जाती है। इन्हें सुख, समृद्धि तथा स्वास्थ्य का देवता माना जाता है।

गरुड़देव

सरगुजा क्षेत्र के आदिवासी गरुड़ पक्षी की देवता के रूप में पूजा करते हैं। पुराणों में भी विष्णु के वाहन के रूप में गरुड़ को लघुदेव अथवा पक्षीराज के रूप में महत्त्व दिया गया है। कहा जाता है कि प्राचीन काल में इस क्षेत्र में अनगिनत गरुड़ पक्षी पाए जाते थे।

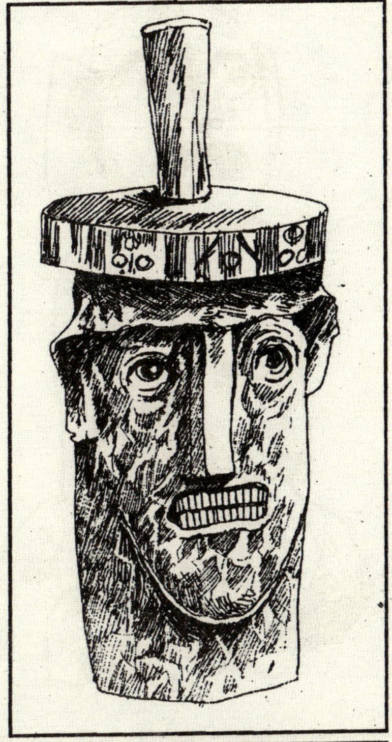

ठाकुरदेव

ठाकुरदेव गोण्ड, बैगा इत्यादि सभी जनजातियों के प्रमुख देवता हैं। ठाकुर देव की प्रतिमा की स्थापना गाँव की मुख्य जगह में झोंपड़ी बना कर अथवा सरई या महुआ के पेड़ के नीचे की जाती है। ठाकुरदेव के बारे में मान्यता है कि ये ग्राम रक्षक देवता हैं। ये गाँव और गाँव के लोगों की बाहर संकटों से रक्षा करते हैं।

बघेश्वरदेव

गोण्ड तथा बैगा जनजाति के लोग बेवर की खेती करते हैं। यह खेती जंगल में की जाती है जहाँ शेर, बाघ का भय हमेशा रहता है। इसीलिए ये आदिवासी शेर, बाघ का भय अपने मन से दूर करने के लिए बघेश्वरदेव

के रूप में उनकी पूजा करते हैं। बघेश्वरदेव की मूर्ति लकड़ी की बनाई जाती है। जिसमें सिर का आकार शेष शरीर के अनुपात में बड़ा होता है। मण्डला के गोण्ड जनजाति के कुशराम गोत्र में विवाह के समय दूल्हे के पक्ष के लोग बघेश्वरदेव की मुखौटा मूर्ति मंडप में स्थापित करते हैं जिससे विवाह कार्य बिना किसी बाधा के पूरा हो सके।

खैरोमाता

गोण्ड और बैगा आदिवासी खैरोमाता की पूजा करते हैं। खैरो माता की मूर्ति को ठाकुरदेव के मंदिर (मड़ई) में स्थापित किया जाता है। ये रोग-व्याधि, दुःख-कष्ट आदि को दूर करने वाली देवी मानी जाती हैं। इन्हें खैरमाई, महारिन देवी तथा महरेलिन देवी के नाम से भी पुकारा जाता है।

दसाही-मराही देवी

दसाही-मराही देवी सभी प्रकार के संकटों से रक्षा करने वाली देवी मानी जाती है। गोण्ड तथा बैगा आदिवासी दसाही-मराही देवी की पूजा खैरो माता देवी के साथ ही करते हैं।

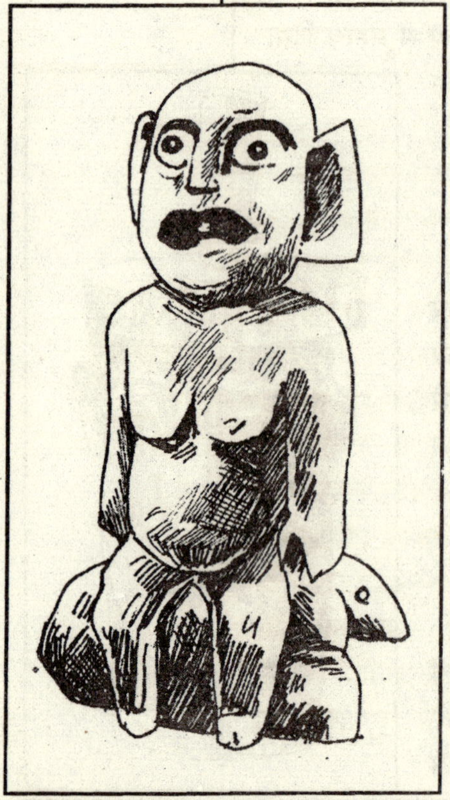

घमसाइन माता

घमसाइन माता विपत्तियों से रक्षा करने वाली देवी होती हैं। गोण्ड तथा बैगा आदिवासी घमसाइन माता की पूजा करते हैं। मण्डला क्षेत्र में घमसाइन माता की मूर्ति में उन्हें अपने घुटनों पर हाथ रख कर बैठे हुए दिखाया जाता है। वे धोती पहने रहती हैं तथा सिर पर एक कपड़ा बँधा होता है। माथे पर बिंदी, गले में हार, दोनों बाँहों में बाजूबंद तथा दोनों कलाइयों में कंगन पहने हुए दिखाया जाता है।

पंडिन माता

पंडिन माता घर तथा परिवार पर आने वाली विपत्तियों से रक्षा करने वाली देवी मानी जाती हैं। पंडिन माता की मूर्ति में उन्हें खड़ी हुई

मुद्रा में दोनों हाथ सीधा लटकाए हुए बनाया जाता है। वे घुटनों से ऊपर तक की धोती पहने रहती हैं। दोनों कलाइयों में मोटे-मोटे कंगन तथा गले में सामने से नुकीला किंतु चौड़ा गहना पहने रहती हैं। इनके दोनों कान अपेक्षाकृत बड़े-बड़े बनाए जाते हैं।

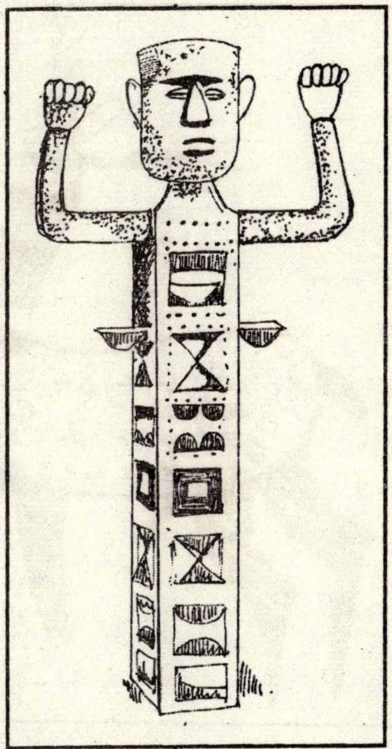

कलसाहिन देवी

कलसाहिन देवी भी दसाही-मराही देवी, घमसाइन माता तथा पंडिन माता के समान सभी प्रकार के संकटों से गाँव, घर और परिवार की रक्षा करने वाली देवी मानी जाती है। कलसाहिन देवी की पूजा करने के लिए घर के आँगन में एक मड़िया बना कर उसमें ज्वारा (गेहूँ के दाने) बोया जाता है। इसके बाद कलसाहिन देवी का प्रतीक मुखौटा बना कर वहाँ रखा जाता है। मुखौटे में कलसाहिन देवी का चेहरा बनाया होता है तथा सिर पर बाँस की एक छोटी टोकरी (चुरकी) की आकृति बनी होती है। कानों में कर्णफूल तथा माथे पर बिंदी बनाई जाती है।

दूल्हादेव और दूल्हीदेवी

दूल्हादेव और दूल्हीदेवी का अधिकंश जनजातियों में बहुत महत्त्व है। इन्हें सुखी वैवाहिक जीवन और संतान देने वाले देवी-देवता के रूप में माना जाता है। दूल्हादेव और दूल्हीदेवी गृहदेवता हैं। विवाह के बाद वर-वधू पहली बार गृह-प्रवेश के समय पहले दूल्हादेव और दूल्हीदेवी की पूजा करते हैं, उसके बाद घर में प्रवेश करते हैं। दूल्हादेव और दूल्हीदेवी की मूर्तियाँ अक्सर जोड़े से अर्थात् साथ-साथ बनाई जाती हैं।

मसानदेवी

मसान शब्द 'श्मशान' से बना है। जैसा कि नाम से ही स्पष्ट है कि मसानदेवी श्मशान की देवी मानी जाती है। ओझा, गुनिया आदि जादू-टोना करने वाले लोग इनके भक्त होते हैं तथा लंबे-चौड़े अनुष्ठान के साथ इनकी पूजा करते हैं। आदिवासी समुदायों में यह बहुप्रचलित मान्यता है कि मसानदेवी के नाराज होने से गाँव में महामारी जैसी विपत्तियाँ आती हैं। इनकी पूजा गाँव, घर, परिवार के किसी व्यक्ति की मृत्यु के बाद की जाती है। वैसे यह माना जाता है कि यदि देवी खुश रहती है तो लोग लम्बी आयु तक जीवन जीते हैं।

भूत-भल्लिन

भूत-भल्लिन भूतों और राक्षसों की देवी मानी जाती हैं। गोण्ड तथा बैगा यह मानते हैं कि सभी प्रकार की बीमारियाँ, कष्ट और संकट दुष्ट आत्माओं के कारण आते हैं। भूत-भल्लिन देवी इन दुष्ट आत्माओं से रक्षा करती है। भूत-भल्लिन की मूर्ति खड़ी हुई मुद्रा की होती है जिसमें देवी का सिर शरीर के अनुपात में बड़ा और भयावह मुखमुद्रा वाला होता है। भूत-भल्लिन का मुखौटा भी बनाया जाता है। मुखौटे में भूत-भल्लिन का बालों वाला चपटा-सा सिर, खुला हुआ मुँह और बड़े-बड़े नासाछिद्रों वाली चौड़ी-सा नाक बनाई जाती है। यह मुखौटा सेमल, बीजा, आम और इमली की लकड़ियों से बनाया जाता है।

नारायणदेव

कोई भी जनजाति हो उसके देवी-देवताओं में प्रकृति देवता के रूप में सूर्य का स्थान अवश्य होता है। गोण्ड, बैगा, परधान तथा भिम्मा जनजाति के लोग सूर्य को नारायणदेव के रूप में अपना देवता मानते हैं। वे नारायणदेव की पूजा करते हैं ताकि नारायणदेव उनके जीवन से दुखों के अँधेरे को दूर रखें।

डोंगरदेव

डोंगरदेव जंगल और पहाड़ के देवता माने जाते हैं। गोण्ड तथा बैगा डोंगरदेव की पूजा करते हैं। वे मानते हैं कि डोंगरदेव वनोपज की रक्षा करते हैं। यदि डोंगरदेव प्रसन्न रहते हैं तो उन्हें अपने तथा अपने पशुओं के लिए जंगल से लकड़ियाँ, कंद-मूल, फल आदि मिलते रहते हैं।

कीचक राजा-कीचक रानी

गोण्ड तथा बैगा आदिवासी कीचक राजा तथा कीचक रानी की देवता के रूप में पूजा करते हैं। उनका मानना है कि महाभारत के समय कीचक राजा तथा कीचक रानी ने

जंगल में रहने वाले आदिवासियों की सहायता की थी। कीचक राजा तथा कीचक रानी की मूर्ति अनगढ़ मूर्ति की तरह होती है।

भैंसासुर

जंगली भैंसे को शक्ति का प्रतीक मानकर भैंसासुर की पूजा की जाती है। गोण्ड तथा बैगा आदिवासी भैंसासुर का सिर बना कर उसकी पूजा करते हैं। उसके सिर में बड़े-बड़े सींग बनाए जाते हैं। कुछ क्षेत्रों में वाराह की आकृति में भी भैंसासुर की मूर्ति बनाई जाती है।

नांगा बैगा-नांगा बैगिन

नांगा बैगा तथा नांगा बैगिन गोण्ड तथा बैगा आदिवासियों के प्रमुख देवी-देवता हैं। नांगा बैगा तथा नांगा बैगिन के बारे में एक रोचक मान्यता प्रचलित है जिसके अनुसार ये दोनों आदम और हौव्वा के समान मानवजाति के जन्मदाता हैं। इस मान्यता के अनुसार भगवान ने सबसे पहले नांगा बैगा तथा नांगा बैगिन को बनाया। नांगा बैगा तथा नांगा बैगिन जंगल में साथ-साथ रहने लगे। कुछ समय बाद इनकी दो संतानें हुईं। एक संतान बैगा के रूप में और दूसरी संतान गोण्ड के रूप में। इसके कुछ समय बाद कुछ और संतानें हुईं। इन्हीं संतानों में आपस में विवाह हुआ। विवाह के बाद बैगा और गोण्डों की संख्या में वृद्धि हुई।

नांगा बैगा तथा नांगा बैगिन की मूर्तियों में दोनों को नग्न दिखाया जाता है। आदिवासियों की यह कल्पना बहुत सटीक है। क्योंकि मनुष्य का इस धरती पर जब पहली बार जन्म हुआ तब उसे कपड़े पहनने का ज्ञान नहीं था। फिर भी देवी-देवता के रूप में पूजा करने के लिए बनाई गई नांगा बैगा तथा नांगा बैगिन की मूर्तियों में दोनों को गले में कण्ठहार एवं ताबीजनुमा माला पहने दिखाया जाता है। नांगा बैगिन के पैरों में आभूषण (लच्छे) बनाए जाते हैं। नांगा बैगा तथा नांगा बैगिन को इन आदिवासियों की मातृदेवी और पितृदेवता भी कहा जा सकता है।

जुन्हा देवार-जुन्हा देवारिन

बैगा आदिवासी जुन्हा देवार-जुन्हा देवारिन की मूर्ति बना कर देवी-देवता के रूप में पूजा करते हैं। जुन्हा देवार-जुन्हा देवारिन तंत्र, मंत्र, जड़ी-बूटियों के देवी-देवता माने जाते हैं। इनकी मूर्तियाँ किसी विशेष रूपाकार की न होकर अनगढ़ होती हैं।

मेघनाद

कोरकू जनजाति के लोग राम-कथा के प्रमुख खल-पात्र रावण के पुत्र मेघनाद की पूजा करते हैं। यह मान्यता है कि एक बार मेघनाद ने कोरकू जनजाति के लोगों की उनके शत्रुओं से रक्षा की थी इसलिए वे मेघनाद को एक दयालु और अच्छे देवता के रूप में मानते हैं। मेघनाद की पूजा के लिए मेघनाद स्तम्भ अथवा मेघनाद खंब लगाया जाता है। यह पाँच से सात फिट ऊँचा लकड़ी का गोल स्तंभ होता है। खंबे के ऊपरी भाग को गर्दन की तरह तराशा जाता है। इस खंबे को गाँव की मुख्य सड़क के किनारे गाँव की सीमा पर गाड़ा जाता है।

कोरकू आदिवासियों में खंब स्वांग करने का भी चलन है। यह एक प्रकार का नाटक होता है। नाटक खेलने वाले रंगकर्मी नाटक शुरू करने से पहले नाट्य-स्थल के बीचोंबीच इसे स्थापित करते हैं तथा मेघनाद की पूजा करने के बाद ही नाटक खेलना शुरू करते हैं।

भारिया एवं भील जनजाति के लोग भी मेघनाद की पूजा करते हैं। वे भी मेघनाद खंब स्थापित करते हैं जिसके ऊपरी सिरे पर वे सफेद रंग का एक झंडा लगाते हैं। मेघनाद की पूजा के समय मनौती मानी जाती है तथा मनौती पूरी होने पर भी पूजा की जाती है।

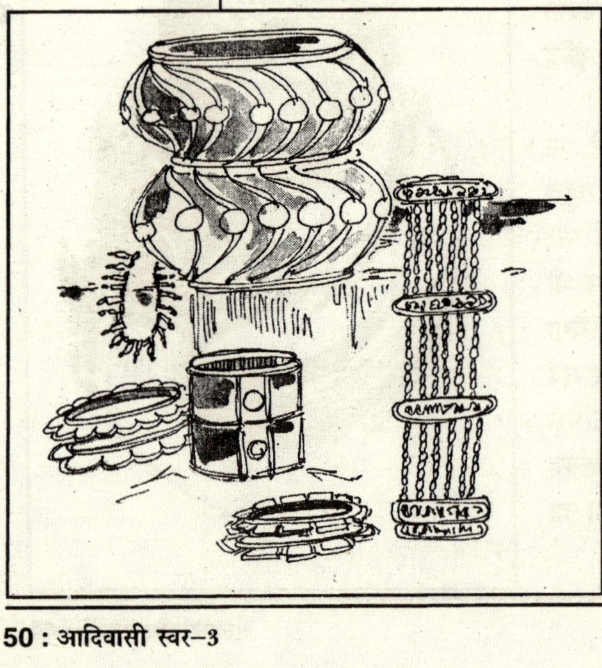

बघोरी देव

सरगुजा क्षेत्र के पण्डो, कँवर, उराँव आदि जनजाति के लोग बघेश्वरदेव की भाँति बघोरीदेव को अपना देवता मानते हैं। प्रतीक के रूप में लकड़ी का शेर बना कर घर के दरवाजों पर अथवा गली में इसकी

स्थापना की जाती है। सावन मास में सवाई नामक त्यौहार के अवसर पर तथा वैशाख मास में मुऊहा नाम के त्यौहार के समय बघोरी देवता की पूजा की जाती है। इसकी आकृति अयाल वाले शेर की होती है जिसका मुँह खुला हुआ बनाया जाता है।

लहासुर देव

शहडोल क्षेत्र के लोहार और बढ़ई का कार्य करने वाले आदिवासी हरियाली अमावस्या को लहासुर देव की पूजा करते हैं। वे लोहा भट्ठी जलाने के पूर्व भी लहासुर देवी की पूजा-अर्चना करते हैं। यह माना जाता है कि लहासुर देव की पूजा करने से अग्निदेव प्रसन्न होते हैं और आग में लोहा पिघलाते समय लोहा जल्दी पिघलता है।

कूरदेव

गोण्ड, बैगा, अहीर, पनिका तथा बारी आदि जनजाति के लोग गाँव से बाहर जंगल की ओर जाने वाले रास्ते पर कूर देव की मुखौटा-मूर्ति रखते हैं। दशहरा अथवा दीपावली के दिन विधि-विधानपूर्वक कूरदेव की स्थापना की जाती है। यह माना जाता है कि कूर देव जंगल आने-जाने वाले चरवाहों तथा पशुओं की रक्षा करते हैं। वे भूत-प्रेत तथा अन्य राक्षसी शक्तियों को गाँव में आने से रोकते हैं। कूर देव की मुखौटा-मूर्ति में नाक चौड़ा तथा चपटी तथा तीखी भाव-भंगिमा बनाई जाती है।

लिंगोदेव

लिंगोदेव गोण्ड जनजाति के देवता हैं। गोण्ड मान्यताओं के अनुसार लिंगोदेव ने नदी, पहाड़, पेड़-पौधे, हवा, पानी, धूप, छाया, मनुष्य, पशु, पक्षी, मछली तथा अन्य सभी छोटे-बड़े जीव-जन्तुओं की रचना की। लिंगोदेव ने गोण्डों को कला का ज्ञान दिया। उन्हें अठारह प्रकार के वाद्य दिए। प्रति वर्ष आषाढ़ मास की अमावस्या पर लिंगोदेव की स्थापना की जाती है। लिंगोदेव की प्रतिमा के चेहरे पर गंभीरता, ऊपर की ओर उठी हुई मूँछें तथा

सिर पर पगड़ी बनाई जाती है। यह माना जाता है कि असुर शक्तियाँ लिंगोदेव के पास भी नहीं आती हैं, इसलिए लिंगोदेव जिस पर प्रसन्न होते हैं, उसे भूत-प्रेत अथवा अन्य किसी आसुरी संकट के सताने का भय नहीं रहता है।

अम्मरदेव

सरगुजा अंचल के आदिवासी कार्तिक मास की एकादशी पर गौशाला के दरवाजे पर अम्मरदेव की मुखौटा-मूर्ति की स्थापना करते हैं। मुखौटा-मूर्ति की स्थापना करने के बाद अम्मरदेव की पूजा की जाती है। उसी रात्रि को कोई एक युवक अम्मरदेव के इस मुखौटे को पहन कर नृत्य करता है। मुखौटे पर अम्मरदेव का चेहरा बना हुआ होता है। अम्मरदेव की ऊपर की ओर उठी हुई नुकीली मूँछें तथा गंभीर चेहरा रहता है। पूजन के समय अम्मरदेद के माथे पर सिंदूर लगाया जाता है। अम्मरदेव की ये मुखौटा-मूर्तियाँ लकड़ी अथवा मिट्टी की बनाई जाती हैं।

बकासुर देव

बकासुर देव भी सरगुजा के आदिवासियों के देवता हैं। बकासुर देव की स्थापना तालाब के किनारे की जाती है। यह देवता पशुधन की वृद्धि करने वाला तथा पशुओं को संतान प्रदान करने वाला देवता माना जाता है। यदि किसी व्यक्ति की गाय-भैंस बाँझ हो तो वह बकासुर देव की मनौती मानता है जिससे बकासुर देव उसकी गाय-भैंस को संतान देते हैं। मनौती पूरी होने पर उस व्यक्ति द्वारा बकासुर देव की पूजा की जाती है। पहले सूअर की बलि देने का भी चलन था। बकासुर देव का चेहरा भयानक दिखाई पड़ता है। चेहरे पर क्रोध के भाव रहते हैं तथा दाँत भी बड़े-बड़े बनाए जाते हैं। आँखों के नीचे का भाग कटाव वाला उभार लिए बनाया जाता है जिससे चेहरे पर और अधिक रौद्र भाव झलकने लगता है।

अँधियारी देवी

पण्डो, कँवर, उराँव आदि जनजाति के लोग अँधियारी देवी की पूजा करते हैं। अँधियारी

देवी जल की देवी मानी जाती है। वैशाख मास की कृष्णपक्ष की अष्टमी को गाँव के बाहर के सार्वजनिक कुएँ से जल लाते हैं और अँधियारी देवी की पूजा करने के बाद इस जल को प्रसाद के रूप में पीते हैं। इस जल को पीने से शारीरिक रोग दूर हो जाते हैं। अँधियारी देवी का चेहरा लंबा बनाया जाता है किंतु बाल अच्छी तरह सँवरे हुए और मस्तक पर त्रिशूल बना होता है।

गंदीला मढ़ैया देव

उराँव आदिवासी गंदीला मढ़ैया देव की पूजा करते हैं। गंदीला मढ़ैया देव को गाँव का रक्षक देवता माना जाता है। लंबा हँसता हुआ चेहरा, दाढ़ी तथा कान, नाक तथा भौंहों को सुन्दरता से बनाया जाता है। चेहरे पर हँसने के भाव रहते हैं। जिससे गंदीला मढ़ैया देव प्रसन्न मुद्रा में दिखाई पड़ते हैं। माघ मास की अमावस्या को गाँव के बाहर दक्षिण दिशा में गंदीला मढ़ैया की स्थापना की जाती है। स्थापना से पहले गंदीला मढ़ैया देव की मुखौटा-मूर्ति को डोली (झोली) में रख कर पूरे गाँव में घुमाया जाता है। गाँव के सभी लोग गंदीला मढ़ैया देव की मूर्ति को हल्दी का टीका लगा कर नारियल का प्रसाद चढ़ाते हैं। एक प्रचलित कथा के अनुसार एक बार उराँव गाँव पर शत्रुओं ने धावा बोल दिया। शत्रु अधिक शक्तिशाली था। गाँव के मुखिया को समझ में नहीं आया कि वह अपने गाँव और गाँववालों की रक्षा कैसे करे? तब मुखिया ने गाँव के लोगों को इकट्ठा किया और सभी लोग मिलकर गंदीला मढ़ैया देव की स्थापना करके उनकी पूजा करने लगे। पूजा से प्रसन्न होकर गंदीला मढ़ैया देव स्वयं प्रकट हो गए। प्रकट होते समय उन्होंने जोर से अट्टहास किया। गंदीला मढ़ैया देव का अट्टहास सुन कर शत्रु काँप उठे और डर के मारे युद्ध किए बिना ही भाग खड़े हुए।

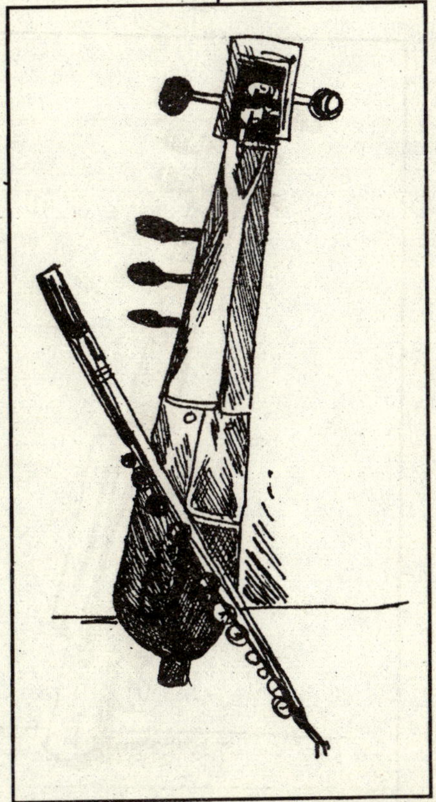

मुठवा देव

मुठवा देव कोरकू आदिवासियों के ग्राम रक्षक देवता हैं। गाँव के बीचोंबीच पत्थरों के ढेर के रूप में मुठवा देव की स्थापना की जाती है। मुठवा देव को तंत्र-मंत्र का देवता भी माना जाता है। मुठवा देव के चबूतरे पर गाँव का हर परिवार अपने-अपने पूर्वजों की याद में

एक-एक पत्थर रखता है। प्रत्येक पर्व-त्यौहार के अवसर पर मुठवा देव की पूजा की जाती है। मुठवा देव के गले में माला और माथे पर गोदना बना रहता है जबकि चेहरा एकदम सपाट बनाया जाता है।

सिबरिया देवी

पण्डो, कँवर, रजवार, घसिया जनजाति के लोग सिबरिया देवी को बीमारियों से रक्षा करने वाली देवी के रूप में मानते हैं। सिबरिया देवी की लकड़ी अथवा पत्थर की मूर्ति बनाई जाती है। घर में किसी को चेचक की बीमारी होने पर घर का मुखिया सिबरिया देवी को नारियल और सफेद झंडा चढ़ाता है ताकि चेचक का प्रकोप शांत हो सके। सिबरिया देवी को शीतला माता के समकक्ष माना जा सकता है। सिबरिया देवी के सिर पर नारियल और झंडे की आकृति बनाई जाती है। माथे से नाक तक एक गहरी लकीर खिंची होती है तथा जीभ बाहर निकली हुई होती है। यह मान्यता है कि यदि सिबरिया देवी अप्रसन्न हो जाए तो चेचक के रोगी के प्राणों को खतरा हो सकता है लेकिन यदि सिबरिया देवी प्रसन्न रहें तो चेचक का रोगी शीघ्र रोगमुक्त हो जाता है।

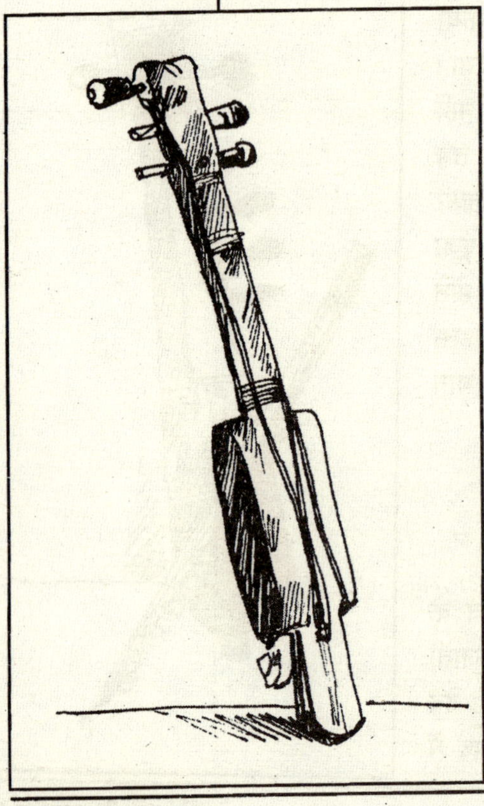

मनमोहिनी देवी

मण्डला के गोण्ड और बैगा आदिवासी मनमोहिनी देवी को गृहदेवी के रूप में मानते हैं। मनमोहिनी देवी अन्न की देवी अथवा अन्नपूर्णा के समान होती है। घर में इनका स्थान चूल्हे के पीछे की ओर माना जाता है। घर में नया अन्न आने पर चूल्हे के पीछे मनमोहिनी देवी की स्थापना की जाती है। यह कहा जाता है कि मनमोहिनी देवी की रसोईघर पर कृपा बने रहने से घर में कभी अन्न की कमी नहीं होती है। एक मान्यता यह भी है कि अगर घर की बहू किसी कारण से घर छोड़ कर चली जाए तो घी-आटे का प्रसाद बना कर मनमोहिनी देवी की पूजा की जाती है। फिर इस घी-आटे के प्रसाद को बहू को खिलाया जाता है जिससे वह फिर वापस अपनी ससुराल में आकर रहने लगती है। मनमोहिनी देवी की मूर्ति मिट्टी की बनाई जाती है। मूर्ति का चेहरा बिंदुओं के द्वारा सजाया जाता है तथा माथे पर

एक बिंदी बनाई जाती है। चेहरे पर मुस्कुराहट के भाव होते हुए भी चेहरा विचित्र दिखाई देता है।

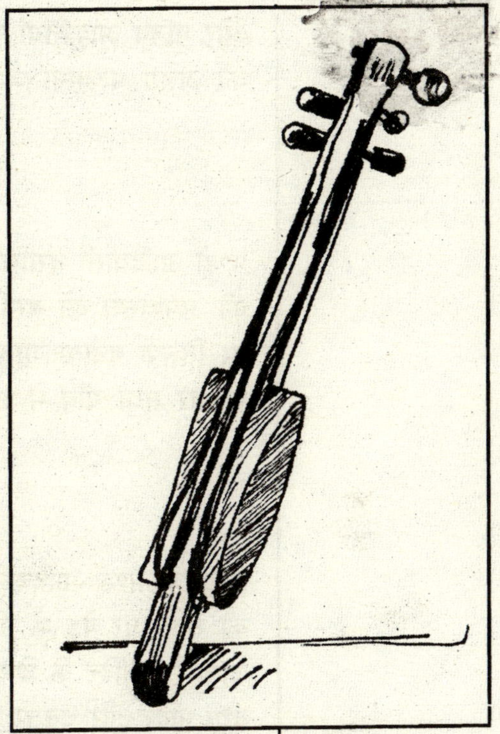

खेड़ा देव

खेड़ा देव पशुधन के देवता माने जाते हैं। कोरकू जनजाति के लोग अपनी पशुशाला (गोठान) में खेड़ा देव की स्थापना करते हैं। खेड़ा देव का मुख बेलनाकार बनाया जाता है तथा माथे पर एक सजावटी पट्टे की आकृति बनाई जाती है। यह माना जाता है कि पशुशाला में खेड़ादेव साक्षात् रहते हैं और उनके पशुशाला में रहने से पशुधन की वृद्धि होती है तथा खेड़ादेव पालतू पशुओं की रक्षा करते हैं।

महरेलिन माता

मण्डला जिले के गोण्ड आदिवासी महरेलिन माता को बीमारियों से रक्षा करने वाली देवी के रूप में मानते हैं। प्रत्येक वर्ष चैत्र मास की अमावस्या को महरेलिन माता की लकड़ी अथवा पत्थर की मूर्ति की पूजा की जाती है। बड़ी-बड़ी गोल-गोल आँखें, भौंहें धनुषाकार में ऊपर उठी हुई, हँसता हुआ खुला मुख, बाहर की ओर उभरे हुए होंठ, लंबे कान तथा गले में हार महरेलिन माता की मूर्ति की पहचान कराती है। महरेलिन माता भी शीतला माता और सिबरिया देवी की भाँति चेचक आदि बीमारियों से रक्षा करने वाली देवी मानी जाती है।

खरखुड़ी माई

गोण्ड आदिवासी दीपावली की सुबह गाँव भर की सभी गायों को खरिया (गायों के एकत्र होने का स्थान) में इकट्ठा करते हैं। खरिया में खरखुड़ी माई का चबूतरा बना होता है। इस चबूतरे पर खरखुड़ी माई के नाम से गाय का गोबर रखा जाता है और खरखुड़ी माई की पूजा की जाती है। खरखुड़ी माई को गायों की रक्षक देवी माना जाता है। यह माना जाता है कि खरखुड़ी माई के प्रसन्न रहने से गायें अधिक दूध देती हैं तथा स्वस्थ रहती हैं। खरखुड़ी माई के माथे पर मुकुट बना होता है। मुकुट के दोनों

ओर मानव आकृतियाँ बनी होती हैं। इस विशेषता के होने से खरखुड़ी माई की प्रतिमा को अलग पहचाना जा सकता है।

बरासिन देवी

पण्डो आदिवासी बरासिन देवी को सुख-शांति की देवी मानते हैं। प्रत्येक वर्ष चैत्र मास की अमावस्या को बरासिन देवी की पूजा करते हैं। देवी के सिर पर मुकट और माथे पर तिलक बनाया जाता है। यह मान्यता है कि बरासिन देवी के प्रसन्न रहने से घर, परिवार तथा गाँव में सुख-शांति और समृद्धि रहती है।

सिद्ध देव

सिद्धदेव गोण्ड आदिवासियों के एक और प्रमुख देवता हैं। गाँव के बाहर अथवा गाँव की सीमा पर पेड़ के नीचे चबूतरा बना कर सिद्धदेव की मड़िया (छोटा मंदिर) बनाया जाता है। मंदिर के शिखर पर एक के ऊपर एक रखे हुए दो कलश-घट बने होते हैं। तथा मंदिर और चबूतरे को सफेद रंग से रंगा जाता है। हरियाली भरे प्राकृतिक वातावरण में सफेद रंग की मड़िया बहुत आकर्षक दिखाई पड़ती है। इस मड़िया (मंदिर) में सिद्ध देव की मूर्ति स्थापित की जाती है। गोण्ड आदिवासियों में यह मान्यता है कि सिद्ध देव कठिन से कठिन काम को पूरा कर देते हैं तथा सभी इच्छाएँ पूरी करते हैं।

पूजा-पाठ का स्वरूप

विश्व के सभी आदिवासी समुदायों की भाँति मध्यप्रदेश के आदिवासी समुदाय में भी देवी-देवताओं की पूजा-पाठ का स्वरूप अन्य लोगों के रीति-रिवाजों से अलग रहता है। आदिवासी समुदाय में पूजा अनुष्ठान के मुख्य रूप से तीन प्रकार पाए जाते हैं–

1. सामान्य पूजा
2. बलि द्वारा पूजा
3. तांत्रिक पूजा

1. सामान्य पूजा–सभी देवी-देवताओं को बलि चढ़ाने का चलन नहीं था। शांत प्रकृति के देवी-देवताओं की पूजा हल्दी, सिन्दूर, नारियल, झंडा आदि चढ़ा कर की जाती है। अन्न से संबधित देवी-देवताओं को नई फसल आने पर नया अन्न चढ़ाया जाता है। पूजा-अनुष्ठान के समय नृत्य भी किए जाते हैं। कुछ नृत्य बिना मुखौटा लगाए किए

जाते हैं तथा कुछ नृत्यों में देवी-देवताओं से संबधित अथवा उनके प्रतीक के रूप में मुखौटा लगा कर नृत्य किया जाता है। कुछ धार्मिक अवसरों पर देवता की पूजा करने के बाद उनकी अथवा अन्य देवी-देवता की गाथाएँ भी गाई जाती हैं। धार्मिक त्यौहारों के अवसर पर मेले लगते हैं तथा घरों एवं मंदिरों में प्रतीक के रूप में मड़ई अर्थात मण्डप की स्थापना की जाती है।

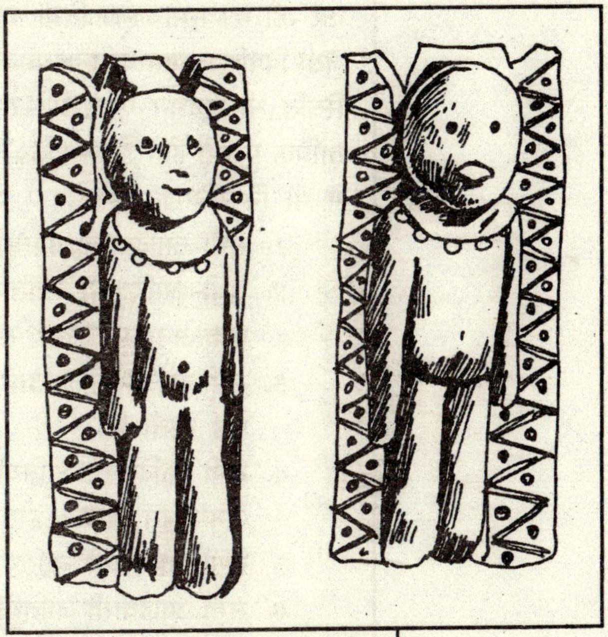

2. बलि द्वारा पूजा–प्राचीनकाल में आदिवासी समुदाय अपने देवताओं को प्रसन्न करने के लिए बलि देते थे। विशेष रूप से जिन देवी-देवताओं के क्रोधित हो जाने पर जान-माल की हानि होने का भय रहता था। उन देवी-देवताओं को बलि देकर प्रसन्न किया जाता था। मुख्य रूप से मुर्गा, बकरा, सूअर आदि पशु-पक्षियों की बलि दी जाती थी। कुछ आदिवासी समुदायों में अतिप्राचीन काल में नरबलि देने का भी चलन था। अब आदिवासी समुदायों में बलि देने की प्रथा लगभग समाप्त हो गई है। कुछ समुदायों में पशुओं के प्रतीक के रूप में फल आदि को काट कर बलि देने का अनुष्ठान पूरा कर लिया जाता है।

3. तांत्रिक पूजा–इस प्रकार की पूजा तंत्र-मंत्र पर आधारित होती है। इस प्रकार की पूजा में रहस्य का भाव अधिक रहता है। मुख्य रूप से ओझा तथा गुनिया तांत्रिक पूजा करते हैं। हर व्यक्ति तांत्रिक पूजा करने का अधिकार नहीं रखता है। यह माना जाता है कि जो भूत-प्रेतों के देवता को प्रसन्न करके सिद्धि पा लेता है वही व्यक्ति तांत्रिक पूजा करता है। बलि देने का अनुष्ठान तांत्रिक पूजा का एक महत्त्वपूर्ण भाग होता है। वैसे तांत्रिक पूजा भोले-भाले आदिवासी समुदाय में एक कुरीति की भाँति सदियों से जड़ें जमाए हुए थी। अब जैसे-जैसे आदिवासी समुदाय पढ़-लिख कर जागरूक बनता जा रहा है, वैसे-वैसे बलि और तांत्रिक पूजा जैसी कुरीतियों को छोड़ता जा रहा है।

आदिवासी देवी-देवताओं में प्रमुख समानताएँ

मध्यप्रदेश की लगभग सभी आदिवासी जातियों के देवी-देवताओं में कुछ समानताएँ पाई जाती हैं। ये समानता मुख्य रूप से उनके रहन-सहन तथा आसपास के वातावरण की समानता से उत्पन्न हुई है। लगभग सभी आदिवासी जातियाँ सदियों से जंगलों में निवास

कर रही हैं। सभी जनजातियाँ प्रकृति से जुड़ी हुई हैं। सभी जनजातियों को लगभग एक जैसी विपत्ति अथवा कठिनाइयों का सामना करना पड़ता है। सभी जनजातियों की आर्थिक स्थिति भी लगभग एक जैसी रहती है। सभी जनजातियों में ओझा, गुनिया की भाँति तांत्रिक पुजारी होते हैं। इन सब समानताओं के कारण इन जनजातियों के देवी-देवताओं में भी निम्नलिखित समानताएँ पाई जाती हैं—

1. सभी आदिवासी जातियों में प्रकृति देवता होते हैं।
2. सभी आदिवासी जातियों के देवी-देवताओं की प्रसन्नता या अप्रसन्नता पर पूजा-अनुष्ठान निर्भर रहता है।
3. सभी आदिवासी जातियों के देवी-देवता की आकृतियों एवं मुखमुद्राओं में समानता पाई जाती है।
4. सभी आदिवासी जातियों के देवी-देवताओं की मूर्तियों में कलात्मकता कम तथा अनगढ़पन अधिक होता है।
5. सभी आदिवासी जातियों के देवी-देवता इनके जीवन कर्म से जुड़े हुए होते हैं।
6. सभी आदिवासी जातियों में कुछ देवी-देवता वन्य पशुओं पर आधारित होते हैं। जैसे—बघोरीदेव, बघेश्वरदेव, बाघदेव आदि।
7. लगभग सभी आदिवासी जातियों में बीमारी से संबंधित देवियों की कल्पना की गई है। जैसे—शीतला माता, महरेलिन माता, सिबरिया देवी आदि।
8. लगभग सभी आदिवासी जातियों में देवी-देवताओं की मूर्तियों को वही गहने और कपड़े पहने हुए दिखाया जाता है जो वे स्वयं पहनते हैं।
9. लगभग सभी आदिवासी जातियों में ग्राम देवता, पशुधन, देवता, मातृदेवी तथा अन्नदेव की कल्पना की गई है।
10. सभी आदिवासी जातियों के जीवन में देवी-देवताओं का महत्त्वपूर्ण स्थान है।

परिवर्तन की लहर

आदिवासी समुदाय जैसे-जैसे पढ़-लिख कर वैज्ञानिक ज्ञान से जुड़ता जा रहा है, वैसे-वैसे उसके धार्मिक रीति-रिवाजों से कुरीतियाँ दूर होती जा रही हैं। किसी भी धार्मिक भावना में तब तक कोई बुराई नहीं होती है जब तक कि उसमें पाखण्ड, आडम्बर अथवा कुरीतियाँ न जुड़ें। आदिवासी धार्मिक अनुष्ठानों एवं देव-पूजा के समय दी जाने वाली बलि की प्रथा अब लगभग समाप्त हो गई है। जिससे आदिवासियों के धर्म और देवी-देवताओं का स्वरूप और भी निखर आया है।

आदिवासी गहने और वेशभूषा

आदिवासियों की जीवन-शैली जितनी सीधी-सादी और मिथकों, मान्यताओं से भरी हुई है उतनी ही विविधतापूर्ण और सुंदर हैं उनके गहने और वेशभूषा। मनुष्य ने जब से चेतना पाई तभी से वह सुंदरता को जानने-समझने लगा। आदि मानव भी सुंदरता की भावना से परिचित थे। वे जानते थे कि प्रकृति में दिखाई देने वाले रंग-बिरंगे फूल सुंदर होते हैं। उन्हें इस बात का भी ज्ञान हो चुका था कि सुंदर वस्तुओं को पहन कर सुंदर दिखा जा सकता है। प्रागैतिहासिक मानवों को जब धातुओं के बारे में जानकारी नहीं थी और वे लकड़ी तथा पत्थर के औजारों से शिकार करते थे, उस समय वे फूलों और पत्तों से अपने शरीर को सजाया करते थे। जब मनुष्य को धातुओं के बारे में ज्ञान हुआ तो उन्होंने धातुकर्म के द्वारा औजारों एवं हथियारों के साथ ही सुंदर-सुंदर गहने बनाने की कला का भी विकास किया। गहने पहन कर शरीर की सुंदरता को बढ़ाना आदि काल से प्रचलित है।

गहने को 'अलंकार' अथवा 'आभूषण' भी कहा जाता है। 'अलंकार' शब्द 'अलम+कार' से बना है। 'अलम' का अर्थ होता है 'बस!' अर्थात् अब और नहीं, पूर्ण सन्तुष्टि का भाव। इस तरह अलंकार शब्द का अर्थ है 'वह वस्तु जो पूर्ण संतोष प्रदान करे।' कोई भी व्यक्ति पूरी तरह सज-धज कर संतुष्ट अनुभव करता है। 'आभूषण' शब्द 'भूषण' में 'आ' उपसर्ग लगा कर बनता है–'आ+भूषण'। यहाँ 'आ' का अर्थ है 'पूरी तरह से' तथा 'भूषण' का अर्थ है 'सजानेवाला'। इस प्रकार आभूषण वह वस्तु है जो पूरी तरह से सजाती है। इसीलिए अच्छे, साफ-सुथरे, नए-नए कपड़े पहन लेने के बाद भी जब तक गहने न पहने जाएँ, तब तक साज-सज्जा अधूरी लगती है। गहने पहनने का प्रचलन शहरों से अधिक गाँवों में देखने को मिलता है। गाँव के स्त्री-पुरुष चाँदी अथवा अन्य मिश्र धातुओं तथा अन्य पदार्थों से बने भारी-भारी गहने पहनते हैं। महिलाओं के गहनों में से कुछ गहने सिर्फ सुंदरता बढ़ाने वाले होते हैं तो कुछ सौभाग्य के लिए आवश्यक माने जाते हैं। कुछ गहने ऐसे होते हैं जिन्हें विवाहित औरतें ही पहनती हैं। अविवाहित

औरतें और लड़कियाँ उन गहनों को धारण नहीं करती हैं। आदिवासियों को भी गहने बहुत प्रिय होते हैं।

वेश-भूषा सांस्कृतिक एवं सामाजिक जीवन का एक अभिन्न अंग है। किसी जाति एवं सभ्यता के सांस्कृतिक विकास को जानने के लिए उनकी वेश-भूषा के बारे में जानना भी आवश्यक होता है। वेश-भूषा मानव की सुरुचि और सौंदर्यबोध को प्रदर्शित करती है। यह रहन-सहन तथा परंपराओं को भी सामने लाती है। कपड़ों से अपने शरीर को ढाँकने, सुरक्षित करने तथा सजाने के कार्य की संज्ञा को वेश-भूषा कहते हैं। प्रागैतिहासिक काल में जब मानव में जाड़े, धूप तथा अन्य प्राकृतिक कठिनाइयों से अपने शरीर को बचाने के लिए यत्न करने की चेतना का उदय हुआ तो उसने पेड़ के पत्तों, नरम छालों तथा जानवरों की खालों से अपने शरीर को ढाँकना शुरू किया। पेड़ के पत्तों, नरम छालें तथा जानवरों की खालें मानव के पहले वस्त्र बने। मनुष्य को सूत, ऊन तथा अन्य प्रकार के रेशों का जैसे-जैसे ज्ञान होता गया वैसे-वैसे उसने कपड़े बुनने की कला का आविष्कार किया तथा विकास किया। आरंभ में कई सदियों तक मानव ने बिना सिले हुए वस्त्र पहने। फिर उसने वस्त्रों को सिलने का तरीका भी ढूंढ़ निकाला।

मध्यप्रदेश के विखंडन के पूर्व छत्तीसगढ़ मध्यप्रदेश का अभिन्न अंग था। छत्तीसगढ़ के अलग राज्य के रूप में स्थापित हो जाने के बाद बस्तर, सरगुजा आदि आदिवासी बाहुल्य क्षेत्र मध्यप्रदेश से अलग होकर छत्तीसगढ़ राज्य के अंग बन गए। छत्तीसगढ़ की माड़िया, गोण्ड, पण्डो, कँवर, भतरा, उराँव आदि आदिवासी जातियों के लोग वर्तमान मध्यप्रदेश के अंचल में भी निवास करते हैं और वे अपने रीतिरिवाज तथा धार्मिक संस्कारों, अनुष्ठानों को मानते हैं। इसीलिए यहाँ मध्यप्रदेश के आदिवासियों के साथ वर्तमान छत्तीसगढ़ के आदिवासी समुदायों के गहनों तथा वेश-भूषा का भी उल्लेख किया जा रहा है।

आदिवासी गहने

आदिवासी गहनों में मान्यताओं और मिथकों का भी जुड़ाव देखने को मिलता है जबकि उनके वस्त्र सादगी से भरे होते हैं। वे अपने रहन-सहन और आर्थिक स्थिति के अनुरूप सादे कपड़े पहनते हैं। आदिवासी सोने के गहने कभी नहीं पहनते हैं। उनके गहने प्रायः चाँदी, गिलट अथवा अन्य मिश्र धातुओं के बने होते है। वे लकड़ी, पंखों, मोती, मूँगे, सींगों, हाथी दाँत, घोंघे, कौड़ी आदि से बने गहने भी बड़े शौक से पहनते हैं। मध्यप्रदेश में निवास करने वाले आदिवासियों के गहने अतिसुंदर और आकर्षक होते हैं। मध्यप्रदेश के प्रमुख आदिवासी जनजातियों में प्रचलित गहनों की बनावट में परस्पर भिन्नता देखने को मिलती है।

आदिवासियों में शरीर को सजाने के लिए दो प्रकार के गहनों का प्रयोग किया जाता है—

1. गहने
2. गोदना अर्थात् स्थायी गहने

1. गहने

आदिम युग में फूलों के गहने बनाए गए होंगे। पाषाणकाल में पत्थरों के मनकों के गहने पहनने का चलन आया। ताम्रयुग में धातु के गहने पहने जाने लगे। मनुष्य जैसे-जैसे कलाप्रिय होता गया वैसे-वैसे गहनों में भी कलात्मकता का विकास हुआ। शरीर के विभिन्न भागों के लिए विभिन्न प्रकार के आभूषणों अर्थात् गहनों का चलन शुरू हुआ। बालों में लगाए जाने वाले, सिर पर पहने जाने वाले, माथे पर पहने जाने वाले, नाक और कान में पहने जाने वाले, गले में पहने जाने वाले, भुजाओं में पहने जाने वाले, कलाइयों में पहने जाने वाले, अँगुलियों में पहने जाने वाले, कमर में पहने जाने वाले, पैरों में पहने जाने वाले, पैरों की अँगुलियों में पहने जाने वाले गहने। शूद्रक रचित 'मृच्छकटिकम्' में विविध प्रकार के गहनों के बारे में वर्णन किया गया है। धातुओं के अतिरिक्त कीमती पत्थरों जैसे—हीरा, मूँगा, पन्ना, माणिक, पुखराज आदि का भी गहनों के रूप में प्रयोग किया जाने लगा। इनके अतिरिक्त मोती के गहने भी बहुप्रचलित हुए। जनजातियों में कौड़ी, पोत, लकड़ी तथा काँच की गुरिया, जानवरों की हड्डियाँ तथा चाँदी और अन्य मिश्रित धातुओं के गहने पहनने का चलन है।

गहनों के चलन की शुरुआत की कथा—जनजातियों में गहने पहनने के संबंध में प्रचलित मिथक के अनुसार गहने पहनने की शुरुआत देवी पार्वती ने की। निमाड़ अंचल

के भील-भिलाला जातियों में प्रचलित इस कथा के अनुसार एक बार भगवान शिव नदी में नहाने के लिए गए। नहाने जाने से पहले उन्होंने सर्प, बिच्छू, चंद्रमा, मृगछाला, मोती माला आदि अपनी सभी चीजें उतार कर घर पर ही रख दीं। भगवान शिव के जाने के बाद देवी पार्वती ने इन सभी वस्तुओं को रखे हुए देखा तो उन्हें इन सभी को पहन कर देखने की इच्छा हुई। पार्वती ने कमर में मृगछाला पहन लिया, गले में सर्प लपेट लिया, कानों में और पाँवों की अँगुलियों में बिच्छू पहन लिए। चन्द्रमा को गले में डाल कर रुद्राक्ष माला पहन ली। पार्वती शिव जी की वस्तुओं को पहन कर अभी देख ही रही थीं कि शिव स्नान करके वापस आ गए। पार्वती उन्हें आता हुआ देख कर घबरा गईं और छिपने का प्रयास करने लगीं। इस पर शिव ने हँसते हुए कहा कि—देवी तुमने जिन वस्तुओं को अपने शरीर के जिन अंगों पर धारण किया है वे वहीं के आभूषण बन गए हैं। विश्वास न हो तो तुम स्वयं देख लो। पार्वती ने शिव की बात सुन कर अपने शरीर पर दृष्टि डाली तो वे चकित रह गईं। पार्वती ने देखा कि उनके पाँव में लिपटे हुए सर्प पायलों में बदल गए थे। कलाइयों में लिपटे सर्प कंगन बन गए थे और भुजाओं में लिपटे सर्प भुजबंध में बदल गए थे। इसी प्रकार गले में पहना हुआ चंद्रमा हंसुली, कान में पहने हुए बिच्छू झुमके और पैर की अँगुलियों में पहने हुए बिच्छू बिछिया में परिवर्तित हो गए थे। इस प्रकार पार्वती के शरीर से पहली बार गहनों का जन्म हुआ। गहनों के प्रारंभ के बारे में अनेक किंवदंतियों के होने के बाद भी ठीक-ठीक यह कहना कठिन है कि पहला गहना कब बनाया गया होगा। फिर भी यह प्रामाणिक है कि प्राचीनकाल से स्त्रियों के साथ-साथ पुरुषों में भी गहनों के प्रति लगाव पाया जाता है। कानों को छेद कर कुण्डल पहनने का चलन स्त्रियों और पुरुषों दोनों में पाया जाता था। नाक छिदवा कर कील अथवा नकफूल पहनने का चलन भी दोनों में पाया जाता था। राजपरिवार के पुरुष अनेक प्रकार के गहने पहनते थे। आदिवासियों में आज भी नाक और कान छिदवाने का चलन स्त्रियों और पुरुषों में समान रूप से पाया जाता है। कुछ जनजातियों में पुरुष एक हाथ में और एक पैर में बेड़ी (लच्छा) पहनते हैं। भील जनजाति के पुरुष हाथों में शेर के मुँह वाले गहने पहनते हैं। कानों में चाँदी की लंबी लटकन पहनते हैं।

मुड़िया जनजाति के गहने—मुड़िया अथवा माड़िया जनजाति की महिलाएँ गहने पहनना बहुत पसंद करती हैं। वे अपने बालों को कंघियों, कौड़ियों की मालाओं, क्लिप तथा फूलों से सजाती हैं। मुड़िया औरतों के गहने गिलट ताँबा, चाँदी, पीतल, लकड़ी आदि के होते हैं। अँगूठे में अँगूठी पहनी जाती है जिसे टोडंग कहते हैं। पैरों में लच्छे और तोड़े पहने जाते हैं जिन्हें मुड़िया बोली में पेड़ीइंग तथा चुदंग कहते हैं। ये तीनों गहने गिलट और पीतल के बने होते हैं। हाथ की कलाई में चूड़ियाँ और कड़े पहनते हैं जिन्हें मुड़ी, आइटिंग तथा वेनुरियंग कहा जाता है। वेनुरियंग पर काँटेदार गोल उभार लिए हुए

डिजाइन बनी होती है। भुजबंध भी पहना जाता है जिसे वह अतंग कहते हैं। ये भी गिलट अथवा पीतल के बने होते हैं। हाथ की अँगुलियों में अँगूठी पहनी जाती हैं, गले में माला तथा हंसुली पहनते हैं। इसके साथ ही गले में सिक्कों (मुद्रा अथवा रुपये) की माला भी पहनी जाती है। कान में छोटे-बड़े विभिन्न आकार के आभूषण पहने जाते हैं। नाक में भी विभिन्न डिजाइनों के गहने पहनने का चलन है। मुड़िया पुरुष भी कानों में पहनते हैं जो कीवलाम और बारींग कहलाते हैं। पुरुष भी गले में मालाएँ पहनते हैं। स्त्रियों तथा पुरुषों में ताबीज पहनने का भी चलन है।

स्त्रियाँ कमर में करधनी पहनती हैं। छोटे बच्चों के कमर में डोरी के समान पतली करधनी पहनाई जाती है।

भील जनजाति के गहने–भील जनजाति की स्त्रियाँ भाँति-भाँति के गहने पहनती हैं। भील जनजाति में सबसे अधिक पारंपरिक आभूषण पाए जाते हैं। भील स्त्रियाँ सिर से पाँव तक गहनों से लदी रहती हैं। वे माथे पर विशेष तरह का आभूषण पहनती हैं जिसे बोर अथवा बौरला कहते हैं। इस बोरला के मध्य में लटकती हुई गोल आकृतियाँ होती हैं तथा इन आकृतियों के दोनों ओर कई लड़ियों वाली जंजीरें झूलती रहती हैं। इन जंजीरों में बीच-बीच में छोटे-छोटे घुंघरू भी लगे रहते हैं। कानों में अलग से लड़ियाँ झूलती रहती हैं। गले में हंसुली पहनी जाती है जो वजन में भारी होती है। भील स्त्रियाँ हाथ में कोहनी तक तथा पैरों में घुटनों तक कड़े पहनती हैं। नाक में काँटा पहना जाता है जो चाँदी का बना होता है। कमर में करधनी पहनती हैं। इन गहनों के साथ ही माथे, कान और बाजुओं में रंग-बिरंगे मोतियों की लड़ें झूलती रहती हैं। भील स्त्रियाँ पाँवों में झाँझर पहनती हैं। झाँझर के घुँघरू चलते-फिरते समय मधुर आवाज उत्पन्न करते हैं।

भील पुरुष भी गहने पहनने में बहुत रुचि रखते हैं। वे अपने कानों में चाँदी की लड़ें (जंजीरें) लटकाते हैं। कलाइयों में कड़े

पहनते हैं। भील पुरुष भी कमर में करधनी और पैरों में घुँघरू पहनते हैं।

भिलाला जनजाति के गहने–भिलाला जनजाति के स्त्री-पुरुष भीलों की भाँति गहने पहनने में अत्यंत रुचि रखते हैं। ये अधिकतर गिलट अथवा चाँदी के आभूषण पहनते हैं। भिलाला स्त्रियाँ कानों में झुमके तथा लटकन और नाक में कील पहनती हैं। भिलाला स्त्रियाँ भील स्त्रियों के माथे पर जंजीरनुमा गहने नहीं पहनती हैं। लेकिन गले में जंजीरों से बनी हुई विशेष प्रकार की माला पहनती हैं। इस माला में गरदन के पीछे की ओर वाले भाग में मोटी दोहरी जंजीर होती है जो सामने की ओर आ कर तिकोनी आकृतियों में जुड़ जाती हैं। इन तिकोनी आकृतियों के एक फलक से लम्बी-लम्बी सात-आठ जंजीरें जुड़ी होती हैं जो पेट तक झूलती रहती हैं। जंजीरों वाली यह माला अत्यंत सुंदर दिखाई देती है। भिलाला स्त्रियाँ चाँदी के तारों से बनी हुई विशेष प्रकार की हंसुली भी पहनती हैं। बाजुओं में बाजूबंद तथा कलाइयों में कड़े पहनती हैं। इनमें कुछ सादे कड़े होते हैं और कुछ विशेष आकृतियों वाले। कड़ों की विविध डिजाइनों में एक गेंदा कड़ा कहलाती है। यह भिलाला गहनों में एक विशिष्ट गहना है। इसमें चाँदी के सादे कड़े के ऊपर गेंदे के फूल के आकार के चाँदी के गुच्छे बने होते हैं जिनकी संख्या पाँच होती है। ये कड़े कलाई की नाप के होते हैं। इन्हें एक ओर से खोल कर पहना जाता है तथा पहनने के बाद चाँदी की कील अथवा लकड़ी की सींक से फँसा कर बंद कर दिया जाता है। कुछ स्त्रियाँ इन्हें तारों से भी बँधवा लेती हैं। भिलाला स्त्रियाँ भी पैरों में झाँझर तथा पायल और पैरों की अँगुलियों में बिछिया पहनती हैं।

गोण्ड जनजाति के गहने–गोण्ड जनजाति के स्त्री-पुरुष दोनों गहने पहनते हैं। गोण्ड स्त्रियाँ विभिन्न प्रकार के गहने पहनती हैं जिन्हें जुरिया, पटा बहुंटा, चुटकी तोड़ा, पैरी सतुवा, हमेल, ढार, झरका, तरकी बारी, तथा टिकुसी कहा जाता है। गोण्ड स्त्रियाँ कलाइयों में अनिवार्य रूप से पतले-पतले कड़े पहनती हैं, जिन्हें चुरिया कहा जाता है। इन चुरियों को सौभाग्य-सूचक माना जाता है। गोण्ड स्त्रियाँ गले में माला तथा हंसुली पहनती हैं। नाक में फूल की आकृति की कील पहनती हैं। बाँहों में भुजबंध पहनती हैं जिनमें विभिन्न प्रकार की आकृतियाँ बनी होती हैं। ये आकृतियाँ चार पँखुरी वाले फूलों से ले कर पचास पँखुरी वाले फूलों तक होती हैं। गोण्ड स्त्रियाँ पैरों में तोड़े पहनती हैं। ये बहुत वजनी होते हैं। इस गोल उभार लिए चौड़े-चौड़े तोड़ों पर छोटी-बड़ी बुंदकियों वाली सुंदर आकृतियाँ बनी होती हैं। ये तोड़े देखने में बेहद सुंदर दिखते हैं। गोण्ड स्त्रियाँ भी पैरों की उँगलियों में बिछिए पहनती हैं।

कोरकू जनजाति के गहने–कोरकू जनजाति की स्त्रियाँ गले में धातु की तागली तथा हंसुली पहनती हैं। इनके साथ ही वे रंग-बिरंगे मोती, मूँगे और पोत की मालाएँ पहनती हैं। सिक्कों से बनी मालाएँ भी कोरकू स्त्रियों को बहुत प्रिय होती हैं। कोरकू स्त्रियाँ

कानों में झुमके, लटकन, टॉप्स तथा कर्णफूल पहनती हैं। वे नाक में लौंग (धातु की विशेष आकृतियों वाली कील) पहनती हैं। कोरकू स्त्रियाँ कलाइयों में चाँदी अथवा काँसे के कड़े और चूड़ियाँ पहनती हैं। ये कड़े ठोस और पोले दोनों प्रकार के होते हैं। कोरकू स्त्रियाँ पैरों में चाँदी, पीतल अथवा काँसे के कड़े, लच्छे और पाजेब पहनती हैं। वे कंकर वाले पोले छल्ले भी पहनती हैं जो चलने-फिरने में मधुर ध्वनि उत्पन्न करते हैं। कोरकू स्त्रियाँ पैर की अँगुलियों में मछली के आकार वाली बिछिया पहनना अधिक पसंद करती हैं।

कोरकू पुरुष गले में ताबीज तथा माला पहनते हैं। कानों में लाल, पीले या सफेद रंग के फूल तथा मुरकी पहनते हैं। हाथ में कड़ा तथा कमर में करधनी पहनते हैं। कोरकू पुरुषों द्वारा पहने जाने वाली इस करधनी को कन्दोरा कहा जाता है।

बैगा जनजाति के गहने–बैगा जनजाति की स्त्रियाँ भील तथा भिलाला स्त्रियों की अपेक्षा कम गहने पहनती हैं। उन्हें गहनों की अपेक्षा गोदना गोदवाना अधिक प्रिय होता है। बैगा स्त्रियाँ सिर तथा माथे पर धागों का बना हुआ बोरला बाँधती हैं। वे गले में सिक्कों वाली हंसुली पहनना अधिक पसंद करती हैं। वे गले में ताबीज भी पहनती हैं। कौड़ियों की माला भी पहनती हैं। भुजाओं में भुजबंध तथा कलाइयों में सादे डिजाइन के पतले कड़े तथा चूड़ियाँ पहनती हैं। हाथों की अँगुलियों में तारों की बनी हुई चौड़ी-चौड़ी अँगूठियाँ पहनती हैं। बैगा स्त्रियाँ पैरों में तोड़े पहनती हैं। ये तोड़े विशेष डिजाइन के होते हैं। इन तोड़ों के किनारे बाहर की ओर निकले हुए होते हैं तथा बीच का भाग चपटा, दबा हुआ होता है।

सहरिया जनजाति के गहने–सहरिया जनजाति की स्त्रियाँ माथे पर धागों से बँधा हुआ बोरला पहनती हैं। कानों में बड़े-बड़े झुमके पहनती हैं। सहरिया स्त्रियाँ नाक में बड़ी-सी नथ पहनती हैं। इस नथ में छोटे-छोटे दो या तीन मोती लगे होते हैं। किसी-किसी नथ में धातु के मोती भी लगाए जाते हैं। गले में रंग-बिरंगे पोतों की कंठी पहनती हैं। इसके साथ ही बड़ी-सी हंसुली और सिक्कों की लम्बी माला भी पहनती हैं। हंसुली में सुंदर डिजाइनें बनी होती हैं। सहरिया स्त्रियाँ भुजाओं में गहने पहनती हैं। वे कलाइयों में चूड़ियाँ कड़े पहनती हैं। ये कड़े अपनी विशेष बनावट के कारण गेंदा-गजरे कहलाते हैं। इनमें चाँदी की चपटी पटली पर गेंदे के फूलों की दस-दस आकृतियाँ उभरी हुई जड़ी रहती हैं। इनकी डिजाइन गेंदे के गजरों के समान होने के कारण ही इन्हें गेंदा-गजरा कहा जाता है। सहरिया स्त्रियाँ हाथ की अँगुलियों में डरी हुई आकृतियों वाली अँगूठियाँ पहनती हैं। पैरों में तोड़े, लच्छे और बिछिए भी पहनती हैं।

कोल एवं भारिया जनजाति के गहने–कोल एवं भारिया जनजाति की स्त्रियाँ विशेष अवसरों पर ही अधिक गहने पहनती हैं। सामान्य दिनों में वे कम गहने पहनती हैं। गले

में पोत की माला और ताबीज, कानों में टॉप्स अथवा छोटी-छोटी बालियाँ तथा कलाइयों में चूड़ियाँ पहनती हैं। इनमें काँच की चूड़ियाँ अधिक होती हैं। नाक में कील अथवा छोटी बाली पहनती हैं। विवाह आदि के विशेष अवसरों पर वे बोरला, झुमके, हार, हंसुली, कंगन, बड़ी नथ, करधनी तथा पाजेब पहनती हैं। कोल एवं भारिया जनजाति के पुरुष भी सादगी से रहते हैं। वे गले में ताबीज अथवा कंठी पहनते हैं।

2. गोदना अर्थात् स्थायी गहने

स्त्री-पुरुष चाहे शहर के हों या गाँव के या वनवासी हों, सभी को सजना-सँवरना अच्छा लगता है। कुछ आभूषण ऐसे होते हैं जिन्हें अपनी इच्छा के अनुसार बार-बार पहना और उतारा जा सकता है लेकिन कुछ गहने ऐसे होते हैं जो शरीर पर एक बार पहने जाते हैं तो वे जीवन भर उतारे नहीं जा सकते हैं। इन गहनों के न तो खोने का भय रहता है, न तो चोरी जाने का और न लूट लिए जाने का। ये गहने महँगे भी नहीं होते हैं। ये गहने हैं गोदने के विभिन्न आकार जिनसे शरीर को सजाया जाता है। गोदना को अंग्रेजी में 'टैटू' कहा जाता है।

गोदना गोदवाना एक ऐसी लोक परंपरा है जो प्राचीनकाल से चली आ रही है। देश के अन्य भागों की भाँति मध्यप्रदेश में बसने वाली जनजातियों में स्त्री-पुरुष दोनों अपने शरीर को गोदना से सजाना अत्यधिक पसंद करते हैं। मध्यप्रदेश में अनेक जनजातियाँ निवास करती हैं। इनमें उत्तर-पश्चिम में भील, दक्षिण-पूर्वी भाग में बैगा, गोण्ड, बिंझवार, मुरिया, दोरला आदि, पूर्वी क्षेत्रों में उराँव, कोरबा, पाण्डो, तथा उत्तरी भाग में कोल, अगरिया जनजातियों में गोदना गोदवाने का चलन पीढ़ियों से चला आ रहा है।

यूँ तो प्रदेश की लगभग सभी जनजातियों में गोदना गोदवाने का चलन है लेकिन गोण्ड जनजाति में गोदने का चलन सबसे अधिक

है। स्त्री और पुरुष दोनों गोदना गोदवाना पसंद करते हैं। गोदना गोदवाने में बहुत कष्ट होता है। फिर भी आदिवासी स्त्री-पुरुष पीढ़ियों से गोदना गोदवाते चले आ रहे हैं। गोदना गोदवाने से शारीरिक सुंदरता में तो वृद्धि होती है लेकिन इसके साथ अनेक मान्यताएँ जुड़ी हुई हैं, जिनसे गोदना गोदवाने वाले के मन को शांति मिलती है।

स्त्रियों के शरीर पर गोदने अधिक बनाए जाते हैं। भील, कोरकू, गोण्ड, बैगा, बिंझवार, अगरिया, कँवर, कमार, भतरा, माड़िया, मुरिया, और अबूझमाड़िया स्त्रियाँ गोदने अधिक गोदवाती हैं। चेहरे पर, बाँह पर, वक्ष पर, हाथों पर, जंघा पर, पिंडलियों पर, पैर के पंजों, टखनों तथा पीठ पर गोदना गोदवाया जाता है। नितंब तथा कमर के निचले भाग में गोदना गोदवाना वर्जित है। दंडामी माड़िया, अबूझमाड़िया, बैगा तथा भील स्त्रियाँ अपने माथे पर भी गोदना गोदवाती हैं। गोदना गोदवाने के संबंध में यह भी मान्यता है कि ये गोदने जादू-टोने से रक्षा करते हैं। कुछ गोदने प्रजनन शक्ति बढ़ाने की धारणा से जुड़े हुए होते हैं। कुछ गोंड और बैगा स्त्रियाँ पैर के तलुओं और एड़ियों पर भी गोदने गोदवाती हैं। जिनमें त्रिकोण आकार का गोदना धरती माता का गोदना माना जाता है। दाहिने पैर के तलवे में अंडाकार आकृति का गोदना गोदवाया जाता है जो पद्‌मसेन देव का गोदना माना जाता है। यह मान्यता है कि तलवों में गोदना गोदवाने से पैरों को शक्ति मिलती है। दोनों पैरों के पंजों और पंजों में अँगुलियों के संधिस्थल पर हाथी देव का गोदना गोदवाया जाता है। हाथ के अँगूठे पर बिच्छू की आकृति गोदवाई जाती है। इसे पौरुष-शक्ति का प्रतीक माना जाता है।

शरीर पर गोदना गोदवाने की शुरुआत कब से हुई इसके बारे में निश्चित रूप से कोई प्रमाण नहीं मिलते हैं किंतु जनजातियों में गोदना गोदवाने के संबंध में अनेक प्रकार के मिथक और किंवदंतियाँ प्रचलित हैं।

गोण्ड कथा—मध्य प्रदेश के मण्डला जिले में एक बहुप्रचलित कथा के अनुसार एक बार महादेव ने एक भोज का आयोजन किया। जिसमें सभी देवी-देवताओं को आमंत्रित किया। इस भोज में गोण्डों के एक देवता भी शामिल हुए। जब भोज समाप्त हुआ तो गोण्ड देवता ने घर वापस लौटने के लिए अपनी पत्नी को बुलाना चाहा। किंतु भोज में शामिल अनेक देवियों के बीच वे अपनी पत्नी को पहचान नहीं पाए। सभी देवियाँ एक जैसी दिखाई दे रही थीं। गोण्ड देवता ने भूल से अपनी पत्नी समझ कर देवी पार्वती के कंधे पर हाथ रख दिया। देवी पार्वती गोण्ड देवता के इस आचरण पर नाराज हो उठीं। कुछ देर बाद उन्हें समझ में आया कि सभी देवियों के एक समान दिखने के कारण गोण्ड देवता से ऐसी भूल हुई। इस पर देवी पार्वती को एक उपाय सूझा। उन्होंने सभी देवियों को भिन्न-भिन्न प्रकार की आकृतियों के गोदने अपने शरीर पर गोदवाने का सुझाव दिया, जिसे सभी देवियों ने मान लिया। देवियों ने अपने शरीर पर अलग-अलग तरह

की आकृतियों के गोदने गोदवा लिए ताकि उन्हें पहचानने में किसी को परेशानी न हो। इस प्रकार गोण्ड जनजाति में गोदना गोदवाने का प्रचलन शुरू हुआ।

गोदने के साथ मिथक कथाएँ ही नहीं बल्कि तरह-तरह की मान्यताएँ भी जुड़ी हुई हैं। गोदने के संबंध में माड़िया आदिवासियों में एक कथा प्रचलित है।

माड़िया कथा–प्राचीनकाल में जब गोदना नहीं गोदवाया जाता था तब यमराज को इस बात का पता लगाने में बहुत कठिनाई होती थी मृतक व्यक्ति आदमी है या औरत। वे इस बात से बहुत परेशान रहते थे। एक दिन उन्हें एक उपाय सूझा। उन्होंने काजल से अपनी बहू के शरीर पर कुछ आकृतियाँ गोद दीं। आकृतियाँ गोद दिए जाने पर बहू और अधिक सुंदर दिखने लगी। कुछ देर बाद गोदने से उत्पन्न दर्द भी मिट गया। तब यमराज ने अपने बेटे और बहू को एक सारंगी देते हुए कहा कि तुम लोग पृथ्वी पर जाओ और गाँव-गाँव घूम कर, सारंगी बजा-बजा कर लोगों को इकट्ठा करो और अपने शरीर के गोदने को दिखा कर उन्हें समझाओ कि सभी स्त्रियों को गोदना गोदवाना चाहिए। यमराज के बेटे और बहू ने यमराज की आज्ञा का पालन करते हुए पृथ्वी पर आ कर लोगों को गोदने का महत्त्व समझाया। इसके बाद से माड़िया समुदाय में गोदने का चलन प्रारंभ हो गया। माड़िया यह भी मानते हैं कि गोदना मरने के बाद भी दूसरे लोक में साथ जाता है और इन्हीं गोदनों के द्वारा यमराज लोगों को अलग-अलग पहचान पाते हैं तथा स्वर्ग या नरक दे पाते हैं।

कोरकू कथा–जिस समय कोरकू समाज में गोदना गोदवाने का चलन नहीं था, उस समय एक परिवार में दो भाई रहते थे। एक छोटा था और दूसरा बड़ा, किंतु वे दोनों एक जैसे दिखते थे। उनका रंग और कद-काठी भी एक जैसे थे। वे लोग जंगल से लकड़ी काट कर लाया करते थे। एक दिन किसी कारण से बड़े भाई को अकेले जंगल जाना पड़ा। रास्ते में उसे एक राहगीर मिला। बड़े भाई की नीयत खराब हो गई। उसने उस राहगीर का सामान चुरा लिया। राहगीर ने उसे सामान चुरा कर जाते हुए देख लिया। राहगीर गाँव पहुँचा और उसने गाँव के मुखिया से बड़े भाई की शिकायत की। मुखिया ने बड़े भाई को बुलवाया। बड़ा भाई था चालाक। उसने अपने छोटे भाई को अपने बदले भेज दिया। छोटा भाई वहाँ पहुँचा तो उसने चोरी के आरोप से साफ मना कर दिया। तब मुखिया ने दोनों भाइयों को एक साथ बुलाया। राहगीर के सामने दोनों को खड़ा करके उसने पूछा कि बताओ इनमें से किसने तुम्हारा सामान चुराया है? राहगीर ने देखा कि दोनों भाइयों में कोई अंतर नहीं है। वह बता नहीं सका कि उसका सामान किस भाई ने चुराया है। तब राहगीर ने ग्राम देवता से प्रार्थना की। ग्राम देवता प्रकट हुए और उन्होंने बता दिया कि चोरी बड़े भाई ने की है। इसके साथ ही उन्होंने सलाह दी कि सभी लोगों को अलग-अलग तरह के गोदने अपने शरीर पर गोदवाने चाहिए इससे उन्हें

अलग-अलग पहचाना जा सकेगा। उसी समय से कोरकू समुदाय में गोदना गोदवाने का प्रचलन शुरू हुआ।

पूरे शरीर में गोदना गोदवाया जाता है। इन गोदनों का आकार गले में इकहरी तथा कई लड़ियों की मालाओं, कंठहार, हंसुली, ताबीज आदि की तरह होता है। बाँहों के ऊपरी हिस्से में बाजूबंद की भाँति गोदना गोदा जाता है तथा बाँहों के निचले भाग और कलाई में कंगन, हथफूल और हाथ में पहने जाने वाले अन्य गहनों की आकृतियों में गोदना गोदा जाता है।

स्त्री और पुरुष दोनों ही अपने-अपने वक्ष पर विभिन्न आकृतियों वाले गोदने गोदवाते हैं। यह माना जाता है कि अन्य सभी आभूषण मरने के बाद इसी लोक में छूट जाते हैं लेकिन गोदना मरने के बाद भी मरने वाले के साथ दूसरे लोक में जाता है।

गोदना गोदवाने का सबसे अधिक प्रचलन बैगा जनजाति में है। बैगा स्त्रियाँ अपने सिर से पैर तक गोदना गोदवाती हैं। इन गोदनों में आड़ी-तिरछी लकीरें, फूल-पत्तियाँ, बेल-बूटों आदि की आकृतियाँ होती हैं। घोड़े की आकृति शक्ति के प्रतीक के रूप में गोदवाई जाती है। बैगा जनजाति की स्त्रियाँ गोदने को देवताओं का गहना मानती हैं। गोण्ड जनजाति के लोग 'महाभारत' के पात्र भीमसेन को भोजन के देवता के रूप में मानते हैं तथा वे भीमसेन की आकृति अपनी पीठ पर गोदवाते हैं। विशेष रूप से गोण्ड स्त्रियाँ भीमसेन की आकृति को अपनी पीठ पर गोदने के रूप में गोदवाना अधिक पसंद करती हैं।

मंडला क्षेत्र के बैगा, गोण्ड जनजाति के लोग गले में मालाओं के आकार के गोदने गोदवाते हैं। वे अपने वक्ष पर झूलनदेवी और बूढ़ादेव नामक देवी-देवता की आकृतियाँ बनवाते हैं। भील औरतें हथेली के पीछे और बाँह पर रामजी का मुकुट नाम का गोदना गोदवाना पसंद करती हैं। भील औरतें मोर, बिच्छू, कमल का फूल, आम की मंजरी आदि आकृतियाँ गोदने के रूप में गोदवाती हैं। संतान पाने की इच्छा रखने वाली औरतें मधुमक्खी

और तितली की आकृतियों के गोदने गोदवाती हैं।

भीलों में यह मान्यता प्रचलित है कि जो युवती अपने शरीर पर जितना अधिक गोदना गोदवाती है उसे उतना ही अधिक धन-धान्य वाली ससुराल मिलती है। मुरिया आदिवासियों में अधिक गोदना गोदवाने वाली लड़कियों को समाज में अधिक प्रतिष्ठा मिलती है।

शरीर पर गोदने के स्थानों और प्रकारों से जनजातीय जानकारियाँ भी प्रकट होती हैं। जैसे—माथे पर गोदवाए जाने वाले गोदने को देख कर यह जाना जा सकता है कि वह व्यक्ति किस जनजाति का है।

वर्षा ऋतु को छोड़ कर अन्य सभी ऋतुओं में गोदने गोदवाए जाते हैं। बैगा आदिवासी गोदना गोदने के लिए भिलवा रस, मालवन वृक्ष का रस को गर्म तेल में मिला कर तैयार किए गए तरल को काम में लाते हैं। आधुनिक युग में ग्रामीण हाट-बाजार में भी धातु की सूई के द्वारा गोदना गोदा जाता है जबकि प्राचीनकाल में बबूल के काँटे को त्वचा में चुभो कर गोदना गोदा जाता था।

स्त्रियों के शरीर पर गोदना गोदने का काम प्रायः बंजारा स्त्रियाँ करती हैं। ये हाट अथवा मेले में आती हैं तथा उसी अवसर पर इनसे गोदने गोदवाए जाते हैं। गोदना गोदने वाली ये स्त्रियाँ चित्रकारी में निपुण होती हैं। ये सूई की सहायता से काले रंग के तरल (रासायनिक द्रव) को त्वचा में छोटे-छोटे बिन्दुओं के रूप में उतारते हुए चाँद, सूरज, मोर, मधुमक्खी, वृक्ष, फूल, बैल तथा प्रतीकात्मक आकृतियाँ बना देती हैं। गोदना गोदने वाली स्त्रियों को बैगा जाति में बदनिन के नाम से पुकारा जाता है। भीलों में इन्हें गदारिन तथा कोरकू में मूँगनी के नाम से जाना जाता है। बिन्दुओं, खड़ी, आड़ी छोटी-छोटी लकीरों की सहायता से शरीर के अधिकांश भागों में सुंदर-सुंदर गोदने गोदे जाते हैं।

आर्थिक पक्ष से देखा जाए तो सघन वन में रहने वाले आदिवासी आर्थिक रूप से कमजोर रहते हैं। उनके पास इतना रुपया-पैसा नहीं होता है कि वे बहुमूल्य धातुओं

के गहने खरीद सकें। कुछ आदिवासी परिवार इतने गरीब होते हैं कि वे मिश्र धातुओं के सस्ते गहने भी खरीद नहीं पाते हैं। ऐसे में गोदने के द्वारा वे अपने शरीर को सजाने का शौक पूरा करते हैं। फिर भी आर्थिक पक्ष से अधिक मिथकों और मान्यताओं से प्रेरित हो कर गोदना गोदवाया जाता है।

आदिवासियों की वेश-भूषा

वेश-भूषा का अर्थ है शरीर पर धारण की गई वह वस्तु जिससे शरीर का रूप परिवर्तित हो जाता है। वेश-भूषा में कपड़े तथा शृंगार दोनों आते हैं। शृंगार करने का चलन भारत में आदिकाल से चला आ रहा है। पौराणिक एवं वैदिक ग्रंथों में सोलह शृंगार का वर्णन मिलता है। उनमें उन पदार्थों के बारे में भी जानकारी मिलती है जिनसे शृंगार करने की वस्तुएँ बनाई जाती थीं। पहले यह माना जाता था कि भारत में सिले हुए कपड़ों की शुरुआत सोलहवीं शताब्दी में हुई। लेकिन अब इस बात का पता लगाया जा चुका है वैदिकयुग से सातवीं शताब्दी तक सिले हुए कपड़ों का विवरण तत्कालीन साहित्य में लिखा हुआ है। वैदिक, बौद्ध तथा जैन साहित्य, कोशों तथा आख्यायिकाओं में उस समय पहने जाने वाले वस्त्रों के नाम मिलते हैं।

व्यक्तित्व को आकर्षक बनाने अर्थात् अच्छा दिखने में वेश-भूषा का विशेष महत्त्व रहता है। हर व्यक्ति अच्छे तथा विशिष्ट कपड़े पहनना चाहता है। प्रत्येक समाज, क्षेत्र तथा जाति की अपनी अलग-अलग वेश-भूषा संबंधी विशेषता होती है। यही विशेषता और विविधता व्यक्ति को उसके समुदाय का प्रतिनिधि बनाती है। जैसे—यदि हम कहीं भी कपड़े के मोटे रस्से जैसी कई घुमावों वाली बड़ी-सी पगड़ी बाँधे और धोती के साथ डोरियों वाला कुर्ता पहने किसी आदमी

को देखते हैं तो तत्काल समझ जाते हैं कि यह किस वर्ग का व्यक्ति है। वेश-भूषा से सुगमता से पहचाना जा सकता है कि कौन-सा आदिवासी व्यक्ति किस जनजाति का है। दूसरे शब्दों में कहा जाए तो वेश-भूषा के द्वारा जनजातीय विशेषताओं का भी अनुमान लगाया जा सकता है। वेश-भूषा आर्थिक स्थितियों एवं जीवन की दशाओं के बारे में भी बताती है।

मध्यप्रदेश के आदिवासियों में वेश-भूषा की कुछ समानताएँ पाई जाती हैं तो पर्याप्त विविधता भी पाई जाती है। वस्त्रों को पहनने का ढंग, वस्त्रों के रंग तथा वस्त्रों के प्रकार की भिन्नता सभी जनजातियों को एक-दूसरे से अलग पहचान देती है।

गोंड

गोंड आदिवासी मुख्य रूप से शहडोल, उमरिया, छिंदवाड़ा, सिवनी, बैतूल, जबलपुर, कटनी, मंडला, डिंडौरी जिले में निवास करते हैं। ये लोग पहले घने जंगलों में निवास करते थे। वे शिकार करके अपना जीवनयापन करते थे। अब वे खेती तथा अन्य कार्य करते हैं। गोंडों में गोदना गोदवाने का चलन है। कई महिलाएँ अपने पूरे शरीर पर गोदना गोदवाती हैं। गोंड पुरुष घुटनों तक लंबी धोती पहनते हैं। धोती के साथ वे जो ऊपरी वस्त्र पहनते हैं उसे बंडी कहा जाता है। वे अधिकतर नीले और काले रंग की बंडी पहनते हैं। कंधे पर एक कपड़ा (पिछोरा) डालते हैं तथा सिर पर एक कपड़ा (मुरेठा) बाँधते हैं। गोंड स्त्रियाँ काँछ (कछौटा) लगाकर साड़ी पहनती हैं। वे ढीला, बड़ा ब्लाउज भी पहनती हैं जिसे पोलका कहते हैं। वे हरे, लाल, जामुनी आदि गहरे रंगों के कपड़े पहनना पसंद करती हैं।

माड़िया

माड़िया आदिवासी मुख्य रूप से जगदलपुर, दंतेवाड़ा, बीजापुर, कोटा तथा अबूझमाड़ में निवास करते हैं। इनमें अबूझमाड़ में रहने वाले अबूमाड़िया कहलाते हैं तथा शेष माड़िया समुदाय को गौर सींग माड़िया अथवा दंडामी माड़िया कहते हैं। दंडामी माड़िया पुरुष विवाह के अवसर पर गौर (जंगली भैंसा, बायसन) के सींग अपने सिर पर लगाते हैं इसलिए इन्हें गौर सींग माड़िया के नाम से भी जाना जाता है। माड़िया पुरुष कमर पर लपेटकर धोती पहनते हैं। यही एक कपड़ा उनका वस्त्र होता है। आवश्यकता पड़ने पर एक गमछा भी अपने कंधे पर डाल लेते हैं। माड़िया स्त्रियाँ कमर से लिपटी हुई साड़ी पहनती हैं जो घुटनों से कुछ ऊपर रहती हैं। अपने गाँव में ये यही एक साड़ी पहने रहती हैं लेकिन गाँव से बाहर जाते समय कमर के ऊपरी हिस्से पर साड़ी के छोर को लपेट लेती हैं। साथ ही तौलिए अथवा लुंगी भी कंधे से बाँधकर निकलती हैं।

भील

भीलों को सजना-सँवरना बहुत अच्छा लगता है। भील जनजाति झाबुआ, धार, खरगौन, मंदसौर, रतलाम जिले में निवास करती है। इनके पूर्वज शिकार करके जीवनयापन करते थे। अब खेती और वनोपज के द्वारा धन कमाते हैं। भीलों के कपड़े भी गहरे रंगों के होते हैं। भील पुरुष सिर पर रंगीन साफा बाँधते हैं। उस पर 'गोफर' लिपटी रहती है। भील पुरुष भी घुटनों तक लंबी धोती पहनते हैं और साथ में बंडी पहनते हैं। बंडियों पर रंग-बिरंगे धागों से कढ़ाई की जाती है तथा दूसरे रंगों के कपड़ों के टुकड़ों से फूल-पत्ती आदि की आकृतियाँ बनाई जाती हैं। भील स्त्रियाँ लाल, पीले, कत्थई, काले रंग के बूटेदार कपड़ों के लहँगे पहनती हैं। वे घुटनों तक लंबे घाघरे भी पहनती हैं। लहँगे के साथ वे पोलका

पहनती हैं, जिसे झुलड़ी कहा जाता है। झुलड़ी के अलावा काँचली कुर्ती भी पहनती हैं। वे लंबा दुपट्टा ओढ़ती हैं, जिसे ओढ़नी कहा जाता है। ओढ़नी और लहँगे को भी रंगीन धागों की कढ़ाई, काँच तथा अन्य रंगों के कपड़े के टुकड़ों से बेल-बूटे तथा विभिन्न आकृतियाँ बनाकर सजाया जाता है।

भिलाला

भिलाला आदिवासी धार, झाबुआ, रतलाम, मंदसौर आदि क्षेत्रों में निवास करते हैं। भीलों की तरह इनके पूर्वज भी शिकार करके जीवनयापन करते थे। अब खेती और वनोपज के द्वारा धन कमाते हैं। भिलाला पुरुष सिर पर रंगीन साफा बाँधते हैं। घुटनों तक लंबी धोती पहनते हैं और साथ में बंडी पहनते हैं। भिलाला स्त्रियाँ बूटेदार कपड़ों के लहँगे पहनती हैं। वे घुटनों तक लंबे घाघरे भी पहनती हैं। लहँगे के साथ वे पोलका पहनती हैं। वे लंबा दुपट्टा ओढ़ती हैं जिसे वे लहँगे के ऊपर से लपेटकर सिर पर पल्ले की तरह लाकर ओढ़ती हैं। इनके कपड़ों पर भी रंग-बिरंगे धागों से कढ़ाई की जाती है तथा दूसरे रंगों के कपड़ों के टुकड़ों से फूल-पत्ती आदि की आकृतियाँ बनाई जाती हैं।

कोरकू

कोरकू रायसेन और सिहोर जिले में रहते हैं। कोरकू लोग पहले शिकार करते थे लेकिन अब खेती का कार्य करते हैं। ये लोग महादेव की पूजा करते हैं। इनका मानना है कि महादेव संकट से इनकी रक्षा करते हैं। ये लोग रावण और मेघनाद की भी पूजा करते हैं। दरवाजे और दीवारों को चित्रों से सजाते हैं। लेकिन कोरकू सादे कपड़े पहनना पसंद करते हैं। कोरकू पुरुष घुटनों तक सफेद धोती पहनते हैं। धोती के साथ वे सूती बंडी अथवा कुर्ता पहनते हैं। सिर पर पगड़ी बाँधते हैं अथवा अंगोछा बाँधते हैं। कोरकू स्त्रियाँ रंग-बिरंगे घाघरे (लुगड़ा) और चोली पहनती हैं।

भारिया

भारिया जनजाति के लोग छिंदवाड़ा, सिवनी और मंडला जिले में रहते हैं। भारिया जनजाति का एक छोटा समूह छिंदवाड़ा जिले के पातालकोट नामक स्थान में आदिकाल से निवास कर रहा है। पातालकोट सबसे दुर्गम स्थान माना जाता है। यह घने जंगलों के बीच घाटी में बसा हुआ है। भारिया पुरुष कोरकुओं जैसे सादे कपड़े पहनना पसंद करते हैं। भारिया पुरुष धोती, कुर्ता,

बंडी और सिर पर पगड़ी पहनते हैं। भारिया स्त्रियाँ लाल रंग की सेंदरी साड़ियाँ और पोलका पहनती हैं। वृद्ध स्त्रियाँ साड़ी को घुटनों पर लपेटकर पहनती हैं। वे रेशमी अथवा जरी किनार वाली सादी साड़ियाँ पहनती हैं। वे लहँगे के साथ लंबा दुपट्टा भी ओढ़ती हैं।

सहरिया

सहरिया जनजाति के लोग ग्वालियर, गुना, शिवपुरी, मुरैना, भिंड, दतिया जिलों में निवास करते हैं। सहरिया का अर्थ होता है शेर के साथ रहने वाला। ये लोग पहले शिकार करके अपना जीवनयापन करते थे। अब खेती और मजदूरी का कार्य करते हैं। सहरिया पुरुष घुटनों तक लंबी धोती के साथ रंगीन कमीज पहनते हैं। वे सिर पर साफा बाँधते हैं। सहरिया स्त्रियाँ लहँगा, घाघरा, लुड़ा, पेट्या तथा सलूखा (ढीला, बड़ा ब्लाउज) पहनती हैं। सहरिया स्त्रियों के वस्त्रों में रंगों की विविधता देखने को मिलती है।

बैगा

बैगा आदिवासियों को मध्यप्रदेश के मूल निवासी कहा जाता है। ये मंडला, डिंडौरी, शहडोल, उमरिया, बालाघाट जिले में निवास करते हैं। बैगा आदिवासियों की प्रमुख 7 उपजातियाँ हैं—बिंझवार, भारोटिया, नारोटिया, रायभैना, कठभैना, कोडवान तथा गोंडवान। इनमें भारोटिया उपजाति के जो लोग अपना सिर मुंडा लेते हैं उन्हें मुड़िया कहा जाता है। बैगा जनजाति के लोग जिस प्रकार गहनों में कम रुचि लेते हैं, उसी प्रकार वस्त्रों के मामले में भी वे सादगी को पसंद करते हैं। बैगा स्त्रियाँ घुटनों तक लंबी साड़ी पहनती हैं। बैगा स्त्रियाँ आमतौर पर ब्लाउज अथवा सलूखा आदि नहीं पहनती हैं। यह साड़ी बिना चुन्नटों वाली होती है। बैगा पुरुष लँगोटी पहनते हैं। इच्छा होने पर वे लँगोटी के साथ बंडी भी पहन लेते हैं। इच्छा होने पर वे सिर पर साफा बाँधते हैं।

कोल

कोल जनजाति के लोग रीवा, शहडोल, उमरिया, जबलपुर, कटनी, मंडला, डिंडौरी जिले में रहते हैं। कोल जनजाति के लोग अपने घर की दीवारों को सजाने के लिए उस पर पीले और सफेद रंगों से विभिन्न प्रकार के चित्र बनाते हैं तथा अपने हाथों के छापे लगाते हैं। कोल पुरुष घुटनों तक धोती पहनते हैं। धोती के साथ कुर्ता और कुर्ते के ऊपर से जैकेट (सदरी) भी पहनते हैं। कंधे पर गमछा डालते हैं। कोल पुरुष अधिक गहरे या चटख रंगों के कपड़े नहीं पहनते हैं। उनकी जैकेट का रंग काला, नीला, भूरा या कत्थई रहता है किंतु धोती सफेद रंग की ही पहनते हैं। कुर्ता भी अधिकतर सफेद या हल्के रंगों का होता है। कोल औरतें साड़ी और सलूखा पहनती हैं। ये कसे हुए छोटे ब्लाउज भी पहनती हैं। कोल औरतें सादी और छींट दोनों प्रकार की साड़ियाँ पहनना पसंद करती हैं।

अगरिया

यह गोंडों की उपजाति है। ये मुख्य रूप ये मंडला और शहडोल जिले में निवास करते हैं। ये लोहे के औजार आदि बनाने का काम करते हैं। अगरिया पुरुष घुटनों तक लंबी धोती पहनते हैं। धोती के साथ वे बंडी पहनते हैं। वे अधिकतर नीले और काले रंग की बंडी पहनते हैं। कंधे पर एक गमछा डालते हैं जो सिर पर बाँधते के काम भी आता है। कभी-कभी सिर पर अलग कपड़ा बाँधते हैं तथा कंधे पर एक गमछा अलग से डालते हैं। अगरिया स्त्रियाँ काँछ (कछौटा) लगाकर साड़ी पहनती हैं। वे ढीला, बड़ा ब्लाउज (पोलका) पहनती हैं। वे हरे, लाल, नीले, जामुनी आदि गहरे रंगों के कपड़े पहनना पसंद करती हैं।

शृंगार की परंपरा

गोंड, माड़िया, भील, भिलाला, कोरकू, भारिया, सहरिया, बैगा, कोल, अगरिया आदि सभी आदिवासियों में गोदना गोदवाने का रिवाज है। आदिवासी पुरुष अपने बालों को पीछे छोटे जूड़े के रूप में बाँधकर रखते हैं। कभी-कभी वे बालों को कटवाते भी हैं। वे दाढ़ी और मूँछें रखना भी पसंद करते हैं, किंतु युवा आदिवासी पुरुष दाढ़ी कटवाते हैं। आदिवासी स्त्रियाँ अपने शरीर को गोदने से सजाना पसंद करती हैं। वे आँखों में काजल लगाती हैं। वे सिर के बालों को जूड़े के रूप में बाँधना अधिक पसंद करती हैं जबकि कभी-कभी चोटी भी करती हैं।

अन्य आदिवासी समुदायों की वेशभूषा

मध्यप्रदेश में निवास करने वाले भुमिया, भुँइआर, पाँडो, बारेला, पटेलिया, भीमा, भमता, गैटा, गोवारी, मोग्या, नगारची, झरेका, दरोई, खैरवार, बोपची, मावासी, पारधी, साओंता आदि अन्य आदिवासी समुदायों के स्त्री-पुरुषों की वेश-भूषा अन्य प्रमुख आदिवासी समुदायों की वेश-भूषा के समान ही रहती है। पुरुष घुटनों तक धोती पहनते हैं। बंडी अथवा कुर्ता पहनते हैं। सिर पर साफा या पगड़ी बाँधते हैं। कंधे पर गमछा रखते हैं। बैगा जनजाति की उपजातियों में पुरुष लंगोट पहनते हैं। स्त्रियाँ घुटनों तक लंबी अथवा घुटनों से जरा ऊपर तक लंबी साड़ी पहनती हैं। कुछ मालवा क्षेत्र के अन्य आदिवासी जनजातियों की स्त्रियाँ भी लहँगा-ओढ़नी पहनती हैं। बैगा जनजाति की उपजातियों की स्त्रियाँ प्रायः ब्लाउज नहीं पहनती हैं जबकि अन्य समुदायों की स्त्रियाँ सलूखा, पोलका या छोटे ब्लाउज पहनती हैं। आदिवासी पुरुष अपने बालों को पीछे छोटे जूड़े के रूप में बाँधकर रखते हैं। कभी-कभी वे बालों को कटवाते भी हैं। वे दाढ़ी और मूँछें रखना भी पसंद करते हैं किंतु युवा आदिवासी पुरुष दाढ़ी कटवाते हैं। आदिवासी स्त्रियाँ अपने शरीर को गोदने से सजाना पसंद करती हैं। वे आँखों में काजल लगाती हैं। काजले से वे अपने चेहरे पर छोटी-छोटी बिंदियाँ रखकर चेहरे को सजाती हैं। वे सिर के बालों को जूड़े के रूप में बाँधना अधिक पसंद करती हैं जबकि कभी-कभी चोटी भी करती हैं।

परिवर्तन की लहर

समय के साथ मानव जीवन में तेजी से परिवर्तन हुआ है। मनुष्य की जीवन-शैली, रहन-सहन, पहनाव-पोशाक, सजने-धजने के पारंपरिक तरीकों में आमूलचूल परिवर्तन आया है। मध्यप्रदेश का आदिवासी समुदाय भी इसका अपवाद नहीं है। मध्यप्रदेश के आदिवासी अपनी जीवन-शैली, पहनाव-पोशाक और शृंगार करने के पारंपरिक तरीकों से आज भी घनिष्ठता से जुड़े हुए हैं। फिर भी शहरों के फैलाव और आदिवासी हाटों में आधुनिक, शहरी वस्तुओं के पहुँचने के कारण आदिवासी गहनों के चलने और वेश-भूषा पर भी प्रभाव पड़ा है। वैसे आदिवासी समुदायों में एक विशेषता यह है कि उन्होंने गहनों और कपड़ों के नए चलन को तो अपनाया है लेकिन अपने पारंपरिक चलन को भी अपनाए रखा है, उसे छोड़ा नहीं है।

गहने

आदिवासी युवा पुरुष आजकल हाट में बिकने वाली धातुओं की सस्ती जंजीरें पहनते हैं। वे आधुनिक आकृतियों की अँगूठियाँ पहनते हैं तथा कानों में बालियाँ भी पहन लेते हैं। प्रौढ़ या वृद्ध आदिवासी पुरुष अभी भी परंपरागत गहने पहनना ही पसंद करते हैं। आधुनिक वस्तुओं के संपर्क में आने से आदिवासी स्त्रियों के गहनों में वृद्धि हुई है। वे अपने परंपरागत गहने तो पहनती ही हैं साथ में आधुनिक वस्तुएँ जैसे काँच, प्लास्टिक, लाख आदि की चूड़ियाँ, बालों में लगाने वाली धातु तथा प्लास्टिक की क्लिप, कानों की बालियाँ एवं झुमके, गले में प्लास्टिक की गुरियों एवं मोती वाले हार पहनने लगी हैं। वे बालों में सिंथेटिक कपड़ों से बनी हुई रिबन भी बाँधने लगी हैं। वे अपने बालों को रंग-बिरंगी कई क्लिपों से सजाती हैं। आधुनिक टिकुली-बिंदी आदिवासी स्त्रियों में भी लोकप्रिय होती जा रही है। युवा स्त्रियाँ माथे पर चिपकाने वाली टिकुली-बिंदी लगाना पसंद करती हैं। आदिवासी युवा स्त्रियाँ रंग-बिरंगे नगों वाली तथा मीनाकारी वाली आधुनिक डिजाइनों की अँगूठियाँ और बिछिया भी पहनती हैं जो उन्हें हाट में बाहर से आई दुकानों में मिल जाती हैं।

वेश-भूषा

हाट अथवा काम-काज, मजदूरी आदि के माध्यम से आधुनिक परिवेश से संपर्क में आने के कारण आदिवासियों की वेश-भूषा पर भी प्रभाव पड़ा है। यह प्रभाव विशेष रूप से

उन क्षेत्रों में देखने को मिलता है जो शहरी फैलाव के संपर्क में आते जा रहे हैं। प्रौढ़ एवं वृद्ध आदिवासी पुरुष अभी भी अपनी परंपरागत पोशाक पहनना पसंद करते हैं किंतु उनमें भी मशीनों के द्वारा सिली हुई कमीजों को पहनने का रुझान बढ़ने लगा है। युवा आदिवासी पुरुष लुंगी तथा पैंट भी पहनने लगे हैं। वे सिली-सिलाई आधुनिक शैली की कमीजें भी पहनने लगे हैं। ये युवा पुरुष अपने कंधे पर गमछा रखने के बदले जेबों में रूमाल रखना पसंद करते हैं। आदिवासी स्त्रियाँ ाी परिवर्तन की लहर से अछूती नहीं हैं। प्रौढ़ एवं वृद्ध स्त्रियाँ परंपरागत पोशाक पहनना पसंद करती हैं किंतु उनमें भी सिंथेटिक साड़ियों के प्रति रुझान बढ़ा है। शहरों के संपर्क में आने वाली आदिवासी स्त्रियाँ अब एड़ी तक लंबी साड़ी पहनने लगी हैं। ऐसी साड़ियों के साथ वे कसे हुए ब्लाउज भी

पहनती हैं। युवा स्त्रियाँ शहरी शैली की साड़ियाँ पहनना पसंद करने लगी हैं। छोटी लड़कियों को फ्रॉक और निकर भी पहनाई जाने लगी हैं।

आदिवासी स्त्री-पुरुषों की सज-धज में विशेष परिवर्तन देखने को मिलता है। युवा स्त्रियाँ तथा लड़कियाँ हाथों और पैरों की अँगुलियों के नखों को नेल-पॉलिश से सजाने लगी हैं। कुछ युवा पुरुष भी हाथों की उँगलियों के नखों में नेल-पॉलिश लगाते हैं। युवा स्त्रियाँ तथा लड़कियाँ अपने चेहरे पर क्रीम, पाउडर, बिंदी, काजल लगाने लगी हैं। युवा स्त्रियाँ तथा लड़कियाँ भी रूमाल रखना पसंद करने लगी हैं, जिन्हें वे अपनी कमर में खोंसती हैं अथवा ब्लाउज में रखती हैं। युवा स्त्रियों में ब्लाउज के साथ अंगिया पहनने का चलन भी बढ़ा है। उनकी साड़ी पहनने की शैली में भी परिवर्तन आया है। वे अब सामने की ओर चुन्नटें लेकर भी साड़ी पहनने लगी हैं।

आदिवासी युवा पुरुष बालों को छोटे से जूड़े के रूप में बँधाने के बदले उन्हें कटवाकर सँवरवाना पसंद करने लगे हैं। इसी प्रकार युवा स्त्रियाँ तथा लड़कियाँ अपने बालों को क्लिपों से सजाना तथा रिबन बाँधने लगी हैं। वे जूड़े तथा चोटियाँ दोनों करती हैं। बालों को कटवाने के चलन ने अभी भी उन्हें विशेष प्रभावित नहीं किया है।

यह सच है कि सामाजिक जीवन में आने वाली परिवर्तन की लहर ने आदिवासी समुदाय के गहनों और वेश-भूषा को भी प्रभावित किया है किंतु आदिवासी गहनों और वेश-भूषा की विशिष्टता और सुंदरता सदैव बनी रहेगी और सभी को आकर्षित करती रहेगी।

आदिवासियों के प्रमुख त्यौहार

मध्यप्रदेश में आदिवासियों की बहुत बड़ी जनसंख्या निवास करती है। प्रदेश की कुल आबादी में 23.27 प्रतिशत आदिवासियों का है। मध्य प्रदेश के प्रमुख आदिवासी हैं—गोंड, भील, बैगा, भावरिया, खैरनार, कोल, भैना, कोरकू, अगरिया, पारधी, पनिका, सहरिया, सोर आदि। जिस प्रकार हर समाज में पारिवारिक और सामाजिक खुशियाँ मनाने के लिए त्यौहार मनाए जाते हैं ठीक उसी प्रकार आदिवासी समाज में भी त्यौहारों का बड़ा महत्त्व है। त्यौहारों को मनाने का एक उद्देश्य देवताओं को प्रसन्न करना भी होता है। सभी आदिवासी समुदाय अपने-अपने देवताओं की पूजा और प्रार्थना करते हैं तथा अपने-अपने त्यौहार मनाते हैं। ये त्यौहार मुख्य रूप से पूर्णिमा और अमावस्या को मनाए जाते हैं। त्यौहारों के समय देवताओं को अच्छे-अच्छे पकवानों का भोग लगाया जाता है।

मध्य प्रदेश के आदिवासियों के कुछ प्रमुख त्यौहार निम्नलिखित हैं—

भगोरिया

भगोरिया नृत्य भील जनजाति का विशेष नृत्य है। फागुन माह में होली के त्यौहार से पहले भगोरिया त्यौहार मनाया जाता है। इस त्यौहार के समय भगोरिया हाट लगता है जिसमें कपड़े, जेवर, बरतन आदि सामान बिकते हैं। बड़ी संख्या में लोग इस हाट में गोदना गोदवाते हैं। भील युवक-युवतियाँ नए-नए कपड़े, जेवर पहन कर टोलियों के रूप में नाचते गाते हुए हाट पहुँचते हैं। इसी नृत्य के समय युवक और युवतियों के विवाह तय होते हैं। इस अवसर पर ढोल, मादल आदि वाद्य बजाए जाते हैं। भगोरिया हाट में विवाह के योग्य लड़के-लड़कियाँ अपने माता-पिता के साथे आते हैं। वे वहाँ बाजार से अपने पसंद की चीजें खरीदते हें। झूले झूलते हैं। हाट का आनंद लेते हैं। भगोरिया नृत्य शुरू होने पर ये लड़के-लड़कियाँ साथ-साथ नाचते हैं। नाचने के दौरान वे एक-दूसरे

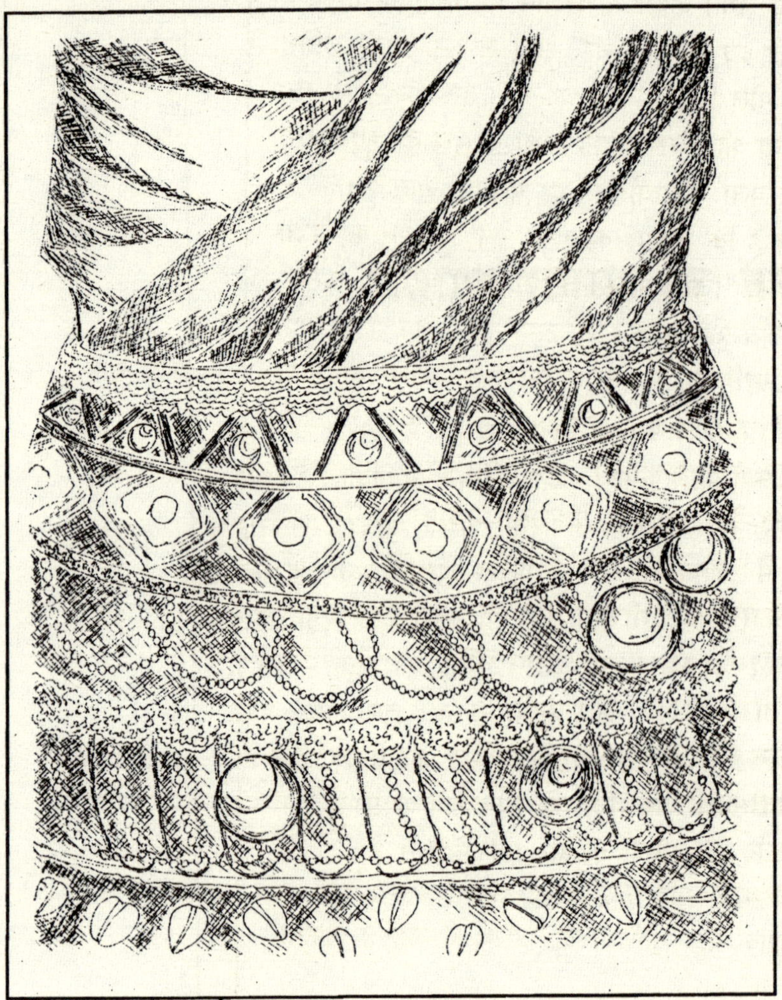

को पसंद करते हैं और विवाह के लिए एक-दूसरे को चुनते हैं। फिर वे अपने-अपने साथी के साथ भगोरिया हाट से बाहर चले जाते हैं।

गल त्यौहार

होली का त्यौहार पूरे देश में धूम-धाम से मनाया जाता है। होली के एक दिन पहले होलिका-दहन होता है। होली के दिन एक-दूसरे को रंग लगा कर बधाई दी जाती है। बच्चे भी एक-दूसरे पर रंग डाल कर खुशियाँ मनाते हैं। होली के दूसरे दिन भाई दूज नाम का त्यौहार मनाया जाता है। मध्यप्रदेश के झाबुआ जिले में रहने वाले भील आदिवासी भी होली का त्यौहार उत्साह से मनाते हैं। वे लोग होली के दूसरे दिन एक विशेष त्यौहार मनाते हैं। इस त्यौहार का नाम है—*गल*।

प्रत्येक जनजाति के अपने अलग-अलग रीति-रिवाज होते हैं। उनके अलग-अलग त्यौहार भी होते हैं। इसी प्रकार *गल* नामक त्यौहार केवल भील जनजाति के लोग मनाते हैं। *गल* को मनाने की तैयारी होली के कई सप्ताह पहले से शुरू हो जाती हैं। यह उनके लिए मनौती का त्यौहार होता है। इस अवसर पर वे अपने *गल* देवता की पूजा-आराधना करते है। भीलों की मान्यता के अनुसार *गल* देवता पूजा आराधना से खुश हो कर रोग, कष्ट और संकटों से उनकी रक्षा करते हैं। *गल देव* के बारे में यह कथा प्रसिद्ध है कि वे एक फकीर थे। वे देश का भ्रमण करते हुए गुजरात से राजस्थान की ओर जाते समय भीलों के गाँव सगवाल से गुजरे। सगवाल में वे पाँच-छः माह तक रहे और लोगों की सेवा करते रहे। गाँव में उनके रहने से लोगों के दुख-कष्ट दूर हो गए। *गल देव* के गाँव से जाने के बाद गाँव

के लोग परेशान हो गए। वे बीमार पड़ने लगे। कष्टों से परेशान हो कर गाँव के लोगों ने *गल देव* को याद किया। इस पर *गल देव* स्वयं तो नहीं आए लेकिन उनकी शक्ति गाँव के एक आदमी में प्रकट हुई। यह भील सिरवी जाति का था। उस आदमी ने *गल देव* की शक्ति पा कर गाँव वालों की सेवा की, जिससे गाँव वालों के दुख दूर हुए। उसी समय से सगवाल गाँव में *गल देव* की पूजा का त्यौहार *गल* मनाया जाता है।

भील जनजाति के लोग यह मानते हैं कि त्यौहार के पहले *गल देव* गाँव के किसी न किसी आदमी को सपने में दर्शन देते हैं। जिस आदमी को सपने में गल देव दिखाई देते हैं वह बाजे-गाजे के साथ सगवाल गाँव पहुँचता है। वह अपने साथ लकड़ी का एक खंबा लाता है। उस लकड़ी के खंबे के ऊपरी सिरे पर मचाननुमा एक मंच बनाया जाता है। मचान के चारों कोनों को सहारा देने के लिए चार खंबे और गाड़े जाते हैं। ये चारों खंबे बीच वाले खंबे से पतले होते हैं। बीच वाले खंबे पर एक और लकड़ी रखी जाती है जिसके एक सिरे पर रस्सी बँधी होती है। रस्सी का एक छोर ज़मीन तक लटकता रहता है। इन सभी खंबों और लकड़ी को गेरू से रंग दिया जाता है जिससे ये लाल रंग के दिखते है। लकड़ी और खंबों से बनी यह आकृति गल देव कहलाती है। जिस आदमी को *गल देव* सपने में दिखाई देते हैं, उसे *गोलिया* कहा ज़ाता है। जो आदमी पूजा-पाठ कराता है, उसे *पुजारा* के नाम से पुकारा जाता है।

होली के दो-चार दिन पहले गोलिया को उबटन लगाकर नहलाया जाता है। इसके बाद उसे नए कपड़े पहनाए जाते हैं। गोलिया गाँव के लोगों की मनौती के अनुसार कपड़े पहनता है। यदि मनौती करने वाला कोई आदमी होता है तो गोलिया को सफेद रंग के कपड़े पहनाए जाते हैं। मनौती करने वाली यदि कोई औरत होती है तो गोलिया को लाल रंग के कपड़े पहनाए जाते हैं। इसके बाद गोलिया की आँखों में काजल लगाकर उसे सजाया जाता है।

होली के दूसरे अर्थात् गल के दिन, गोलिया अपने हाथ में नारियल और दर्पण लेकर निकलता है। लोग जुलूस बनाकर नाचते-गाते उसके साथ-साथ चलते हैं। गोलिया के अपने घर से निकलने के पहले गाँव के सभी लोग गोलिया के घर पर एकत्र हो जाते हैं। सभी सज-धज कर आते हैं। स्त्री और पुरुष अलग-अलग गोल घेरे बनाकर नाचते है। वे माँदल, कुंडी और थाली बजा-बजाकर गाने गाते हैं। गोलिया के घर पर कुछ देर नाचने-गाने के बाद सभी लोग गोलिया को अपने साथ ले कर सगवाल गाँव की ओर निकल पड़ते हैं। सभी लोग रास्ते भर नाचते-गाते अपनी खुशी प्रकट करते हैं। गोलिया को आदर देने के लिए उसके सिर पर चादर की छाँव की जाती है।

सगवाल गाँव पहुँचने पर गोलिया गल रूपी मचान के पास पहुँचता है। वह मचान

पर दर्पण रख कर नारियल फोड़ता है। इसके साथ ही गल देव की पूजा शुरू होती है। लोग गल देव की प्रार्थना करते हैं। वे गल देव से अपने दुख, पीड़ा दूर करने को कहते हैं। इसके साथ ही देर तक लोकगीत गाए जाते हैं।

शाम को अँधेरा होते ही गल त्यौहार समाप्त हो जाता है। सभी लोग अपने-अपने घरों की ओर लौट पड़ते हैं। भीलों के सीधे-सादे जीवन में गल त्यौहार का बहुत महत्त्व है। पहले इस त्यौहार में गल देव की पूजा के समय पशु-बलि दी जाती थी लेकिन अब

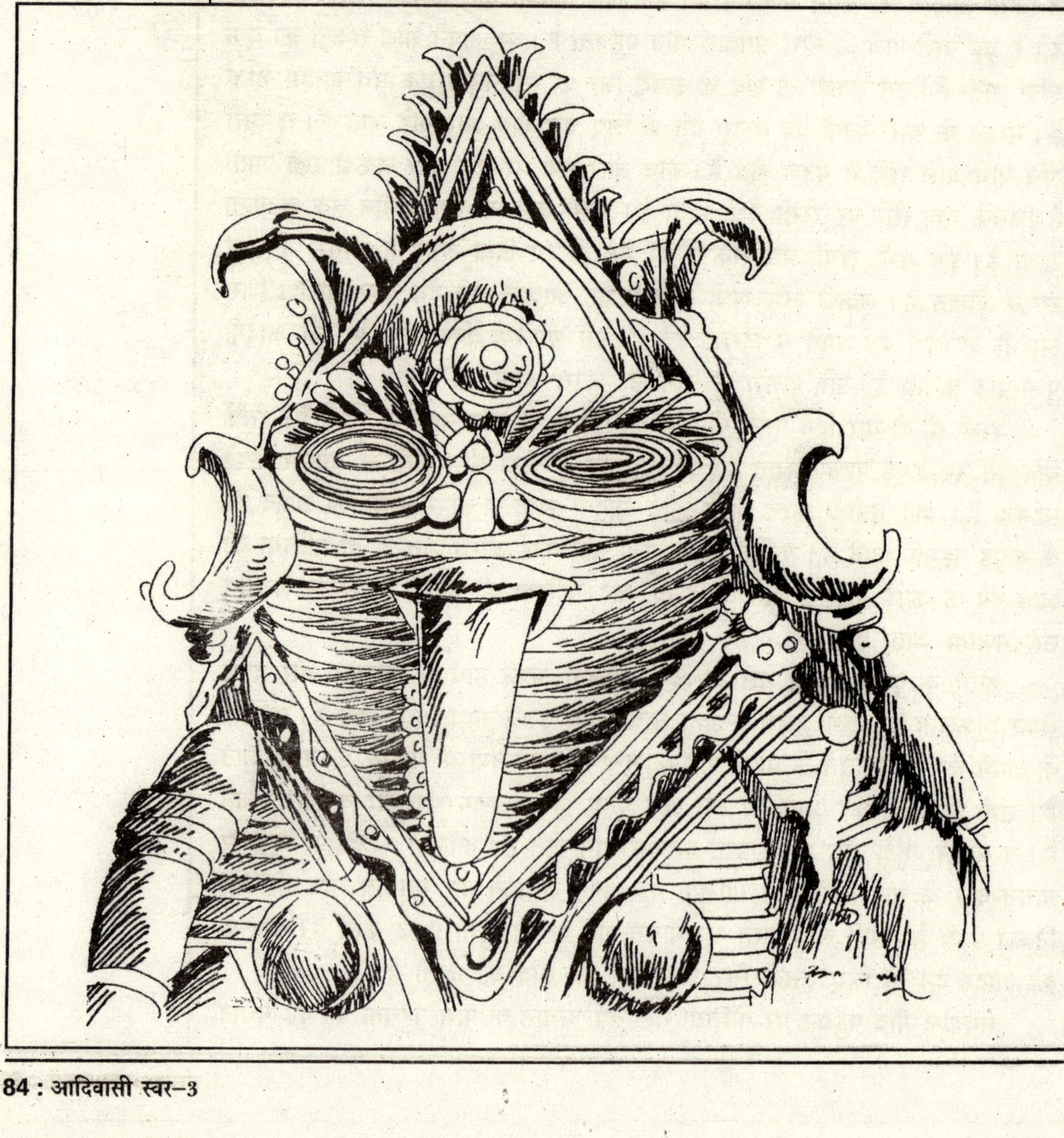

भील जनजाति के लोग अंधविश्वास से दूर होते जा रहे हैं। भील परिवार के बच्चे विद्यालय जाते हैं। वे पढ़-लिख कर जागरूक बनते जा रहे हैं। गल त्यौहार अब गल देव के प्रति विश्वास के रूप में मनाया जाता है।

चैत गल

इस त्यौहार को गोंड बड़े धूम-धाम से मनाते हैं यह त्यौहार अक्टूबर माह में शरद पूर्णिमा से शुरू होता है और नवंबर में कार्तिक पूर्णिमा तक चलता है। इस त्यौहार को चैत गल कहा जाता है। इस त्यौहार में एक खुले मैदान में लकड़ी का एक ऊँचा खंबा गाड़ा जाता है। इस लकड़ी के खंबे को तेल मल कर चिकना किया जाता है। इस खंबे के ऊपरी सिरे पर कपड़े की एक पोटली बाँध दी जाती है। जिसमें रुपए-पैसे, मिठाई और नारियल बँधे होते हैं। समारोह शुरू होने पर अविवाहित लड़के इस खंबे पर चढ़कर पोटली को खोलने का प्रयास करते हैं। खंबे पर तेल लगा होने के कारण उस पर चढ़ना बहुत कठिन होता है। सब लड़के उस पर नहीं चढ़ पाते हैं। गाँव की लड़कियाँ खंबे को घेर कर खड़ी रहती हैं। जब कोई लड़का खंबे पर चढ़ने का प्रयास करता है तो वे उसे पतली-पतली छड़ियों से मारते हैं। जिससे खंबे पर चढ़ना और कठिन हो जाता है। इन सारी कठिनाइयों के बाद भी जो लड़का खंबे पर चढ़ कर पोटली खोल लेता है वह विजयी कहलाता है। गाँव के दूसरे लड़के उसे अपने कंधों पर बिठा कर जुलूस निकालते हैं।

कार्तिक पूर्णिमा की रात को चंद्रमा उगने के बाद त्यौहार समाप्त होने लगता है। आधी रात को सभी लड़के नदी-नालों में जा कर नहाते हैं। इसके बाद वे अपने-अपने घरों को लौट जाते हैं। यह त्यौहार मुख्य रूप से अविवाहित लड़के-लड़कियों का त्यौहार है।

करम अथवा करमा त्यौहार

बैगा और गोंड जनजाति के लोग भादों मास की एकादशी को एक बड़ा त्यौहार मनाते हैं। इस अवसर पर परिवार के लोग जंगल जाते हैं और करम नामक पेड़ की शाखा काट कर लाते हैं। इस शाखा को घर के आँगन में लगाया जाता है। परिवार के लोग इस शाखा के चारों ओर इकट्ठे होते हैं तथा पूजा करते हैं। इस अवसर पर मिट्टी के एक बरतन में गेहूँ के पौधे उगाए जाते हैं जिसे जवारा कहा जाता है। इन पौधों को युवतियाँ परिवार के हर छोटे-बड़े सदस्य को देती हैं। इस प्रकार जवारा बाँटने से आपस में प्रेम और आदर की भावना बढ़ती है। करमा दो शब्दों से मिल कर बना है। इसमें *कर* का अर्थ है *हाथ* और *मा* का अर्थ है *मुझे दो*। इस प्रकार करमा शब्द का अर्थ है कि *मुझे अपना हाथ दो और मेरे साथ नृत्य करो*। यह नृत्य एक-दूसरे का हाथ पकड़ कर किया जाता है। करमा नृत्य करते समय मांदल, ढोल और नगाड़े बजाए जाते हैं बैगा जन जाति के लोग करमा नृत्य करते समय विभिन्न प्रकार के मुखौटे भी लगाते हैं।

फगुआ त्यौहार

धार जिले के आदिवासी होली के समय फगुआ त्यौहार मनाते हैं। यह त्यौहार तीन दिन तक चलता है। इस त्यौहार में बड़े, छोटे सभी मिल कर नाचते हैं। इस नाच को फगुआ नाच कहा जाता है। यह भगोरिया नाच के समान होता है। यह त्यौहार फागुन के उत्सव के रूप में मनाया जाता है।

हरेली

यह भीलों का त्यौहार है। बैगा भी इसे मनाते हैं। यह त्यौहार वर्षा ऋतु में मनाया जाता है। इस त्यौहार में अन्न की देवी *कुटकी दाई* की पूजा की जाती है। हरेली शब्द हरियाली से बना है। हरेली के अवसर पर परिवार अच्छी फसल होने के लिए कुटकी दाई से प्रार्थना करते हैं।

ख्यानिया

अगस्त माह में रक्षाबंधन के लगभग सात दिन पहले से यह त्यौहार शुरू हो जाता है। गोंड स्त्रियाँ तथा पुरुष बाँस की टोकरियों में मिट्टी भर कर गेहूँ बो देते हैं। सात दिन में गेहूँ उग आता है। रक्षाबंधन के दूसरे दिन वे गेहूँ के इन पौधों को काट लेते हैं फिर इसे एक-दूसरे को देते हैं। उससे एक-दूसरे में प्रेम-भाव और भाईचारा बढ़ता है। इस त्यौहार में गेहूँ उगा कर गेहूँ की फसल अच्छी होने की प्रार्थना की जाती है। नर्मदा नदी के तट पर निवास करने वाले गोंड परिवार ख्यानिया त्यौहार के अंतिम दिन नर्मदा नदी में स्नान करते हैं।

दशेहरा

गोंड जनजाति के लोग अक्टूबर माह में दशेहरा का त्यौहार बड़ी धूम-धाम से मनाते हैं। इस त्यौहार का नाम हिंदू त्यौहार दशहरा से मिलता-जुलता है लेकिन यह त्यौहार दशहरा से एकदम अलग है। यह त्यौहार पूरी तरह से खेती तथा अच्छी फसल की कामना से जुड़ा हुआ है। अक्टूबर माह में वर्षा ऋतु का समापन हो जाता

है तथा शरद ऋतु आरंभ हो जाती है। इसके साथ ही खेती-किसानी का कार्य भी प्रारंभ होता है। अच्छी फसल की प्रार्थना के लिए गोंड दशेहरा का त्यौहार मनाते हैं। वे एक-दूसरे से मिलते हैं। साथ में खाते-पीते हैं तथा साथ-साथ नाचते हैं। इस त्यौहार में सैला और रीना नृत्य किया जाता है। सैला नृत्य को मुख्य रूप से पुरुष ही करते हैं। इस नृत्य में प्रतियोगिताएँ भी होती हैं। जिसमें एक गाँव के नर्तक दल दूसरे गाँव जा कर उनसे नृत्य का मुकाबला करते हैं। सैला नृत्य गोंड और भारिया जनजाति में लोकप्रिय है। इस नृत्य के समय ढोल, टिमकी, झाँझ और बाँसुरी बजाई जाती है, जबकि रीना यह नृत्य केवल औरतें करती हैं। यह दीपावली के समय किया जाता है। इस नृत्य का चलन गोंड जनजाति में है।

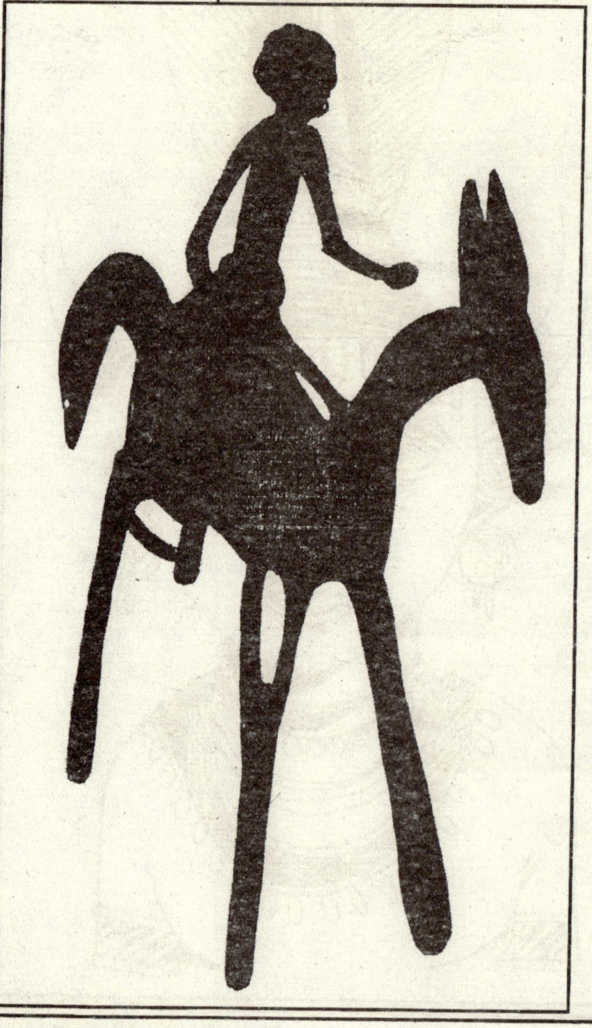

मेला मड़ई

मड़ई हिंदी के मंडप शब्द से बना है। गोंड इस त्यौहार को दोगुन देव और चंडी देवी के विवाह के रूप में मनाते हैं। वे विवाह का मंडप अर्थात् मड़ई बनाते हैं और विभिन्न स्थानों से नाचने-गाने वालों के दलों को बुलाते हैं। ये दल चंडी-दल कहलाते हैं। यह त्यौहार वर्षा ऋतु की फसल के पकने के बाद मनाया जाता है। जब फसल पक कर तैयार हो जाती है और उसे काट कर कोठियों (अनाज रखने के बड़े-बड़े बरतन) में रख लिया जाता है तब गोंड किसानों को फुरसत मिलती है। दीपावली के बाद मड़ई मेला लगता है। गाँव का मुखिया मेले का उद्घाटन करता है। गाँव के लोग मेले का आनंद उठाते हैं। वे अपने घरों में दीपक जला कर प्रकाश करते हैं। वे रात और दिन नाचते-गाते और खुशियाँ मनाते हैं। यह त्यौहार अच्छी फसल होने की खुशी में मनाया जाता है।

बरा देव पूजन

यह त्यौहार चावल की अच्छी फ़सल होने की खुशी

में मनाया जाता है। इस त्यौहार में साज़ वृक्ष के नीचे बरा देव की स्थापना की जाती है। फिर बरा देवता को पकाए चावल का भोग लगाया जाता है, यह चावल नया चावल होता है। यह चावल परिवार के मुखिया द्वारा पकाया जाता है। त्यौहार के दिन चावल पकाने वाला व्यक्ति उपवास रखता है। इस दिन घर की स्त्रियाँ चावल नहीं पकाती हैं। बरा देव को बढ़ाने के बाद ही गोंड तथा बैगा परिवार के लोग नया चावल खाना शुरू करते हैं। वे नाचती, गाती और खुशियाँ मनाती है। इस त्यौहार को *बरा भात* का त्यौहार भी कहा जाता है।

बिदरी उत्सव

यह त्यौहार ग्रीष्म ऋतु की फसल तैयार होने से पहले एक उत्सव के रूप में मनाया जाता है। इस उत्सव के द्वारा अच्छी फसल होने की प्रार्थना की जाती है। बैगा जनजाति के गुनिया कोदो, कुटकी तथा कुछ अन्य अनाज के दाने बीज के रूप में इकट्ठे करते हैं। वे इन दानों को आपस में मिला देते हैं और फिर इन्हें सरई अथवा महुआ के पेड़ के नीचे एक छोटे बरतन में बो देते हैं। जहाँ ठाकुर देव नामक देवता की मूर्ति रखी होती है। ठाकुर देव को गाँव रक्षा करने वाले देवता के रूप में भी पूजा जाता है। फिर गुनिया उसमें से कुछ बीज खेतों के बीचोंबीच बो देता है और ठाकुर देव से अच्छी फसल पैदा करने की प्रार्थना करता है। यह सब एक उत्सव के रूप में मनाया जाता है।

शंकर चौथ

यह त्यौहार जनवरी और फरवरी माह में मनाया जाता है। यह भी अच्छी फसल और परिवार की खुशी तथा अच्छे स्वास्थ्य की प्रार्थना के लिए मनाया जाता है। इस त्यौहार

में ग्राम देवता और कुल देवता से प्रार्थना की जाती है कि वे गाँव के सभी परिवारों की दुख, कष्ट और बीमारियों से रक्षा करें तथा अच्छी फसल दें।

महादेव पूजन

कोरकू जनजाति के लोग महादेव की पूजा करते हैं। यह त्यौहार महादेव-पूजन के रूप में मनाया जाता है। कोरकू मानते हैं कि महादेव संकट से इनकी रक्षा करते हैं। महादेव पूजन के समय वे महादेव के साथ ही अन्य देवताओं की भी पूजा करते हैं। कोरकू जनजाति के लोग रावण और मेघनाद की भी पूजा करते हैं। इस बारे में यह कथा प्रचलित है कि प्राचीन काल में लंका के राजा रावण के पुत्र मेघनाद ने कोरकू जनजाति की रक्षा की थी इसलिए ये लोग मेघनाद को देवता मान कर उसकी पूजा करते हैं। कुछ लोग सूर्य और चंद्रमा को भी देवता मानते हैं।

बाघ पूजन

भारिया जनजाति के लोग बाघ पूजन का त्यौहार मनाते हैं। इस त्यौहार में ये लोग देवी के वाहन बाघ की पूजा करते हैं। वैसे भारिया लोग पाण्डवपुत्र भीमसेन को अपना देवता मानते हैं। वे भीमसेन की भी पूजा करते हैं। भारिया लोग त्यौहार से पहले अपने घर के आँगन में सुंदर अल्पनाएँ बनाते हैं। ये लोग घर की दीवारों को पीली मिट्टी, छुही या चूने से पोत कर दीवारों पर सुंदर-सुंदर चित्र बनाते हैं। घर के दरवाज़ों पर भी रंग-बिरंगे चित्र बनाते हैं।

गोंड और बैगा जनजाति के लोग बघेश्वर देव के रूप में बाघ की पूजा करते हैं। बघेश्वर देव का स्थान खेत और जंगल में रहता हे। बघेश्वर देव की पूजा करने के लिए लकड़ी से बाघ की मूर्ति बनाई जाती है।

पिथौरा पर्व

भील जनजाति के लोग पिथौरा पर्व नामक त्यौहार भी मनाते हैं। पिथौरा त्यौहार के समय लोग जो चित्र बनाते हैं वह भीलों की पिथौरा चित्र कला के रूप में प्रसिद्ध है। इन चित्रों में मानवों की आकृतियाँ भी बनाई जाती हैं। चित्र बनाते समय ढाक नामक वाद्य बजा कर पिथौरा की गाथा गाई जाती है। यह ढाक नाम का वाद्य डमरू से थोड़ा बड़ा होता है। यह लकड़ी से बनता है तथा इसके दोनों ओर बकरी की खाल को रस्सी से कसा जाता है। इस वाद्य को पैरों पर रख कर या कंधे पर लटका कर लकड़ियों की डंडियों से बजाया जाता है। भील स्त्रियाँ घर के आँगन में अल्पनाएँ बनाती हैं।

छेरता उत्सव

मंडला जिले में गोंड परधान और बैंगा आदिवासी फसल कटाई के बाद पौष माह की पूर्णिमा के दिन छेरता उत्सव मनाते हैं। गोंड और परधान आदिवासी छेरता नृत्य करते समय भूत, प्रेत, राक्षस, कंस आदि के मुखौटे लगाते हैं जिन्हें *कठभेभा* कहा जाता है। बैगा आदिवासी छेरता नृत्य के समय रावण और हिरण्यकश्यप के मुखौटे लगाते हैं जिन्हें खेखड़ा कहते हैं। बैगा जनजाति में इस नृत्य को मुखौटा लगाकर किया जाता है। ये मुखौटे विभिन्न प्रकार के होते हैं जो लकड़ी और चकड़े के बने होते हैं। ये नृत्य लोकगाथाओं पर आधारित होते हैं। इन गाथाओं में रावण, हिरण्यकश्यप, कंस की कथाएँ होती हैं। जिनमें भूत, प्रेत, राक्षसों का वर्णन होता है।

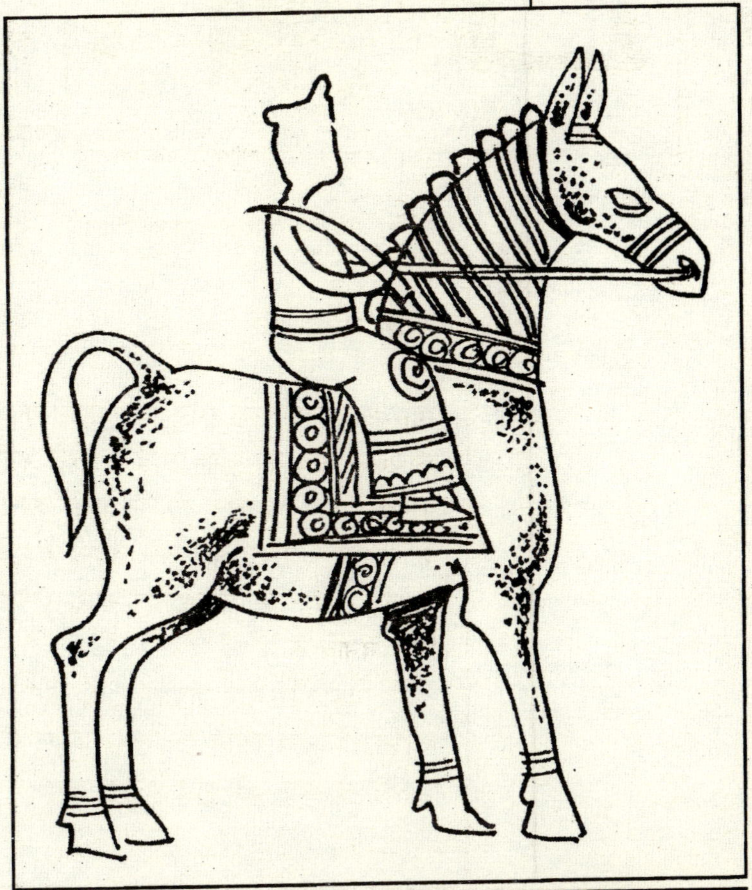

होली पर्व

होली पर्व पर फाग नृत्य करते समय बैगा पुरुष रावण का मुखौटा लगाते हैं जबकि स्त्रियाँ साही पशु के काँटों से बना हुआ मुकुट लगा कर नृत्य करती हैं। इस मुकुट को गिज्जी कहते हैं जो कि रावण की पत्नी मंदोदरी का रूप माना जाता है। होली पर्व पर डफ नामक वाद्य बजाया जाता है। यह चमड़े और लकड़ी का बना हुआ होता है। इसे हथेलियों से थाप देकर बजाया जाता है। कोरकू जनजाति के लोग चिटकोरा नाम का वाद्य बजा कर फाग-नृत्य करते हैं।

पर्व और त्यौहार जीवन के अभिन्न अंग हैं। ये जीवन में खुशी और उत्साह का संचार करते हैं। मध्य प्रदेश के आदिवासी भी अपने पर्व और त्यौहार बड़े उत्साह से मनाते हैं। ये त्यौहार आदिकाल से परंपरा के रूप में आज तक मनाए जा रहे हैं।

आदिवासी और उनके लोकनृत्य

मध्यप्रदेश भारत के मध्य में स्थित है। यहाँ विभिन्न जाति, धर्म और समुदाय के लोग निवास करते हैं। मध्यप्रदेश में कई जनजातियाँ हैं जो प्रागैतिहासिक काल से इस भू-भाग में निवास कर रही हैं। ये जनजातियाँ आदिकाल से अपने मूल स्थान में रह रही हैं। इसलिए इन्हें आदिवासी भी कहा जाता है। ये आदिवासी मध्यप्रदेश के लगभग सभी जिलों में निवास करते हैं। पूरे देश में मध्यप्रदेश के आदिवासियों की अपनी अलग पहचान है। झाबुआ, धार, शहडोल, छिंदवाड़ा, बड़वानी, बैतूल, सीधी, मंडला, खरगोन, खंडवा, डिंडौरी, बालाघाट, जबलपुर, उमरिया, होशंगाबाद तथा रतलाम जिले में आदिवासियों की जनसंख्या सबसे अधिक है।

आदिवासियों के पूर्वज गुफ़ाओं में रहते थे। ये लोग जीवनयापन के लिए शिकार करते थे, फल-फूल खाते थे। अब ये गाँवों में रहते हैं। इनके घर लकड़ी, बाँस, मिट्टी, पुआल, खपरैल, घास-फूस इत्यादि के बने होते हैं। ये अपने कच्चे घरों की दीवारों और फ़र्श को गोबर और मिट्टी से लीपते हैं। घर की दीवारों पर भाँति-भाँति के चित्र बना कर उन्हें सजाते हैं। अधिकतर ये मिट्टी के बरतनों का उपयोग करते हैं। मिट्टी के साथ-साथ पीतल, काँसा, लोहा, एल्यूमीनियम के बरतनों का भी उपयोग करते हैं। ये आदिवासी पशु, पक्षी, पेड़-पौधे, सूर्य, चंद्रमा आदि को देवता मान कर पूजा करते हैं।

गुफाओं की दीवारों पर मिले उनके बनाए हुए चित्रों से पता चलता है कि वे सामूहिक रूप से नाचते थे और खुशियाँ मनाते थे। पहले उनके नृत्य उछलकूद भरे होते थे, किंतु समय बीतने के साथ-साथ उनके नृत्यों में लय-ताल सहित एकरूपता आने लगी। वे हाथों में हाथ लेकर नाचते, जिससे उनमें आपसी प्रेम-भाव बढ़ता। आदि मानवों ने जब खेती करना सीख लिया तो वे अच्छी फसल होने का उत्सव मनाने लगे। अच्छी फसल पैदा होने पर वे नाचते-गाते और खुशियाँ मनाते।

सभ्यता के विकास के साथ-साथ नृत्य में भी विविधता आने लगी। प्रमुख रूप से तीन प्रकार के नृत्य किए जाने लगे। ये नृत्य थे—

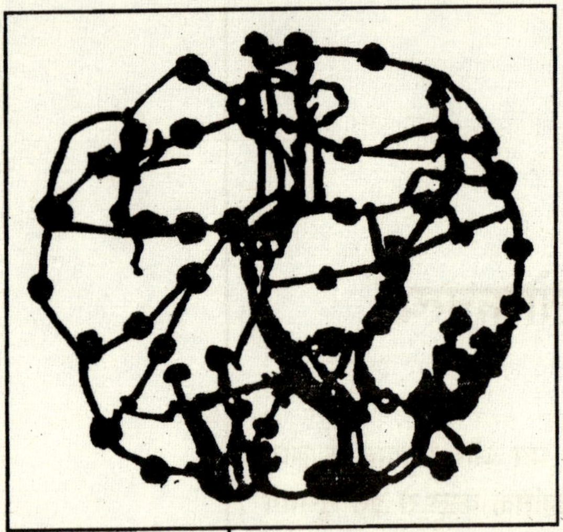

1. वीरता के नृत्य
2. धार्मिक नृत्य
3. सामाजिक उत्सवों के नृत्य।

वीरता के नृत्य उस समय किए जाते, जब एक कबीला, दूसरे कबीले पर युद्ध में विजय प्राप्त करता। अपनी विजय की प्रसन्नता को प्रकट करने के लिए योद्धा जी-भर कर नाचते। जीत कर आए हुए योद्धाओं के स्वागत करने वाले लोग नृत्य में उनका साथ देते। ऐसे नृत्यों में नाचने वाले अपने हाथों में भाला, बरछी आदि हथियार ले कर नाचते।

धार्मिक नृत्य ईश्वर को प्रसन्न करने के लिए किए जाते थे। जब कभी लोग बीमार पड़ने लगते तो उन्हें लगता कि यह बीमारी ईश्वर के अप्रसन्न होने से आई है। उस समय चिकित्सा पद्धति का विकास नहीं हुआ था। आदि मानव प्रकृति के विभिन्न रूपों को देवता के रूप में मानते थे। बीमारी का शिकार होने पर वे अपने देवताओं को प्रसन्न करने का प्रयास करते। वे नाचते-गाते हुए देवताओं से प्रार्थना करते, ताकि देवता प्रसन्न हो जाएँ और उनकी बीमारी दूर कर दें। किसी अच्छे काम को प्रारंभ करने से पहले वे देवता को प्रसन्न करने के लिए उसके सामने नाचते थे।

सामाजिक नृत्य सामाजिक उत्सव के रूप में किए जाते थे। इस प्रकार नृत्यों का विकास आदि मानवों में समाज के विकास के साथ-साथ हुआ। विशेष अवसरों पर समुदाय के लोग एक जगह इकट्ठे होते। वे ढोल, डफली आदि बजाते और आग के अलाव के चारों ओर नाचते रहते। इस प्रकार वे अपना सामाजिक उत्सव मनाते।

नृत्य के ये तीनों रूप आज भी जनजातियों में रीति-रिवाज के रूप में पाये जाते हैं। मध्यप्रदेश में निवास करने वाले आदिवासी भी नाच-गा कर अपनी खुशियाँ मनाते हैं। कई जनजातियाँ नृत्य के समय तरह-तरह के मुखौटे लगाती हैं। जैसे—धार, झाबुआ के भील जनजाति के नर्तक नाचने के समय लकड़ी अथवा चमड़े के मुखौटे लगाते हैं जिसे *राय बुड़ला* कहते हैं। ये मुखौटे भारी और बड़े आकार के होते हैं। गोंड आदिवासी छेरता नृत्य करते समय भूत, प्रेत, राक्षस आदि के मुखौटे लगाते हैं जिन्हें *कठभेभा* कहा जाता है। बैगा आदिवासी छेरता नृत्य के समय रावण और हिरण्यकश्यप के मुखौटे लगाते हैं जिन्हें खेखड़ा कहते हैं। होली पर्व पर फाग नृत्य करते समय बैगा पुरुष रावण का मुखौटा लगाते हैं जबकि स्त्रियाँ साही पशु के काँटों से बना हुआ मुकुट लगा कर नृत्य करती हैं। इस मुकुट को गिज्जी कहते हैं जो कि रावण की पत्नी मंदोदरी का रूप माना जाता है।

जनजातियाँ

मध्यप्रदेश में कई जनजातियाँ निवास करती हैं। इनकी संख्या कुल आबादी का लगभग एक चौथाई भाग है। मध्यप्रदेश की प्रमुख आदिम जनजातियाँ हैं–

1. बैगा

बैगा आदिवासियों को मध्यप्रदेश के मूल निवासी कहा जाता है। ये मंडला, डिंडौरी, शहडोल, उमरिया, बालाघाट जिले में निवास करते हैं। बैगा समाज में यह कथा प्रचलित है कि महाभारत काल में कीचक नाम के वनवासी राजा थे। कीचक ने आदिवासियों की रक्षा की थी इसलिए बैगा आदिवासी कीचक राजा और कीचक रानी की लकड़ी की मूर्ति बनाकर पूजा करते हैं। दूसरी कथा के अनुसार भगवान ने नांगा बैगा और नांगा बैगन को बनाया। दोनों जंगल में रहने लगे। कुछ समय बाद उनकी दो संतानें हुईं। पहली संतान बैगा कहलाई और दूसरी संतान गोंड। मानवजाति की उत्पत्ति इन्हीं दोनों से हुई। नांगा बैगा और नांगा बैगन की भी लकड़ी की मूर्तियाँ बना कर पूजा की जाती है। इस

जनजाति में झाड़-फूँक द्वारा बीमारी का इलाज करने की परंपरा रही है। इसीलिए इन्हें *ओझा* या *गुनिया* के नाम से भी जाना जाता है। ये बूढ़ा देव नामक देवता की पूजा करते हैं। बैगा आदिवासियों की प्रमुख 7 उपजातियाँ हैं—बिंझवार, भारोटिया, नारोटिया, रायभैना, कठभैना, कोडवान तथा गोंडवान। इनमें भारोटिया उपजाति के जो लोग अपना सिर मुंडा लेते हैं उन्हें *मुड़िया* कहा जाता है।

2. गोंड

गोंड आदिवासी मुख्य रूप से शहडोल, उमरिया, छिंदवाड़ा, सिवनी, बैतूल, जबलपुर, कटनी, मंडला, डिंडौरी जिले में निवास करते हैं। ये लोग पहले घने जंगलों में निवास करते थे। वे शिकार करके अपना ज़ीवनयापन करते थे। अब वे खेती तथा अन्य कार्य करते हैं। इनकी मुख्य खेती धान, कोदो, कुटकी, तिलहन, चावल, मक्का, तिली, गेहूँ, चना, राई, मसूर, अलसी हैं। ये लोग मिट्टी, पुआल, लकड़ी, बाँस, खपरैल और छींद के पत्ते से बने घरों में रहते हैं। गोंड औरतें घरों को सजाने के लिए दीवारों पर चित्र बनाती हैं जो *नोहडोरा* कहलाता है। दरवाजे पर बनाए जाने वाले चित्र *चीन्हा* कहलाते हैं कि चंडी देवी और गुरु दौगुन नामक देवता का विवाह हुआ था। इस विवाह के प्रतीक रूप में मंडप बना कर *मड़ई त्यौहार* मनाया जाता है। गोंडों में गोदना गोदवाने का चलन है। कई महिलाएँ अपने पूरे शरीर पर गोदना गोदवाती हैं।

3. भील

भील जनजाति झाबुआ, खरगोन, मंदसौर, रतलाम जिले में निवास करती है। इनके पूर्वज शिकार करके जीवनयापन करते थे। अब खेती और वनोपज के द्वारा धन कमाते हैं। भीलों में तरह-तरह के गोदने गोदवाने का रिवाज है। इस जनजाति के लोग होली के पहले *भगोरिया* नामक उत्सव मनाते हैं। इस उत्सव के समय विवाह तय होते

हैं। इस अवसर पर भगोरिया हाट भी लगता है जिसमें तरह-तरह की चीजें बिकने आती हैं ये खालुन देव तथा कसूमर देव की पूजा करते हैं। ये लोग पिथौरा पर्व नामक त्यौहार भी मनाते हैं पिथौरा त्यौहार के समय ये लोग जो चित्र बनाते हैं यह भीलों की पिथौरा चित्र कला के रूप में प्रसिद्ध हैं। इन चित्रों में मानवों की आकृतियाँ भी बनाई जाती हैं। भील स्त्रियाँ घर के आँगन में अल्पनाएँ बनाती हैं।

4. कोल

इस जनजाति के लोग रीवा, शहडोल, उमरिया, जबलपुर, कटनी, मंडला, डिंडौरी जिले में रहते हैं। देवी-देवताओं पर इन आदिवासियों का अटूट विश्वास है। ये कुल देवता, ग्राम देवता और पशु, पक्षी, जीव-जन्तु, पेड़-पौधे के रूप में गोत्र देवता की पूजा करते हैं। कोल जनजाति के लोग अपने घर की दीवारों को सजाने के लिए पहले उसे गोबर और मिट्टी से लीपते हैं। फिर उस पर पीले और सफेद रंगों से विभिन्न प्रकार के चित्र बनाते हैं तथा अपने हाथों के छापे लगाते हैं। दीवार पर बनी छोटी-छोटी अलमारियों (ताकों) के चारों ओर मिट्टी से सुंदर बेल-बूटे बनाते हैं।

5. अगरिया

यह गोंडों की उपज़ाति है। ये मुख्य रूप से मंडला और शहडोल जिले में निवास करते हैं। ये लोग मिट्टी तथा लकड़ी के बने घरों में रहते हैं। इनके घर के दरवाजे एक ही लकड़ी के बनाए जाते हैं जिन पर पशु, चिड़िया और मानव की आकृतियाँ बनाई जाती हैं। अपने शरीर पर गोदना (टैटू) गोदवाने का चलन इनमें भी लोकप्रिय है। ये लोहे के औजार आदि बनाने का काम करते हैं। इनके मुख्य देवता लोहासुर हैं।

6. सहरिया

सहरिया जनज़ाति के लोग ग्वालियर, गुना, शिवपुरी, मुरैना, भिंड, दतिया जिलों में निवास करते हैं। ये अपने घरों की दीवारों को पीले या सफेद रंग से रंग कर उस पर चित्र

बनाते हैं। ये अनाज इकट्ठा करने के लिए बनाए गए मिट्टी के बड़े-बड़े बरतनों को भी चित्रों से सजाते है। अनाज रखने की इन कोठियों को *पेई* कहा जाता है। ये दूल्हा देव की पूजा करते हैं। सहरिया का अर्थ होता है शेर के साथ रहने वाला। ये लोग पहले शिकार करके अपना जीवनयापन करते थे। अब खेती और मजदूरी का कार्य करते हैं। गोदना गोदने का चलन सहरिया जनजाति में भी है।

7. कोरकू

ये रायसेन और सिहोर जिले में रहते हैं। ये घास-फूँस से बने छोटे-छोटे झोंपड़ों में रहते हैं। अपने घरों की दीवारों को गेरू के लाल रंग से रंगते हैं। दरवाजे और दीवारों को चित्रों से सजाते हैं। दरवाजे पर बनाया जाने वाला चित्र *गुदनी* कहलाता है। *गुदनी* सफ़ेद खड़िया मिट्टी अथवा हिरमची नाम की लाल मिट्टी से बनाया जाता है। दरवाजों के चौखटों पर पशु-पक्षी, फूल-पत्ते, चाँद-सूरज और आड़ी-तिरछी रेखाओं से सजावट की जाती है। कोरकू लोग पहले शिकार करते थे लेकिन अब खेती का कार्य करते हैं। ये लोग महादेव की पूजा करते हैं। इनका मानना है कि महादेव संकट से इनकी रक्षा करते हैं। ये लोग रावण और मेघनाद की भी पूजा करते हैं। इस बारे में यह कथा प्रचलित है कि प्राचीन काल में लंका के राजा रावण के पुत्र मेघनाद ने कोरकू जनजाति की रक्षा की थी इसलिए, ये लोग मेघनाद को देवता मान कर उसकी पूजा करते हैं। कुछ लोग सूर्य और चंद्रमा को भी देवता मानते हैं।

8. भारिया

भारिया जनजाति के लोग छिंदवाड़ा, सिवनी और मंडला जिले में रहते हैं। ये लोग धान, कोदो, कुटकी की खेती करते हैं। ये लोग कंद-मूल भी खाते हैं। भारिया जनजाति का एक छोटा समूह छिंदवाड़ा जिले के पातालकोट नामक स्थान में आदिकाल से निवास कर रहा है। पातालकोट सबसे दुर्गम स्थान माना जाता है। ये घने जंगलों के बीच घाटी में बसा हुआ है। पातालकोट के भारियाओं के घर के दरवाजे बहुत सुंदर होते हैं। इन

दरवाजों पर शेर, साँप, चिड़िया और मानव आकृतियों के साथ बेल-बूटों की सजावट होती है।

ये दूल्हा देव की पूजा करते हैं। ये भीमसेन को देवता मानते हैं तथा देवी के वाहन बाघ की भी पूजा करते हैं। भारिया लोग त्यौहारों के समय अपने घर के आँगन में सुन्दर अल्पनाएँ बनाते हैं। ये लोग घर की दीवारों को पीली मिट्टी, छुही या चूने से पोत कर दीवारों पर सुंदर-सुंदर चित्र बनाते हैं। घर के दरवाजों पर भी रंग-बिरंगे चित्र बनाए जाते हैं। भारिया जनजाति के लोग पेड़ों की छालों से रस्सी तथा बाँस और छींद के पत्तों से कलात्मक वस्तुएँ बनाते हैं।

9. पारधी

पारधी का अर्थ होता है शिकार करना। पारधियों के पूर्वज जाल के द्वारा पशु-पक्षियों का शिकार करते थे। अब कृषि, मजदूरी आदि करके अपना जीवनयापन करते हैं। पारधी मुख्य रूप से जबलपुर, कटनी, हरदा, होशंगाबाद, सिवनी जिले में रहते हैं। ये बड़ा देव की पूजा करते हैं।

10. पनिका

ये लोग विंध्य क्षेत्र के सीधी, शहडोल और उमरिया जिले में रहते हैं। पनिकाओं में बहुत से लोग कबीरपंथ के अनुयायी हैं। पनिका जनजाति के कुछ लोग कपड़ा बुनने का काम करते हैं, कुछ लोग खेतों में हल चलाने का काम करते हैं।

11. खैरवार

इस जनजाति के लोग घास-फूँस की झोंपड़ी बना कर रहते हैं। ये अपनी झोंपड़ियों को बहुत साफ-सुथरा रखते हैं। ये लोग मुख्य रूप से जंगलों में खैर के वृक्ष से कत्था (खैर) निकालने का कार्य करते हैं। सीधी, शहडोल, उमरिया, छतरपुर, पन्ना आदि जिले में मुख्य रूप से निवास करते हैं। ये बड़ा देव को अपना देवता मानते हैं।

12. भैना

इस जनजाति के लोग शहडोल, उमरिया, मंडला, डिंडौरी जिले में निवास करते हैं। भैना लोग अपने घरों की दीवारों को विभिन्न प्रकार के चित्र बना कर सजाते हैं।

13. अन्य जातियाँ

भिलाला, बियार, गोवारी, खटोला, नागरची, पाव, परधान, सरोती, सोंर, साओंता, गोपची, मोग्या, मोघिया, डामोर, दरोई, झरेका, भमिया, भुँइआर, पालिहा, पांडो, डामरिया, भीमा, भूता, काइलाभूती, भार, गट्टा, गैटा, माना, मन्नेवार, टाकिया, पथारी, सरौती, मावासी आदि जनजातियाँ मध्यप्रदेश के विभिन्न जिलों में निवास करती हैं।

लोकनृत्य

मध्यप्रदेश के आदिवासी नृत्य करना पसंद करते हैं। इनमें कई तरह के नृत्यों का प्रचलन है। नाचने-गाने के समय तरह-तरह के वाद्य भी बजाए जाते हैं जिनमें प्रमुख हैं—मांदल, नगाड़ा, ढोल, बाँसुरी, टिमकी, सिंगबाजा, अलगोझा, चिटकोरा, ढोलक, अलगुंजा, तंबूरा, चिकारा, मंजीरा, खरताल आदि। मध्यप्रदेश के प्रमुख आदिवासी लोकनृत्य निम्नलिखित हैं।

1. भगोरिया

भगोरिया नृत्य भील जनजाति का विशेष नृत्य है। फागुन माह में होली के त्यौहार से पहले भगोरिया त्यौहार मनाया जाता है, इस त्यौहार के समय भगोरिया हाट लगता है जिसमें कपड़े, जेवर, बरतन आदि सामान बिकते हैं। बड़ी संख्या में लोग इस हाट में गोदना गोदवाते हैं। भील युवक-युवतियाँ नए-नए कपड़े, जेवर पहन कर टोलियों के रूप में नाचते गाते हुए हाट पहुँचते हैं। इसी नृत्य के समय

युवक और युवतियों के विवाह तय होते हैं। इस अवसर पर ढोल, माँदल आदि वाद्य बजाए जाते हैं।

2. करमा

करमा नृत्य गोंड और बैगा जनजाति के लोग करते हैं। करमा नृत्य करते समय माँदल, ढोल और नगाड़े बजाए जाते हैं। बैगा जनजाति के लोग करमा नृत्य करते समय विभिन्न प्रकार के मुखौटे भी लगाते हैं। इस नृत्य के बारे में दो प्रकार की मान्यताएँ हैं। पहली मान्यता के अनुसार इस क्षेत्र में करमा नाम का एक पौधा होता है। इस पौधे की टहनी को जमीन में गाड़ कर उसके चारों ओर सामूहिक नृत्य करते हैं। दूसरी मान्यता के अनुसार करमा दो शब्दों से मिलकर बना है। इसमें *कर* का अर्थ है *हाथ* और *मा* का अर्थ *मुझे दो*। इस प्रकार करमा शब्द का अर्थ है कि *मुझे अपना हाथ दो और मेरे साथ नृत्य करो*। यह नृत्य एक-दूसरे का हाथ पकड़ कर किया जाता है।

3. सैला

सैला नृत्य को मुख्य रूप से पुरुष ही करते हैं। इस नृत्य में प्रतियोगिताएँ भी होती हैं। जिसमें एक गाँव के नर्तक दल दूसरे गाँव जा कर उनसे नृत्य का मुक़ाबला करते हैं। यह नृत्य गोंड और भारिया जनजाति में लोकप्रिय है। इस नृत्य के समय ढोल, टिमकी, झाँझ ओर बाँसुरी बजाई जाती है।

4. सुआ

यह नृत्य केवल औरतें ही करती हैं। इसे देवी गौरा के विवाह के त्यौहार के समय किया जाता है। यह नृत्य गोंड जनजाति में प्रचलित है।

5. बिलमा

बिलमा का अर्थ होता है अलगाव। इस नृत्य को दुल्हन के विदा होने के समय किया जाता है। इस नृत्य का प्रचलन बैगा जनजाति में है। इस नृत्य के समय माँदल बजाया जाता है।

6. दशेहरा

कोरकू तथा बैगा जनजातियों में दशेहरा नृत्य किया जाता है। इसमें ढोल की थाप के साथ नृत्य किया जाता है। ढोल को आम, सागौन या महुआ की लकड़ी से बनाया जाता है। इस पर दोनों ओर रस्सियों के सहारे बैल या बकरे का चमड़ा मढ़ा जाता है। ढोल की आवाज दूर-दूर तक सुनाई देती है।

7. झरपट

इस नृत्य में दो समूह होते हैं। ये दोनों समूह में नाचते हुए एक-दूसरे से प्रश्न पूछते हैं और उत्तर देते हैं। इस नृत्य को बैगा जनजाति के लोग करते हैं। नृत्य के समय ढोल तथा नगाड़े बजाए जाते हैं।

8. रीना

यह नृत्य केवल औरतें करती हैं। यह दीपावली के समय किया जाता है। इस नृत्य का चलन गोंड जनजाति में है।

9. गादली

यह नृत्य कोरकू जनजाति में स्त्रियों के द्वारा विवाह के अवसर पर किया जाता है। नृत्य के साथ चिटकोरा नाम का विशेष वाद्य बजाया जाता है। यह वाद्य सागौन और पलाश की लकड़ी से बना हुआ करताल जैसा छोटा-सा वाद्य होता है। इसके ऊपर के भाग में घुंघरू लगे रहते हैं। इसी ऊपरी भाग में चिटकोरा को हाथ के अँगूठे और अँगुलियों से पकड़ने के लिए लकड़ी, पीतल या लोहे का कुंदा भी इसमें लगाया जाता है। यह चिटकोरा वाद्य कोरकू जनजाति के लोग स्वयं बनाते हैं। इसके साथ ही ढोलक, ढोल, मृदंग, टिमकी, अलगोझा, बाँसुरी आदि वाद्य बजाए जाते हैं।

10. सोलो

यह नृत्य भील जनजाति में प्रचलित है। इस नृत्य के समय ढोल, माँदल के साथ काँसे की थाली, बाँसुरी, चपटा मुँह वाला अलगुंजा तथा बाँस की चिपलियों से बना हुआ कंदरिया

वाद्य बजाया जाता है। भीली बोली में बाँसुरी को बाहली कहा जाता है।

11. सैतम

भारिया जनजाति के लोग सैतम नृत्य करते हैं। इस नृत्य के समय वे ढोल, टिमकी, झाँझ, ढोलक तथा बाँसुरी आदि वाद्य बजाते हैं।

12. छेरता

यह नृत्य-नाटिका बैगा जनजाति में प्रचलित है। इस नृत्य को मुखौटा लगाकर किया जाता है। ये मुखौटे विभिन्न प्रकार के होते हैं जो लकड़ी और चमड़े के बने होते हैं। ये नृत्य लोकगाथाओं पर आधारित होते हैं। इन गाथाओं में रावण, हिरण्यकश्यप, कंस की कथाएँ होती हैं जिनमें भूत, प्रेत, राक्षसों का वर्णन होता है। यह नृत्य गोंड जनजाति में भी प्रचलित है।

13. होरोरया

यह नृत्य क्वार माह (आश्विन माह) में कोरकू जनजाति के लोग करते हैं। यह नृत्य लोक कथाओं तथा लोक मान्यताओं पर आधारित होता है।

14. सजनी

गोंड जनजाति के लोग सजनी नृत्य करते हैं। इस नृत्य के समय गीत गाए जाते हैं और नाचने वाले उत्साह से नृत्य करते हैं।

15. बिरहा

यह नृत्य गोंड जनजाति के लोग माँदल, हटमकी, सिंगबाजा, अलगोझा, तमूरा आदि वाद्य बजाते हुए करते हैं।

16. भड़म

इस नृत्य को भारिया जनजाति के आदिवासी करते हैं।

17. फाग नृत्य

बैगा जनजातियों के लोग होली पर्व पर फाग नृत्य करते हैं। नृत्य के समय बैगा पुरुष रावण का मुखौटा लगाते हैं जबकि स्त्रियाँ साही पशु के काँटों से बना हुआ मुकुट लगा कर नृत्य करती हैं। इस मुकुट को गिज्जी कहते हैं जो कि रावण की पत्नी मंदोदरी का रूप माना जाता है।

मध्यप्रदेश की अन्य विभिन्न जनजातियों में भी अनेक प्रकार के पारंपरिक नृत्यों और संगीत का प्रचलन है। जैसे—चाचरी, थापटी, ढाँढल, डोडबली, डंडानाच, चिल्लुड़ी, ठाट्या, लाहरी, चलावणी, पाली, दौड़ावणी, घोड़ आदि।

नृत्य करना मन के उत्साह को प्रकट करने का एक ढंग होता है। मध्यप्रदेश के आदिवासी भी नृत्यों के द्वारा अपने मन के उत्साह और प्रसन्नता को प्रकट करते हैं। मध्यप्रदेश के इन आदिवासियों की लोकनृत्यों के कारण पूरे देश में अपनी अलग पहचान है। इनके लोकनृत्य विदेशों में भी चाव से देखे जाते हैं।

गोंड आदिवासी और उनकी परंपराएँ

मध्यप्रदेश के उत्तरी भाग को छोड़कर बैतूल, होशंगाबाद, छिंदवाड़ा, बालाघाट, शहडोल, मंडला, सागर, दमोह, छत्तीसगढ़, सरगुजा, और बस्तर में गोंड प्रमुख हैं। मध्यप्रदेश में जितनी भी जनजातियाँ रहती हैं, उनकी कुल जनसंख्या में से आधे से अधिक संख्या गोंड लोगों की है। गोंडों के अधिकांश गाँव सड़क से दूर जंगलों में बसे होते हैं। गोंड प्रकृति-प्रेमी होते हैं। प्राकृतिक जीवन उनका आदर्श जीवन है। अभी निश्चित रूप से नहीं कहा जा सकता है कि मध्यप्रदेश के इतने विशाल क्षेत्र में ये गोंड कहाँ से आकर बसे हैं। क्रिस्टोफ वान फ्यूर मेन डार्क ने लिखा है कि—''यद्यपि द्रविड़ों का मूल इतिहास अनिश्चित है किन्तु वे भी यह मानते हैं कि द्रविड़ों का एक ही समय समुद्र मार्ग से भारत आगमन हुआ। धीरे-धीरे ये लोग दक्षिण में जम गए और वहाँ के मूल निवासी उत्तर-पश्चिम और दक्षिण भारत से मध्य भाग के जंगलों और पहाड़ियों में खदेड़ दिए गए और वे ही भारत के आदिवासियों के विभिन्न रूपों में हैं।'' इस प्रकार मध्यभाग के आदिवासी दक्षिण के मूल निवासी हैं।

उत्पत्ति

गोंडों की उत्पत्ति सम्बन्धी कई धारणाएँ, मिथक, किंवदन्तियाँ हैं। एक बैगा उत्पत्ति कथा के अनुसार—''एक तुम्बे से दो आदमी निकले। पहला बैगा हुआ और दूसरा गोंड। बैगा टंगिया लेकर जंगल काटने चला गया और गोंड ने नागर सँभाल लिया।''

''एक दिन भगवान के हाथ में फोड़ा उठा। फोड़ा बढ़ा, पका और फूटा। उससे महादेव और पार्वती का जन्म हुआ। महादेव के मूत्र से पृथ्वी पर वनस्पतियाँ उगीं। उन्हें खाकर पार्वती गर्भवती हुईं। पार्वती के गर्भ से ब्राह्मण के देवों के अठारह खलिहान और गोंड के देवों के बारह खलिहान पैदा हुए।''

गोंड कीड़े-मकोड़े की भाँति रहते थे। जो भी मिलता, खाते-पीते और पड़े रहते।

भगवान उन्हें कहीं दूर भगा देना चाहते थे। उन्होंने गोंडों की सभा बुलाई। जब सब गोंड आ गए तो भगवान ने उनके बीच एक गिलहरी छोड़ दी। गिलहरी भागते-भागते एक गुफा में घुस गई। गोंड भी गुफा में घुस गए। भगवान ने गुफा का द्वार एक चट्टान से बन्द कर दिया। बाहर एक कुत्ता और चार गोंड रह गए। वे चारों कुत्ते समेत *कांचीपुर के लोहगढ़* में बस गए। और जंगली जानवरों को मारकर उनका कच्चा मांस खाकर। अपना जीवन गुजारने लगे।

पार्वती को जब गोंडों की गन्ध नहीं आई तो वे उनकी याद करने लगीं। जब उन्हें मालूम हुआ कि उनके बच्चों को भगवान ने एक गुफा में बन्द कर दिया है तो वे बड़ी दुखित हुईं और उनके उद्धार के लिए भगवान से प्रार्थना करने लगीं। उन्होंने अन्न-जल सब छोड़ दिया और तप में लीन हो गईं। उनकी तपस्या से भगवान प्रसन्न हुए और उन्होंने वचन दिया कि वे उनके गोंड बच्चों का गुफा से उद्धार कर देंगे।

धौलागिरि पर याहिन्दो नाम का एक सुन्दर फूल भगवान ने खिलाया। उसका रंग पीला था। भगवान ने आँधी और बिजली को भेजकर फूल के गर्भ में रख दिया। फूल में से हल्दी और केसर झर-झर कर जमीन पर गिरने लगे। जमीन पर हल्दी और केसर का बिछौना बिछ गया। प्रातः सूर्योदय हुआ तो उसकी पहली किरण के स्पर्श से लिंगों का जन्म हुआ। लिंगों बड़ा सुन्दर बालक था। फूल का रस पीकर वह दिन दूना-रात चौगुना बढ़ने लगा। इस तरह वह नौ वर्ष का हो गया।

लिंगों को अकेलापन अखरने लगा। वह अपना साथी ढूँढ़ने लगा। वह एक पहाड़ी पर चढ़ गया। उसने चारों तरफ नजर दौड़ाई तो उसे *कांचीपुर-लोहगढ़* का किला नजर आया। वह पहाड़ी पर गया, जिस पर किला बना था। वहाँ चार गोंड थे। लिंगों को देखकर वे उसे मारने के लिए झपटे। लिंगों ने कहा—'मैं तुम्हारा भाई हूँ। मैं तुम्हारे पास रहने आया हूँ अब हम पाँच हो जाएँगे। हिल-मिल कर रहेंगे।' गोंडों को लिंगों की बात पसन्द आई, वे सब मिलकर रहने लगे। वे रोज नील गाय का शिकार करते और उसका कच्चा मांस खाते। कच्चा मांस खाते-खाते लिंगों का जी उकता गया। उसने कहा—'मांस यदि भूनकर खाया जाए तो ज्यादा अच्छा हो।' गोंड भाइयों ने कहा—'आग नहीं है कैसे भूना जाए।' लिंगों ने कहा—'मैं तीर फेंकता हूँ, जहाँ गिर जाएगा, वहीं आग मिल जाएगी। छोटा भाई चला जाए, आग ले आए।' लिंगों ने तीर फेंका। वह तीर *रिखड़ गवड़ी* राक्षस के खलिहान में गिरा। छोटा भाई तीर का पीछा करते हुए वहाँ पहुँचा। राक्षस खलिहान में आग जल रही थी। उसने आग उठाई और वहाँ से भागा। रिखड़ दानव सोया हुआ था। हवा से एक चिनगारी उड़कर दानव की आँख में पड़ी। वह तिलमिला कर उठ बैठा। उसने देखा कि कोई आग लेकर भागा जा रहा है। दानव उसको पकड़ने के लिए दौड़ा। राक्षस को आते देखकर गोंड ने आग वहीं फेंक दी और भाग गया। राक्षस आग लेकर

खलिहान में आ गया। राक्षस के सात लड़कियाँ थीं। उन्होंने तीर देखा तो अपने मन में संकल्प कर लिया कि जिसने यह तीर फेंका है, वह उसी के साथ अपना विवाह करेंगी।

वहाँ गोंड भाई खाली हाथ लौटा और वहाँ का सब हाल सुनाया। उसकी बात सुनकर लिंगों ने कहा—मैं खुद आग लेने जाता हूँ। और वह चल दिया। लिंगो राक्षस के खलिहान में पहुँचा। देखा, दानव सो रहा था। लिंगों आग तो ले जाना चाहता था। राक्षस आग देता नहीं, जब तक वह खुश न हो जाता। लिंगों ने सोचा राक्षस को खुश करने का एक ही उपाय है। सुरीले वाद्य के सुर में गाना। गीत राक्षस को पसन्द है। लिंगों ने वहीं खिरसारी की डाल काटकर और उसी का तार लगाकर एक वाद्य बनाया और पास ही के वृक्ष पर बैठकर बजाने लगा। वाद्य से तान निकली, उसकी आवाज सुनकर राक्षस की निद्रा टूट गई। वह धुन पर मुग्ध होकर नाचने लगा। उसकी स्त्री ने धुन सुनी तो वह भी नाचने लगीं। सातों लड़कियाँ भी नाचने लगीं। नाचते-नाचते उनका मन भर गया तो वृक्ष पर नजर डाली; वहाँ से वाद्य की धुन आ रही थी। उन्होंने लिंगों को देखा और प्यार से नीचे उतरने को कहा। लिंगों वृक्ष से नीचे उतर आया, सभी ने उसे घेर लिया।

यहाँ आने का कारण पूछने पर लिंगों ने कहा—'मैं आग लेने आया हूँ। अगर अपने खलिहान से थोड़ी सी आग दे दो तो बड़ा उपकार होगा।' राक्षस लिंगों पर मुग्ध ही था। उसने कहा—'जितनी चाहो उतनी आग ले जाओ।' लड़कियाँ भी लिंगों पर आसक्त थीं। सातों लड़कियों ने कहा—'हम सब इसके साथ विवाह करेंगी।' लिंगों ने कहा, 'मैं तो ब्रह्मचारी हूँ। विवाह नहीं कर सकता। अलबत्ता मेरे चार भाई हैं। तुम मेरे साथ चलो, मैं उनके साथ तुम्हारा विवाह करा दूँगा।' लड़कियाँ राजी हो गईं और वे सब लिंगों के साथ चल दीं। लिंगों आग लेकर अपने गोंड भाइयों के पास गया। उसने सातों लड़कियों का विवाह अपने भाइयों के साथ कर दिया। अब वे सब चैन से रहने लगे। परन्तु वे सातों लड़कियाँ तो लिंगों पर मोहित थीं। वे सूने में लिंगों को छेड़ा करती थीं। लिंगों ब्रह्मचारी था।

वह उनकी तरफ आँख उठाकर भी नहीं देखता था। इससे वे मन ही मन कुढ़ा करती थीं। एक दिन चारों गोंड भाई जंगल में शिकार को गए थे। घर सूना था। उनकी औरतों ने ठान लिया कि आज चाहे जैसे भी हो लिंगों को वश में करेंगे ही। उन्होंने लिंगों को घर के भीतर बन्द कर लिया और उससे छेड़छाड़ करने लगीं। उसे सातों ने घेर लिया और उसके कपड़े उतारने लगीं। कुछ ने अपने कपड़े भी उतार डाले, पर लिंगों का मन नहीं डिगा। वह अपने को छुड़ाकर भागा। किवाड़ बन्द थे वे अपने आप खुल गए, वह बाहर निकल गया। इस पर उन सातों ने सोचा कि यदि यह हमारे पतियों को

बताएगा तो हमारी पिटाई होगी। इससे कुछ जाल रचना चाहिए, जिससे लिंगों को ही सजा मिले। उन्होंने एक बिल्ली को घर में बन्द कर लिया और उसे पकड़ने लगीं। बिल्ली ने सभी को नोच डाला। कपड़े फाड़ डाले। अब चारों गोंड जंगल से वापस आए तो उनसे रो-रोकर कहने लगीं—आज लिंगों ने हमारी इज्जत लूट ली। हमारे कपड़े फाड़े, हमें नोच डाला। देखो हमारी ऐसी दशा कर डाली है। अपनी औरतों की बातों को सुनकर और उनकी दशा देखकर गोंडों को, लिंगों पर बड़ा गुस्सा आया। वे उसकी जान के दुश्मन बन गए। एक दिन वे लोग लिंगों को बहकाकर जंगल ले गए और चारों ने मिलकर लिंगों को मार डाला।

बहुत दिनों बाद भगवान को लिंगों की याद आई। उसने कौवे से कहा—'कागा बहुत दिन हो गए, लिंगों की कुछ खबर नहीं मिली। जाओ, देखो तो, कहाँ है? क्या कर रहा है?' कौआ उड़ा। जंगल, झाड़ी, नदी, नाला सब छानता हुआ जब वह लोहागढ़ के वन में पहुँचा तो उसे लिंगों की लाश दिखाई दी। उसने भगवान से जाकर कहा कि भगवान, लिंगों तो मरा पड़ा है। उसकी लाश लोहगढ़ के वन में है। भगवान को दया आई। कौआ को अमृत दिया। कौआ अमृत लेकर उड़ा। वह लिंगों की लाश के पास आया। मुँह पर अमृत छिड़का। लिंगों जी उठा।

लिंगों ने चारों भाइयों के साथ रहना पसन्द नहीं किया। क्योंकि वे मन के मैले थे। उसने अपने शेष भाइयों का पता लगाने की ठानी। वह उनकी तलाश करने लगा। नदी, पहाड़, खोह, समुद्र, आकाश, सब जगह खोज की, पर उनका पता नहीं लगा। वे तो एक गुफा में बन्द थे। पता कैसे लगता। इस बीच राह में लिंगों को *कुमाइन गुरु* मिले। उन्होंने कहा—'वे गोंड तो बड़े गन्दे रहते हैं, तुम क्यों चाहते हो।' लिंगों ने कहा—'वे शरीर से भले ही गन्दे हैं लेकिन मन के बहुत अच्छे हैं।' गुरु ने कहा—'तुम तपस्या करो। भगवान प्रसन्न होंगे। वे ही पता बताएँगे।' लिंगों ने गुरु का वचन माना। काँटों का बिछौना बिछाया और उस पर बैठकर तप करने लगा। लिंगों की कठिन तपस्या से भगवान प्रभावित हुए। वे लिंगों के पास आए और बोले—'तुम क्या चाहते हो? क्यों अपने शरीर

को कष्ट दे रहे हो।' लिंगों ने कहा—'मैं अपने गोंड भाइयों से मिलना चाहता हूँ।' भगवान ने कहा—'वे गन्दे हैं। उन्हें मैंने कैद कर दिया है। वे बाहर निकलेंगे तो गन्दगी फैलाएँगे।' लिंगों ने कहा—'वे मन के अच्छे हैं। मैं उन्हें ऐसी सीख दूँगा कि वे जग के पालनहार बनेंगे।' भगवान ने कई तरह से समझाया, परन्तु लिंगों अपनी बात पर अड़ा रहा। अन्त में भगवान ने कहा कि—'समुद्र किनारे बिन्दो नाम का एक पक्षी ताड़ के वृक्ष पर घोंसला बनाकर रहता है। तुम उसके बच्चों की आँख लाओ तो मैं गुफा का द्वार खोल दूँगा और उन्हें कैद से छोड़ दूँगा।'

लिंगों बिन्दो पक्षी की खोज में निकला। समुद्र किनारे पहुँचा। समुद्र किनारे एक ताड़ का वृक्ष था, जिस पर एक घोंसला बना हुआ था। घोंसले में पक्षी के बच्चे चीं-चीं-चीं-चीं कर रहे थे। लिंगों ने सोचा, यही बिन्दो पक्षी का घोंसला हो सकता है। ये बच्चे उसी के हैं। वह कहीं शिकार की खोज में गया होगा। वहीं ठहर गया। उसी समय एक *काला भंवरनाग* आया और बच्चों को खाने के लिए वृक्ष पर चढ़ने लगा। लिंगों ने नाग को देखा और सोचा यह नाग तो बच्चों को खा जाएगा, फिर आँखें कहाँ से मिलेंगी। ऐसा सोचकर उसने नाग को मार डाला और उसके कई टुकड़े करके वहीं घोंसले के एक कोने में रख दिए।

आधी रात को बिन्दो पक्षी आया। पक्षी के बच्चों ने नाग के मारे जाने का पूरा हाल बिन्दो को बताया और कहा—'यदि आज यह व्यक्ति न होता तो नाग हमें खा जाता।' बिन्दो पक्षी बड़ा कृतज्ञ हुआ। वह लिंगों के पास आकर बोला—'तुम यहाँ किसलिए आए हो।' लिंगो ने कहा—'मेरे गोंड भाई एक गुफा में बन्द हैं। भगवान तुम्हारे बच्चों की आँखों की पूजा माँगते हैं। पूजा मिल जाने पर वे गुफा का द्वार खोल देंगे। इस तरह मेरे भाई कैद से छुटकारा पा जाएँगे। इसलिए मैं तुम्हारे बच्चों की आँखें लेने आया हूँ।' बिन्दो ने कहा—'तुमने मेरे बच्चों की जान बचाई है। अपने भाइयों को कैद से छुड़ाना चाहते हो। चलो हम सब तुम्हारे साथ चलते हैं और हम सब वहीं भगवान को अपनी आँखें देंगे।'

लिंगों के साथ बिन्दो और उसके बच्चे भी

चले। भगवान के पास आए। बिन्दो पक्षी का त्याग देखकर भगवान खुश हो गए। उन्होंने आँखें नहीं लीं। वह एक परीक्षा थी। भगवान ने गुफा का द्वार खोल दिया। सब गोंड बाहर निकल आए और लिंगों के पैरों पर माथा नवाया। लिंगों ने उनका उद्धार किया था इसलिए वे सब लिंगों को बड़े भाई के रूप में मानने लगे। कालान्तर में यही बड़ा भाई गोंडों का *बड़ादेव* कहलाया। लिंगों ब्रह्मचारी है, सत्यधारी है, उपकार करने वाला है और अपने भाई गोंडों से प्यार करने वाला है। वह फूल से पैदा हुआ है। इसलिए उसका स्वभाव फूल जैसा कोमल है और फूल की सुगन्ध जैसा यश है। वह केसर और हल्दी के बिस्तर पर खेला-कूदा है, इसलिए इसका रूप सौम्य और सुन्दर है। उसने काँटे के बिछौने पर बैठकर तपस्या की है इसलिए इसकी जहाँ मानता होती है झूले के पटे पर लोहे की कीलें गड़ा दी हैं। इस प्रकार आदिवासियों का लिंगों राय देव सर्वगुणसम्पन्न माना जाता है।

नवजात शिशु का जन्म भी शुभ माना जाता है। अधिक सन्तान इनके परिवार की समृद्धि की निशानी है। गोंडों में पुत्र और पुत्री को सद्भाव से देखा जाता है।

आज गोंडों में प्रथम बार गर्भाधान के लक्षण दिखते हैं। कुलदेवी या कुलदेवता के पूजन का उत्सव मनाया जाता है। प्रसव पीड़ा होते ही गाँव की दो-चार सयानी महिलाएँ प्रसव का पूरा कार्य करती हैं। प्रसव में अधिक पीड़ा होने पर चतुर महिलाएँ कुछ टोटके करती हैं। गरुड़ को पकड़ सर्प की केंचुली दिखाने से प्रसव आसानी से हो जाता है। गोंड लोग अधिक संकट पड़ने पर ही औषधियाँ लेते हैं।

मिथ कथाएँ

जल की सतह पर एक विशाल कमल का फूल था और उस पर महादेव बैठे थे। जब उन्होंने देखा कि चारों ओर पानी ही पानी है तब उन्होंने अपनी छाती के मैल से एक कौआ बनाया और उसे मिट्टी लाने के लिए भेजा। कौआ उड़ चला और आगे चलकर

वह महान मकड़े कक्रामल छतरी के पंजे पर बैठ गया। कक्रामल छतरी ने प्रसन्न होकर कहा—चलो बहुत दिनों बाद कुछ खाने को मिला। कौए ने उत्तर दिया—काका मेरे पिता ने मुझे तुम्हारे पास भेजा है। मकड़े ने पूछा—आखिर काम क्या है? कौआ बोला—मेरे पिताजी ने मिट्टी लाने के लिए भेजा है जिससे वे धरती की रचना करेंगे।

दोनों सिंगार द्वीप पर पहुँचे। नल राजा और नल रानी के पास मिट्टी थी। मकड़े और कौए ने नल राजा और नल रानी से चाचा-भतीजा का रिश्ता जोड़ा और मिट्टी माँगी। राजा और रानी ने आतिथ्य के नाम पर दोनों के भोजन में जहर मिला दिया और मुँह में मिट्टी रखकर भागने लगे। इतने में मकड़ा जाग गया और अपने पंजे में उन्हें फँसाकर उनके मुँह से मिट्टी उगलवा ली और कौए को दे दी। परमात्मा ने इसी मिट्टी से सृष्टि की रचना की।

पहेलियाँ

आदिवासियों में पहेलियाँ बुझाना सभी का कौतूहल है। ये पहेलियों को धन्धा डालना कहते हैं। पहेलियाँ शुद्ध मनोरंजन के लिए कही जाती हैं। विवाह में दामाद की बुद्धि परीक्षा गोंड स्त्रियाँ कई धन्धा डालकर लेती हैं। यह परम्परागत रिवाज है। गाँव में अवकाश के क्षणों में बालकों, बूढ़ों और नौजवानों सभी के लिए धन्धा मनोरंजन का साधन है। पहेलियों में वस्तुओं के रूप, गुण, रंग और आकार-प्रकार का सांकेतिक वर्णन भर होता है। इन पहेलियों के उत्तर ताड़ने में पढ़े-लिखे तक पानी भरते नजर आते हैं। गोचारण के समय किसी वृक्ष के नीचे या खलिहान में रात के समय गाँव में आग तापते समय टोली बनाकर आदिवासी बालक धन्धा का मजा लेते हैं।

जरा सी लड़की का गोल पेट।
कहाँ जाएगी लड़की रतन पुरदेश
राजा बेईमान फोड़ खाही पेट। (सुपाड़ी)

या घर में आगी बरै वा घर में धुआँ। (चिलम)

इतय गई, उत्तय ताई, मसूर सो लटका गई। (ताला)

तेली का तेल, कुम्हार का हण्डा, हाथी की सूँड, नवाब का झण्डा। (चिराग)

जब मैं बारी, खूब सही मैं मार
अब तो पहिनी लाल घघरिया, अब न खा हों मार। (लाल घड़ा)

लड़का डाले लटक पटक, बुड्ढा डाले बैठ के।
जगत डाले पकड़ चुटैया, रह गई तब ऐंठ के। (पनैया, जूता)

टेढ़ी मेढ़ी लकड़ी, कंधे में लटकाय,
चरण काठ है सिर में लोहा, जीता मांस खाय। (बन्दूक की गोली)

कारी कबरी मार दारी सबरी। (बन्दूक)

परदा में पैदा भये, कर से पानी लेय।
जीयत कफन में रहे, मरे में शोभा देय। (पान)

इतनी सी वितनी, काम करै कितनी। (सूई धागा)

अंक के ऊपर पंख ज्ञानी, सूती वैधा पानी।
धन्धा ला जानन ज्ञानी मैं राज तैं रानी। (शहद)

ऊपर ताकी नीचे ताकी, कैसे के निकलो बाकी। (चिरोंजी, चार)

बिना पाँव ऊपर चढ़ै बिन मुँह आटा खाए।
मारे से तो जी उठे, बिन मारे मर जाए। (मृदंग)

अनचरों वनचरों, चरों कपोली कछार।
हरियल पेड़ में बैठते करता कौन विचार। (चिट्ठी)

यहाँ धक्का, वहाँ धक्का, बीच में बोले कक्का।
(सांकल)

नदी में बेला, टिकरा में धूल। (दिया और बाती)

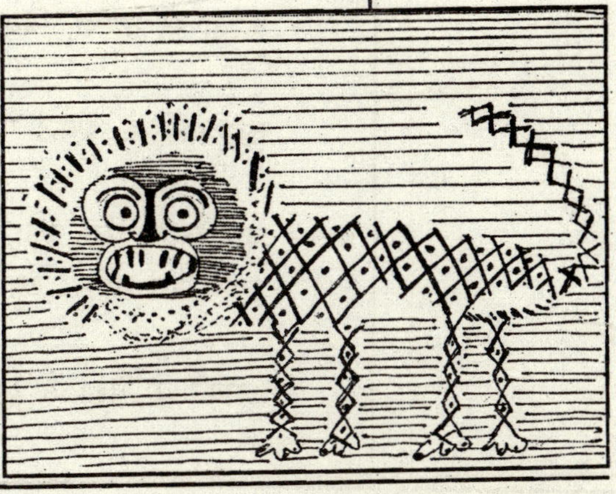

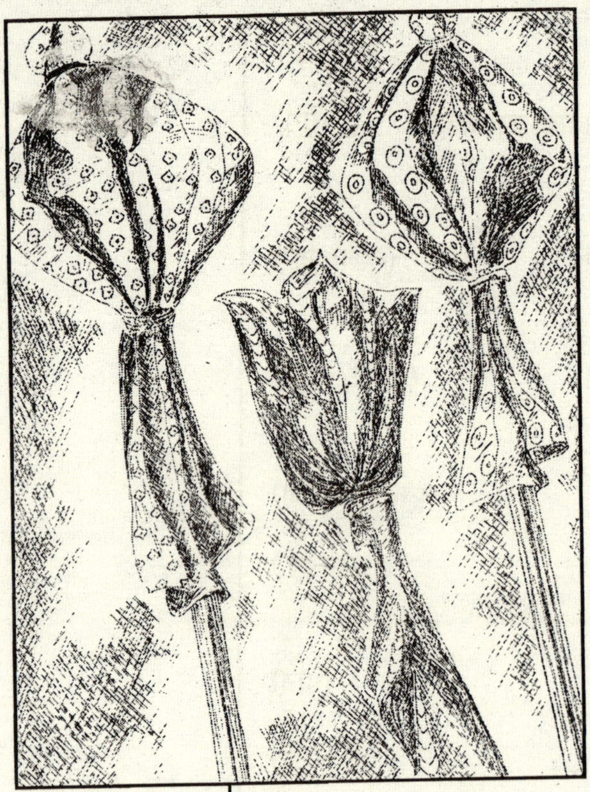

बाप बड़े बेटा बड़े, नाती बड़े अमोल।
जिनके पन्ती ऐसे भये भाजी भटा से मोल।
(दूध, दही, घी मट्ठा)

अड़ी थी खड़ी थी, पेट चीर मरी थी। (दाँतोन)

रेंचों दैंचौं तीन मूड़, दस गोड़, कहाँ ले खेंचों।(मोंट)

भीतर खुखला, बाहर आती। (ढोलक)

चारों पंडुग अंडुवा चंडुवा, चारों देश बिकाय।
राजा से जवाब करे तो पानी देख डराय। (कागज)

सोना है सुनार नहीं, गुम्मत हैं दुआर नहीं। (अण्डा)

कोदों कामी बैठ बिकानी, पाँचों पंडवा ढूँढ बिदानी।
(सोना चाँदी)

उठत में खन-खन बाजे बैठे डंक पसार। (जाल)

माटी की मट खोपड़ी दो थन की गाय।
मालिक पावै गाली बोली दूसरे लेके खाय। (शराब)

दिन भर उड़े मगर पंख न होय। (पतंग)

एक डुकरी सूखा मगर पंख न होय। (पायली)

एक डुकरिया की आँखें ही आँखें। (छतरी)

करवा के करवा, विकट बँधना, देख साजना, मोर नाचना। (कंघी)

छह भाई के, एकई पौंद। (सींका)

चार कान, सिर घड़ा, एक पैर की नार।
श्याम रंग तामश अधिक, पंडित करो विचार। (लोंग)

उसकी के थैला में खुर-खुर के बीजा। (तम्बाकू)

चार खूँट के चौतरा, हाथ भरे के डण्डा।
जब मटकाय तब करेजा कहै ठण्डा। (बिजना-पंखा)

बीच माई में खून के टीका। (टिकली)

मुँह में लगाय के, कान को ऐंठ के।
गले को दबा के, पेट को रेत के। (चिकाड़ा या सारंगी)

लाल बैला रीगत जाए, करिया बैला बैठत जाए। (आग)

आय ला जाथै अखर आय नहीं सकै। (नजर)

अलगी नवै बलगी नवै, नवै देश के राजा
कलयुग में बाजा बाजै नाचत आवै राजा। (ओले)

तोर ससुर के सौ नग गाय, रात चरे दिन बेड़े जाए। (तारे)

माँ पैदा नहीं हुई बच्चा ऊपर। (धुआँ)

रिश्ते-नाते, खानपान तथा अन्य परंपराएँ

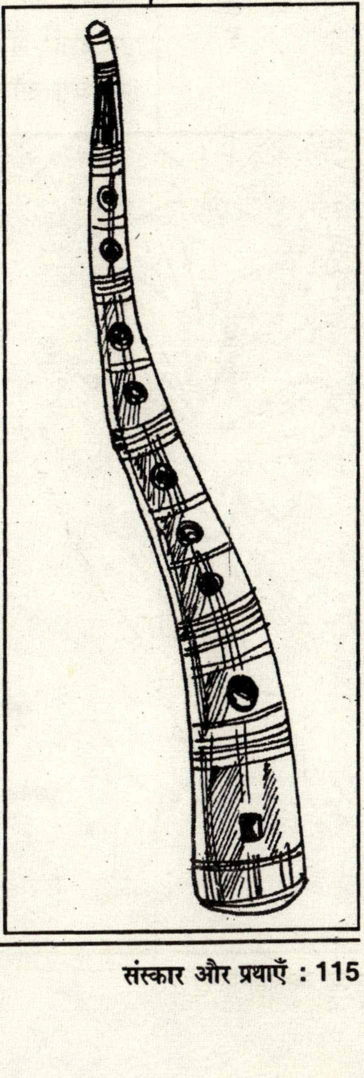

घर में सास का महत्त्व दूसरा स्थान रखता है। वह घर की मालकिन होती है। घर में बहनोई को भांटों, छोटी बहन को *बइया*, बड़ी बहन को *दीदी*, बड़े भाई को बाबू, ससुर को राऊत, सास को रऊताइन और भाभी को भौजी कहते हैं। माता पिता को दाऊ दाई, भानजे को भाँचा कहते हैं। गोंडों में पर्दा-प्रथा नहीं है। इसका कारण स्त्री का कार्य क्षेत्र घर के भीतर ही नहीं, घर के बाहर भी होता है। गोंड स्त्री सच्चे अर्थों में पति का सहचरी होती हैं। बड़ों की मान-मर्यादा रखना घर की बहू का कार्य है।

गाँव का मुखिया मुकद्दम होता है। मुकद्दम सरकार को लगान वसूल कर देता है। मुकद्दम की नियुक्ति परम्परागत होती है। पिता के बाद पुत्र मुकद्दम बना दिया जाता है। मुकद्दम ही गाँव का मुखिया या गोटिया होता है। कहीं-कहीं अन्य व्यक्ति भी गोटिया होता है। मुकद्दम की सहायता

के लिए सरकार हर गाँव में कोटवार नियुक्त करती है। सरकारी सूचनाओं, अधिकारियों के गाँव में रहने-खाने की व्यवस्था, गोटिया के सहयोग से कोटवार ही करता है। जन्म-मरण का हिसाब रखता है। चोरी की रिपोर्ट पुलिस में वही करता है। गाँव के अन्य महत्त्वपूर्ण लोगों में गुनिया, बरुआ या पण्डा होता है। समाज की बैठकों में सभी को बुलाया जाता है। सबकी राय से निर्णय लिए जाते हैं। गोंड आपसी शिष्टाचार को कभी नहीं भूलते। ब्राह्मण या बड़ों को *पाँयपरी* कहकर अभिवादन करते हैं। सम्बन्धियों तथा रिश्तेदारों को *पलागो,* सामान्य लोगों को *जयरामजी* और अधिकारियों को सलाम से जुहार करते हैं।

गोंडों के घर प्रायः मिट्टी-घास-फूस से बने होते हैं। एक झोंपड़ी या मकान बनाने के लिए मिट्टी, पुआल, लकड़ी बांस, खाई, खपरैल व छींद जुटा लिया जाता है। मिट्टी को मजबूत बनाने के लिए कोदों का पैरा या भूसा मिलाकर गूंध लिया जाता है। नींव खोदने के पूर्व गोंड नारियल, घी, गुड़ से पूजा करना कभी नहीं भूलता। एक मकान 30 से 35 फीट लम्बा और 10-12 फीट चौड़ा होता है। थूनी, मयार, थमोलवा, बंडेरी, पटौही या दाबी, मंलगा और ठाठ से पूरा घर बनाया जाता है। घर के बीचोंबीच तीन ओर कमरों में घिरा आँगन रहता है। आँगन के एक ओर लकड़ियों से घेरकर गोशाला (सार) बनाई जाती है। घर का प्रमुख द्वार फरिका साफ-सुथरा व सजा रहता है। प्रमुख द्वार ही घर की समृद्धि का द्योतक है। गोंडों में एक कहावत भी है "जेखर जहिना घर दुवार, तेखर तहिना फरिका। जेखर जहिना दाई-दादा, तेखर तहिना लरिका।" प्रत्येक गोंड मकान में एक बंगला होता है। यह एक साफ-सुथरा छोटा कमरा होता है जिसमें अतिथि ठहराए जाते हैं। मकान की दीवारों पर घर की स्त्रियाँ विभिन्न कलात्मक नोहडोरा बनाती हैं। इनमें फूल पत्ते, पशु-पक्षी की आकृतियाँ प्रमुख हैं। मकान के पीछे वाले हिस्से में बाड़ी अनिवार्य होती है।

पेज गोंडों का प्रिय भोजन है। पेज खान-पान का प्रमुख अंग है। गोंडों का सर्वाधिक प्रिय पेय दारू है। जिसे बच्चे, बूढ़े, युवक और महिलाएँ सभी पीते हैं। दारू गोंडों का संस्कार बन गई है। सगाई, विवाह और देवी-देवता की पूजा में दारू देना परम्परा बन गई है। महुआ गोंडों का महत्त्वपूर्ण भोजन भी है। महुआ को ये लोग देव अन्न कहते हैं। गोंडों

का मुख्य आहार *कोदई* या *कौंदो* का भात है। गोंड कई प्रकार की सब्जियों तथा कन्द का प्रयोग करते हैं। ये दिन भर में तीन बार भोजन करते हैं। रात्रि का भोजन सांझ पड़ने के थोड़ी देर बाद कर लेते हैं। गोंड मांसाहारी होते हैं। प्रायः सभी पशुओं तथा पक्षियों का मांस खाते हैं। मछली गोंड बड़े चाव से खाते हैं। खिचड़ी, दाल, रोटी, मीठा भोजन तीज-त्यौहारों पर बनाते हैं। पेज कोदो, कुटकी जवा, गेहूँ सावा और मकई को पानी में उबालकर बनाया जाता है। मकई का पेज सबसे अधिक स्वादिष्ट होता है। सब्जियों में लाल भाजी, राई, चेच, चना, पालक, पुरपुरी प्रमुख है। मढाही भाजी में मठा डालकर बनाते हैं। कन्द में कनिहा कांदा, कुंदरी गिठोरा, बिराइन बरहा, छिंदीकांदा, पांजर कांदा, बेचांदी कांदा आदि सुखाकर और भूनकर खाते हैं। बड़का माठा खटाई का व्यंजन है। इससे कढ़ी बनाई जाती है। अकाल पड़ने पर सेमर सरई के फूल और कठ मोहिला की छाल तक उबाल कर खा जाते हैं। सुबह हर गोंड किसान बासी भोजन कर हल फाँदने निकल पड़ता है। दोपहर में पेज पानी और रात्रि में बियारी का भात लेते हैं। मांसाहार में मुर्गी-बकरा गोंडों को विशेष प्रिय है। पक्षियों में तीतर और मोर को स्वाद से खाते हैं। चूहा, सूअर, सांभर, खरगोश, परेवा, सारस, बकुला, केकड़ा आदि का शिकार कर खाते हैं। कौआ, गीध और बाज पक्षियों का मांस नहीं खाते।

गोंड पुरुष घुटने तक की धोती बंडी, कंधे पर पिछौरा, सिर पर मुरेठा बाँधते हैं। गोंड कलाई में चाँदी का चूड़ा, गले में मोहर तथा कान में बूँदा अवश्य पहनते हैं। गोंड स्त्रियाँ छह से आठ गजी साड़ी घुटने तक काँछ लगाकर पहनती हैं। आजकल गोंड स्त्रियाँ बिना पोलका के बाहर नहीं निकलती हैं। स्त्रियों को लाल, जामुनी गहरे रंग पसन्द आते हैं।

मकान मनुष्य की प्राथमिक आवश्यकता है। सामान्य गोंड इनकी तलाश में अपना जीवन खपा देता है। गोंड पैदा हुए, तब से उसके हाथ में नागर आया है। पृथ्वी बनी, तबसे गोंड नागर चला-चला कर खेती करते आए हैं। सामान्यतः गोंड खेतों में दो फसलें लेता है सियारी और उन्हारी। सियारी धान कोदौ, कुटकी, तिलहन, रमतिला, चावल, मक्का, तिली आदि की फसल है। रबी में गेहूँ, चना, राई, मसूर अलसी आदि होते हैं। इतनी उपज लेने के बाद भी एक गोंड परिवार का साल भर गुजारा नहीं होता। उसे अन्यत्र मजदूरी करना पड़ती है। अधिकांश गोंडों के पास भूमि व बैल न होने के कारण वे हरवाही

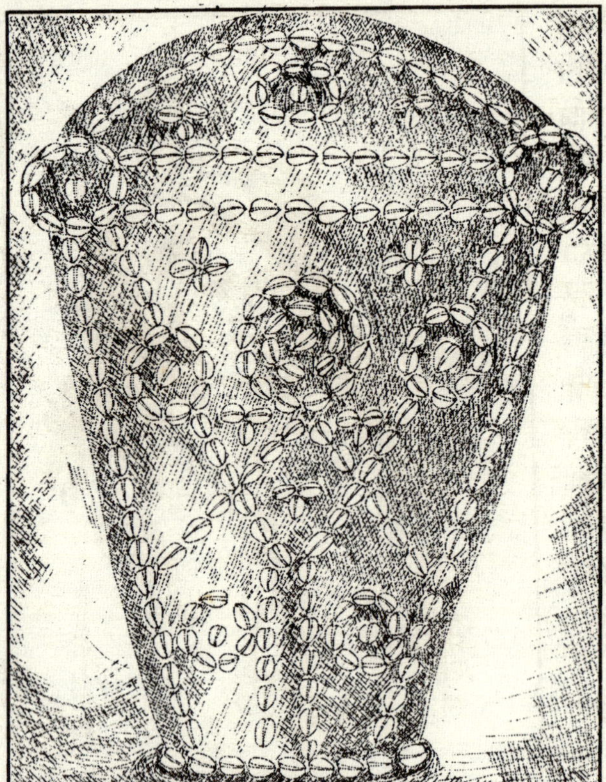

खेती करते हैं। भूमि मालिक का कर्ज सदैव चढ़ता रहता है। इस तरह पीढ़ी दर पीढ़ी हरवाही चलती रहती है। ऐसे गोंड किसान की हालत दिन-ब-दिन खराब होती चली जाती है। गोंड लोगों में बेवर खेती अब नहीं के बराबर होती है। सामान्य गोंड ऋणग्रस्त हैं। महाजन और सम्पन्न किसान हर तरह से शोषण करते हैं। सरकारी ऋण और सहायता के बीच बिचौलिए पैदा हो गए हैं। खेती ही उनकी जीविका का प्रमुख साधन है।

गोंडों की आमदनी का दूसरा जरिया वनोपज को इकट्ठा करना और बेचना है। खेती में स्त्रियाँ जितनी मेहनत करती हैं उससे कहीं अधिक मेहनत वे वनोपज इकट्ठा करने में करती हैं। चार वृक्ष से चिरौंजी इकट्ठी करना महिलाओं का प्रिय कार्य है। वे चिरौंजी बेचकर कुछ नगद पैसा कमा लेती हैं। आजकल चिरौंजी के सरकारी ठेके होने लगे हैं। सुबह से *महुआ बीनना* गोंड स्त्री-पुरुष दोनों को अच्छा लगता है। महुआ गोंड स्वयं उपयोग करते हैं, और बेचते भी हैं। लाख बीनना, बीड़ी पत्ता, मोहलाइन का पत्ता, जलाऊ लकड़ी इकट्ठी कर बेचना गोंडों का प्रमुख कार्य है, लेकिन इनसे कोई खास आमदनी नहीं होती, जिससे इनका आर्थिक स्तर सुधर सके। वन विभाग की ओर से जंगलों की कटाई में गोंडों को भरपूर सहयोग होता है। सरकार उन्हें निर्धारित मजदूरी देती है। जिससे कुछ खर्च चलता है। इसके अलावा बांस से बनी चीजें, पत्तल, दोने बनाकर और शहद इकट्ठा कर गोंड लोग पैसे दो पैसे कमा लेते हैं।

गोंडों के आर्थिक स्रोतों को देखने से यह निष्कर्ष निकलता है कि गोंड बारहों महीने आमदनी कम और खर्च अधिक होने से अभाव में जीते हैं।

गोंडों के जीवन में शिकार का बड़ा महत्त्व था और उनकी जीविका का बड़ा साधन था, परन्तु संरक्षित वन होने के कारण शिकार अब बिल्कुल कम हो गया है। शिकार सरकार द्वारा प्रतिबंधित है। गोंडों को शिकार करने का बेहद शौक है। शिकार करने की उनकी सहज कुशलता आश्चर्य जनक है। गोंड अपनी प्रकृति से ही अधिक निर्भय होते हैं। गोंडों के शिकार करने के अपने तरीके हैं। गुलेल, लासा, गोफन से ये मैना, कबूतर, लावा, तीतर, टिटहरी, गृद्ध, परेवा, नीलकंठ आदि का शिकार करते हैं और उनका

मांस खाते हैं। खरगोश को एक विशेष जाल लबेदा से मारते हैं। चिड़ियों को जाल में फँसाते हैं। गोंड बाँस, लकड़ी और सूत के सहारे कई प्रकार के फाँदा बनाते हैं। घोटरी फाँदे से हिरन जैसे बड़े पशु का शिकार करते हैं। चूहा फाँदे से चूहे का शिकार करते हैं। पाँज और चोप से चिड़ियों के शिकार किए जाते हैं। मुर्गी फन्दा में जंगली मुर्गी फँसाते हैं। बड़े जानवरों को मारने के लिए विष बुझे तीरों का प्रयोग करते हैं।

मछली के शिकार के लिए कई तरह के फंदों का प्रयोग करते हैं। मछली मारना गोंडों का प्रिय शौक है। पानी की धारा को बाँधकर, बंसी झिटका आदि से मछलियों का शिकार करते हैं। बाँस की मोरियों से मछली को घेरते हैं और हाथ से टटोल कर पकड़ लेते हैं। सन की डोर से बने हुए जालों से भी मछली पकड़ते हैं। मछली पकड़ने से गोंडों को कोई आमदनी नहीं होती। गोंड केवल मछली खाने के लिए पकड़ते हैं।

आदिवासियों के नृत्यों में स्थानीय विशेषताओं के साथ विभिन्नता मिलती है, पर सभी स्थानों में जो एकरूपता है, वह है समूह में नृत्य करना। यह नृत्य क्रीड़ा आदिवासियों ने प्रकृति से सीखी है। आकाश में उड़ती हुई कुरुल पक्षियों की कतारों ने इन्हें नृत्य में एक कतार बनाने की प्रेरणा दी है।

1. करमा नृत्य—कर्म की प्रेरणा देने वाला नृत्य है। ग्रामवासियों में श्रम का महत्त्व है, श्रम को ही ये कर्म देवता के रूप में मानते हैं। पूर्वी मध्यप्रदेश में कर्म-पूजा का उत्सव मनाया जाता है उसमें करमा नृत्य किया जाता है, परन्तु विन्ध्य और सतपुड़ा क्षेत्र में बसने वाले आदिवासी कर्म-पूजा का आयोजन नहीं करते हैं। वे अपने मन उत्साह, उमंग और प्रेरणा को पाने के लिए करमा नृत्य करते हैं। इस तरह वर्षा को छोड़कर सभी ऋतुओं में करमा नृत्य होता है। नर्तकों की वेशभूषा नित्य की पहनने की होती है।

2. सैला नृत्य—यह नृत्य केवल पुरुषों द्वारा किया जाता है। इस नृत्य में नर्तकों की वेशभूषा दैनिक वस्त्रों की तरह सादी रहती है। सिर के साफे में मोर पंख की कलंगी। हाथों में बनाया हुआ डंडा, फरसा, काष्ठ की बन्दूक, एक दूसरे हाथ में रूमाल तथा पैरों में लोहे के पैजने रहते हैं। नर्तक एक कतार में तथा

अर्द्धगोल में नाचते हैं। एक गायक गीत उठाता है और सभी उसे दुहराते हैं। जब सैला दल अपने ग्राम से दूसरे ग्राम में नाचने जाता है तो उसे गिरदा कहते हैं जो वास्तव में अंतर्ग्राम नृत्य है। आने वाले नर्तक दल का ग्रामवासी स्वागत करते हैं उसके साथ मिलकर नाचते हैं और तीसरे दिन कुछ बख्शीश देकर विदा करते हैं।

प्राचीन समय में जब यहाँ गोंड राजाओं का राज्य था, तब उनके सैनिकों की छावनियाँ पहाड़ों-पठारों पर बनी हुई थीं। गोंड सैनिक अपने शिविरों में इस नृत्य के द्वारा ही व्यायाम किया करते थे। शैल-शिखरों में नाचे जाने के कारण ही इस नृत्य का नाम 'सैला' पड़ा है। गोंड छावनियाँ टूट जाने से यह नृत्य पहाड़ों से उतरकर मैदान बस्तियों में आ गया और ग्राम में बसने वाले लोग इसे भाई-चारे का नृत्य बनाकर ग्रामों में नृत्य करने लगे और इसका नाम गिरदा रख लिया।

यह विवाह नृत्य है। महिलाएँ मंडप के नीचे खड़ी होकर बारात वालों को मीठे शब्दों में गीत के बोलों में गाली देती हैं और नाचती हैं। कोई बुरा नहीं मानता है। और गाली देने वालों को बारात वाले नेग के रूप कुछ पैसे भी देते हैं।

3. बिरहा—बारात जब दूल्हे के घर से चलती है तो रास्ते में दोहों के रूप में बिरहा गाए जाते हैं। बिरहा का विरह से सम्बन्ध है। गीतों से अधिकतर लड़की के विरह का वर्णन मिलता है, इसीलिए सम्भवतः इन गीतों को बिरहा कहते हैं। ये राह चलते गाए जाते हैं। इसमें कोई नृत्य नहीं होता। स्त्री-पुरुष बारात में चलने वाले इन गीतों को होड़ा-होड़ी से गाते हैं।

4. कहरवा—कहरवा खुशी का गीत व नृत्य है। लड़की वाले के मंडप तले जब लड़की भाँवर फिर जाती है उस समय लड़के वाले की ओर से आए हुए बाराती पुरुष और महिलाएँ, कहरवा नाचते और कहरवा गीत गाते हैं। बाराती न्यौछावर करते हैं।

5. सजनी—सजनी में गीत प्रमुख है। जब घरों में लड़की को लिवाने समधी आते हैं, उस समय घर के लोग खुशी में आकर सजनी गीत नृत्य का आयोजन करते हैं। आंगन में लोग बैठ जाते हैं और नाचने गाने वाले उन्हीं के बीच से खड़े होकर नाचते हैं। इसमें घर की समधिन अपने समधी को पकड़ कर नचाती है। यह समां सारी रात चलता रहता है।

वाद्य

गोंडों के वाद्य बहुत ही सादे और सस्ते होते हैं। ये बहुधा देहात

में ही देहाती कारीगरों द्वारा या स्वयं के हाथों से बना लिए जाते हैं। जिनकी लागत बहुत कम होती है। जिन वाद्यों में तार का मेल होता है और जो तार को छेड़कर बजाए जाते हैं, वे तन्तु वाद्य कहलाते हैं। ये वाद्य स्वतन्त्र हैं। इनके लिए सहायक वाद्य आवश्यक नहीं है।

मांदर, टिमकी, सिंगबाजा और नगाड़े ये देहाती कारीगरों द्वारा मिट्टी के बनाए जाते हैं। इनका खोल बनाकर आग में पकाया जाता है। इनके मुँह पर चमड़ा चढ़ाया जाता है जिसे चमड़े की बद्दी से कसा जाता है। सिंगबाजा का खोल लोहे का बना होता है, जिसके मुँह पर चमड़ा चढ़ा होता है जो कमर बाँधकर चमड़े की बद्दियों से बजाया जाता है। इन सारे बाजों के साथ नृत्य चलता है।

मजीरा, खरताल, ठिसकी, चुटकी, झाँझ मजीरा और झाँझ तो धातु के बने होते हैं और ठिसकी तथा चुटकी काष्ठ की बनी होती है। खरताल धातु और काष्ठ की बनी होती है। ये सब वाद्य अवनद वाद्यों की ध्वनि में ताल देने के लिए बजाए जाते हैं। इनके स्वयं का कोई महत्त्व नहीं है।

फूँककर बजाए जाने वाले वाद्यों में बाँसुरी, शहनाई, अलगोझा आदि हैं। बाँसुरी और शहनाई से सभी परिचित हैं। अलगोझा, दो-दो बाँसुरी को मिलाकर नाक से श्वाँस खींचते हुए लगातार बजाई जाती है। ये वाद्य अवनद वाद्यों के संगतकार हैं।

चिकारा वाद्य के साथ यदि ढोलक वगैरह ताल वाद्य हो जाए तो बजाने व गाने में सौम्यता आ जाती है। इन वाद्यों के साथ गीत चलता है जिसे प्रायः वाद्य बजाने वाला ही गाता है। ये वाद्य लकड़ी और तार से बने होते हैं। तार को अँगुलियों से छेड़ते हैं तो उनसे गीत के बोल निकलते हैं और गाने वाला उसी ध्वनि पर गाता है। ये वाद्य हैं—तमूरा, चिकारा और किंदरी।

स्वाँग और गम्मत

गोंडों में नाट्य या स्वाँग बहुत कम देखने को मिलता है। गोंडों के बीच जो कुछ स्वांग, गम्मत या नाट्य उपस्थित है, वह छत्तीसगढ़ के नाचा और गम्मत से आया है, इसलिए

गोंड स्वांगों का रूप और रंग नाचा से मिलता-जुलता है। शहडोल में स्वांग गीत विवाह के अवसर पर बड़हार के दिन गाया जाता है। पुरुष और स्त्रियाँ अलग-अलग स्वांग बनाकर मनोरंजन के लिए गीत गाते हैं। स्वांग का मूल उद्देश्य हास्य की सृष्टि के साथ जीवन की विद्रूपताओं को दिखाना है। ग्राम मुड़की के मिठूबक्स स्वांग के कुशल नर्तक रहे हैं, उन्होंने एक स्वांग बनाया। मंडला-डिडौरी के स्वांग के खेल प्रायः समाप्त हो गए हैं। एक स्त्री वेशधारी और दूसरा पुरुष नाचते हुए प्रवेश करते हैं गाते हैं–

रूम झुम बाजै अहो, रूम झुम बाजै।
रूम झुम बाजै, रूम झुम बाजै।
रूम झुम बाजै भाई मोर तबला चिकारा,
रूम झुम बाजै ओ ॥

संगीत और नृत्य बदलता है।

बंशी ला दैजा, कह थौ गा मुरली ला॥
हाय-हाय मुरली ला दैजा, कह थौ गा मुरली ला।
मोर वन-वन के गौआ ला चरैया, मुरली ला।
हाय-हाय वंशी ला देना कह थौ भाई।
कौन रंग कैया, कौने जो रंग बछला रे भाई॥
हाय-हाय कौन रंग है चीरवेया।
लाल रंग गैया, सफेद रंग बछड़ा गा भाई
हाय-हाय सावं रंग हवैं चरवैया रे भाई।

स्त्री पुरुष नाचने के बाद बातचीत करते हैं।

"सुनथस। काबरगा। तैं राख लेन ऽ ग, मोला गा।
काबर राख हो गा। अय राख लेन गा। नहीं राखौ गा।
सुनथस गा। बहिर नहीं आऊँगा। नहीं गा नहीं रखौग।

स्त्री नाचती है, गाती है–

मोला राख लेगा जोड़ी मोला राख लेगा।
मोला राख लेगा भैया शरन लागौं तोर।
मोला राख लेगा.........।
सुनथस ओ, का ओ। मोला राख ले ओ। नहीं रखों
तोला ओ। मोर खुशी नहीं राखूँगा।
मोला जो लाए डोला ओ पालकी।
ऐला जो लाए भैंसा गाड़ी॥
सुनथस ओ। काबर ओ। राख ले ओ। नहीं राखौगा। नहीं
राखथस तो तोला मैं पाँव पराय के छोड़ हूँ गा। कैसे परही
औरत के पाँव गा।
एक ठन डौकी के राजा कहत भैया
दो ठन डौकी के राजा कहत भैया
दो ठन डौकी के डौंक भडुवा
सुनथ गा। काबर गा। राख लेन ऽ गा। नहीं राखैग देख
लै पछतावै ग।
तोला मैं पाँव पराय के छोड़ हूँ गा।
का कारो नारीं बखत करौ तो जारी
का करो भैया मैं का करों न।
तो कस जोड़ी कहो तो मिलना।
कौन बंगला में बैठे होते न।
कतोर कस जोड़ी कहाँ तो मिलना।
के खे संग गलियाँ रेगल होवे न।
सुनथस गा। का कहथस गा। मैं तोला पाँव
पराय के छोड़ हूँ गा

दृश्य परिवर्तन—

गली साफ करो भैया, गली साफ करो।
गली साफ करो भाई रे, सर्किल साहब आने वाला है।

विवाह के अवसर पर दीवालों पर फूल-पत्ती आदि से अलंकृत करते हैं। छत के नीचे और जमीन से कुछ ऊपर दीवालों पर गेरू से मोटी बार्डर बनाने से घरों

की खूबसूरती दूर से आकर्षित करती है।

गोंड घरों के दरवाजे कलात्मक होते हैं। दरवाजे के दोनों पल्लों में चिड़िया, घोड़ा, हाथी, चाँद, सूरज, घुड़सवार, खजूर, वृक्ष, मनुष्य आदि की आकृतियाँ होती हैं। गोंड ये दरवाजे स्वयं नहीं बनाते, किसी कोल आदि कलाकारों से ऊँची कीमत देकर बनवाते हैं। अब ये दरवाजे देखने को नहीं मिलते।

. शहडोल में विवाह के अवसर पर कोहबर में चूने और गेरू से हल्का चित्र बनाने कीं प्रथा है। गोंडों में जो भी चित्र बनाए जाते हैं वे अलंकरण के लिए होते हैं। रस्सी मचिया, सुतली, कृषि यन्त्र, खुमरी, धनुषबाण, फन्दे आदि गोंड स्वयं तैयार करते हैं।

भित्तिचित्र-अलंकरण

गोंडों के घर कलात्मक ढंग से बनाए जाते हैं। गृह निर्माण कला में गोंड महिलाएँ बहुत कुशल हैं। दीवारें सीधी और चिकनी होती हैं। घर की डिजाइन चारों ओर से घिरे हुए किले के समान होती है। बीच में आँगन होता है, दीवारें स्वच्छ रहें इसके लिए छुही मिट्टी का प्रयोग करते हैं। दीवार पर भित्ति अलंकरण बनाना गोंड महिलाओं का प्रिय शौक है। गोंड अपने घरों को सजाने के लिए दीवारों पर चिड़ियों, घोड़ों, हाथियों, मयूरों, बैलों और मनुष्यों के चित्र बनाते हैं। दीवारों के किनारे-किनारे दीवार की तह से ऊँची पतली डिजाइन निकालकर उसे गेरू, कजली या नील से रंग देते हैं। दिवारों पर त्रिभुजाकार या वृत्ताकार मिट्टी की उभरी रेखाएँ बनाने की परम्परा अति प्राचीन है। इन रेखाओं में कहीं घोड़े, कहीं हिरन आदि का आकार दे दिया जाता है। एक स्थान पर नए चित्रों में साइकिल सवार, मोटर गाड़ी आदि भी बने हुए दिखे। ताकों, खूँटियों, कोठियों, पनहर पर अलंकरण करने से गोंड कभी नहीं चूकते हैं। इन आकृतियों को गोंड चीन्हा कहते हैं। चीन्हों को सफेद, काली, पीली, लाल मिट्टी से रंग देते हैं। कहीं-कहीं मुख्य दरवाजे के चारों ओर दो-तीन रंगों से विभिन्न अलंकरण कर देते हैं। दरवाजा भी उसी से रंग देते हैं।

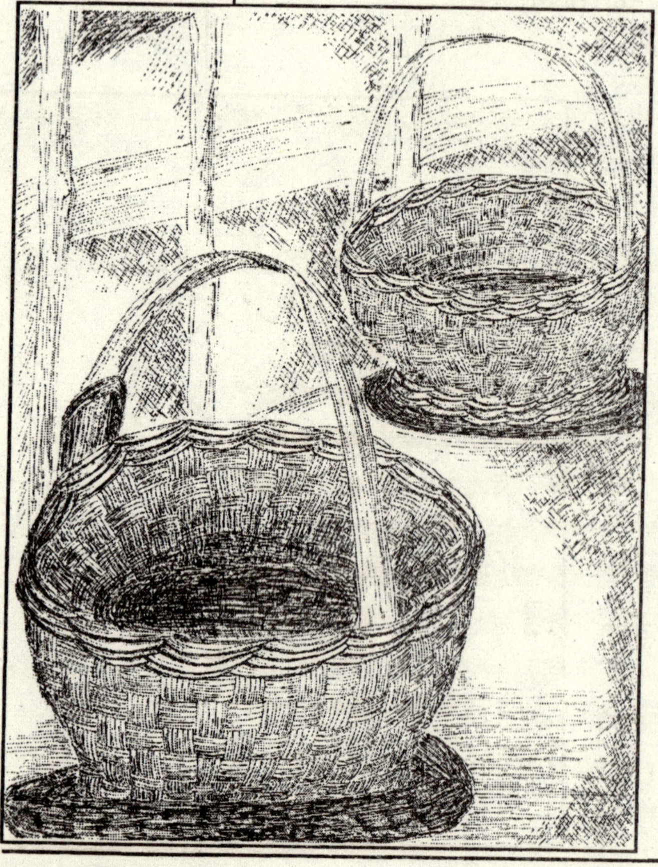

गुदना

गोदाना गुदवाने के पीछे यही भावना है कि ये स्त्री के सच्चे जेवरों की निशानी है, जो मरते समय भी उसके साथ जाती है और देवता इससे प्रसन्न रहते हैं। गोदने शरीर को सुन्दर और स्वस्थ बनाते हैं। इस तरह की धारणा प्रत्येक आदिवासी में देखी जा सकती है।

गोंड, बाँह, हाथ, पोंहचा, गले, छाती, मस्तक, पैर आदि शरीर के विभिन्न भागों में छः-सात वर्ष से गुदवाना शुरू करते हैं। बैतूल में सबसे पहले भृकुटी पर अर्धचन्द्राकार आकृति गुदवाई जाती है। मंडला में सबसे पहले पोंहचा गुदवाते हैं। चेहरे पर बाईं आँख और गाल पर टिपका गुदवाया जाता है। नाक पर तीन टिपका गुदवाते हैं। फिर बाँह आदि पर गुदवाने का क्रम जारी रहता है। छिन्दवाड़ा-बैतूल जिले के गोंड जाँघ से लगाकर पैर तक गुदवाते हैं। मंडला के गोंड केवल पैरों के गोड़ में गुदवाते हैं। शरीर पर गुदने धारण करना महिलाओं के लिए सौभाग्य की बात होती है। गोंड पुरुष कम गुदने गुदवाते हैं।

महिलाओं के गुदनों में कई रूपाकारों का समावेश होता है। बाँह, छाती, मस्तक, पोंहचा आदि पर अलग-अलग तरह के परम्परागत गुदने होते हैं जिन्हें उन्हीं जगहों पर गुदवाना अनिवार्य है।

गोंड और बैगा में गुदने बादी जाति की महिलाएँ गोदती हैं। बदनिन का गोंड-बैगा समाज में बड़ा सम्मान है। गुदवाने के लिए बदनिन को आमन्त्रित किया जाता है। नेग दिया जाता है। कभी-कभी बदनिन स्वयं गाँवों में फेरी लगाती है। गोदाना के बदनिन

पाँच रुपये से लेकर पचास रुपये तक मोल-भाव करती हैं। ऊपर से बिदागी भी प्राप्त कर लेती हैं।

गुदने की स्याही बदनिन स्वयं तैयार करती हैं पहले रमतिल को भूज लेते हैं। भूजने से रमतिल का लोंदा बन जाता है, लोंदे को खपरैल में जलाकर काजल बना लिया जाता

है। पानी में काजल को फेंटकर गाढ़ी स्याही बना ली जाती है। काजल से पहले शरीर पर जो आकृति गोदना हो उसे बना लिया जाता है। फिर गोंडों में तीन से पाँच के समूह से काजल स्याही में डुबो-डुबो कर बनाई हुई आकृतियों पर चुभाते चले जाते हैं। गुद जाने के बाद गोबर और पानी से शरीर को धो दिया जाता है। इससे गुदना पकता नहीं है। गुदवाते समय लड़कियों को काफी दर्द महसूस होता है। कुछ ही दिनों में शरीर पर ये अमिट निशान बन जाते हैं और पूरी जिन्दगी गोंड एवं अन्य आदिवासी महिलाओं के शरीर पर जगमगाते रहते हैं। सबसे अधिक कठिन गुदना छाती का होता है। चाहे जितना कष्ट हो, गोंड अभी भी इसे इसी परम्परागत ढंग से गुदवाते हैं।

शरीर के विभिन्न अंगों के नाम से गुदनों को पुकारा जाता है जैसे पहुँचा गुदना, गोंड गुदना, बाँह गुदना, छाती गुदना आदि शरीर के विभिन्न अंगों में गुदनों की आकृतियाँ एक सी होती हैं। हर अंग पर अलग-अलग रूपाकार गोदे जाते हैं।

बाँह पर धन्धा, माछी, मुरगा, दोहरी जोहरा, घोड़ा, फूल, सीताफल, बिरछा टिपका, चूल्हा आदि। पोहचा में बिरछा, पोथी, अद्धा, करलिया, आदि छाती पर पुतरिया, टिपका, गोड़ में घोड़ा, मुरगा, पुतरिया, फूल मुरला पोथी, बिछी आदि परम्परा से बनाए जाते हैं।

वाचिक-परम्परा

गोंडी बोली

गोंड शब्द तेलुगू के गोंडा या गोंड से आया है। जिसका अर्थ होता है पर्वत। अर्थात् पर्वत पर रहने वाले गोंड कहलाए। गोंड जिस बोली या भाषा का प्रयोग दैनिक जीवन में करते हैं, वह गोंडी कहलाती है। गोंडी द्रविड़ परिवार की मध्यवर्ती वर्ग की भाषा है। छिंदवाड़ा, सिवनी, बैतुल, होशंगाबाद, पूर्व निमाड़ और बालाघाट के गोंड लगभग शुद्ध गोंडी बोलते हैं, परन्तु मंडला-शहडोल रीवा में गोंडी का वह रूप नहीं दिखाई देता।

मंडला की गोंडी शतप्रतिशत रूप से छत्तीसगढ़ी से प्रभावित है। बल्कि यह कहना अत्युक्ति नहीं होगा कि मंडला के गोंड छत्तीसगढ़ी बोलते हैं। शहडोल और रीवा की गोंडी में बघेली का अत्यधिक प्रभाव है।

गीत कथाएँ

गोंडों में गीत कथाएँ परधान गाते हैं। गोंडों में कथा गाने की परम्परा नहीं है। लेकिन परधानों द्वारा गाई जाने वाली कथाओं के परम्परागत श्रोता गोंड हैं। यह एक अनुष्ठानिक कर्म है। परधान गोंडों के लिए गाता है। रात्रि में दसौंधी बाने के तार साधता है। अपनी तान छेड़ता है। गोंड परिवार एवं गाँव के नर-नारी, बाल-वृद्ध रात्रि भर दसौंधी की कथाएँ सुनते हैं। कथाओं के बीच में हास्य कथाओं का पुट भी रहता है। ये गीत-कथाएँ अपने ढंग की होती हैं। इनकी पृष्ठभूमि रामायण, महाभारत और गोंड कथाएँ हैं। लेकिन कथा प्रसंग, पात्र बिल्कुल अलग अनूठे और काल्पनिक हैं। इनके कथा प्रसंगों का उक्त ग्रन्थों से कोई सीधा सम्बन्ध नहीं है। इन ग्रन्थों से पात्रों के नाम जरूर लिए हैं लेकिन इनकी कथा के राम, लक्ष्मण, सीता और भीम, अर्जुन इनके अपने बीच के पात्र हैं। रामायणी में राम को महत्त्व न देकर लक्ष्मण को नायक माना है। रामायणी में लक्ष्मण के सात विवाह होते हैं। लक्ष्मण ने लमसनाई भी की है। लमसनाई गोंडों की परम्परा के अनुकूल है। इसी प्रकार पंडवानी में भीम को ज्यादा महत्त्व दिया गया है। गोंड शक्तिशाली होते हैं। डील-डौल और पौरुष को अधिक पसन्द करते हैं, इसलिए अर्जुन की अपेक्षा भीमसेन को पंडवानी में प्रधानता मिली है। गोंडवानी में पेमलशाह हिरदे शाह, बैहामारी हीराखान क्षत्रिय राजाओं को वीरता का वर्णन है, परन्तु वह उनके अनुकूल है।

दसौंधी जजमान की इच्छा अनुसार कभी रामायणी गाता है तो कभी पंडवानी और कभी गोंडवानी गाता है। तीनों गाथाएँ अत्यधिक लम्बी हैं। पूरे अंश यहाँ देना सम्भव नहीं है। मैंने तीनों

गीत-कथाओं को लिपिबद्ध सन् 1964 में किया है। जिसे तीन अलग-अलग भागों में आदिम जाति अनुसन्धान एवं प्रशिक्षण संस्थान छिंदवाड़ा ने प्रकाशित किया है। यहाँ तीनों गाथाओं के प्रमुख अंश उद्धृत हैं–

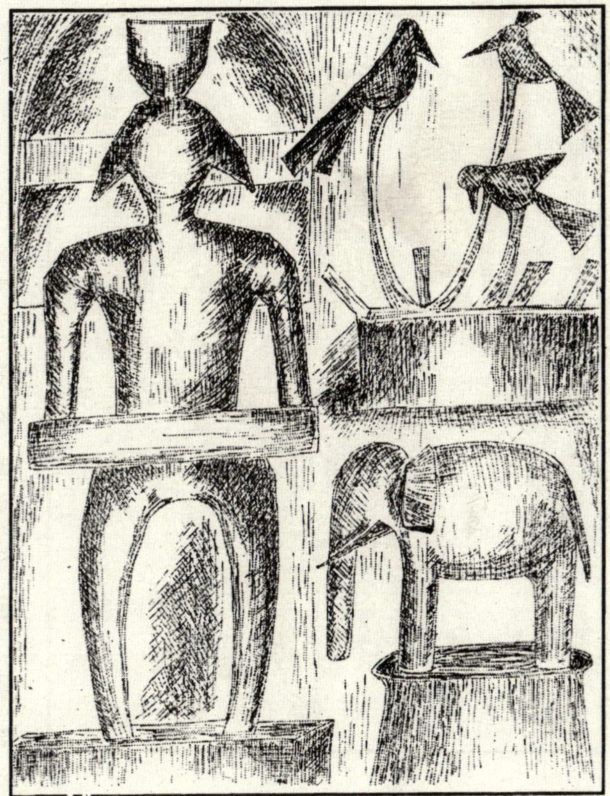

पक्का-पक्की बात भै गै रै भाई।
दवता मन गवाह भै गैन भाई।
लक्षमन चले हैं रे दादा लमसनाई।
जीतन चले हैं लमसनाई रे दादा।

लछमन बासुक राजा के घर मा लमसनाई जीत रहे हैं। हो ऽऽऽ टंगिया धरके डोंगरा जाए रहे हैं। लकड़ी काट के लाय रहे हैं। खटिया लाय रहे हैं। बारी गूँध रहे हैं। खेत जोत रहे हैं। बैल चराय रहे हैं। खेत रखाय रहे हैं ससुर के घर सब काम कर रहे हैं।

पंडवानी

पंडवानी पांडवों की कथा है। यहाँ पंडवानी का नायक भीमसेन है। यहाँ एक छोटा अंश उद्धृत है। अर्जुन गाय चराने जाते हैं। परन्तु वे अच्छे घास में नहीं ले जाते हैं इसलिए गायें दुबली होती जाती हैं और दूध भी कम देती हैं। भीम को यह बात खलती है। वे स्वयं एक दिन गायों को चराने ले गए। अच्छे घास के मैदान में गायों ने भरपेट चारा चरा और घर आईं। उस दिन दूध भी खूब दिया। भीम की माता कोतमा ने भीम की सराहना की। उसी समय एक गाय सार से निकली और छप्पर के ऊपर छाई हुई सूखा घास खाने लगी। भीम की माँ ने कहा–बेटा तू तो कहता था आज गायों को तू भर पेट चराकर लाया है। फिर यह सूखा घास क्यों खा रही है? भीम को गुस्सा आ गया है। उसने एक मुक्का गाय के मुँह पर मार दिया–जिससे उसके ऊपर के दाँत झर गए। गाय को उसने श्राप दिया–तेरे ऊपर के दाँत कभी नहीं होंगे और तू चाहे जितना चरे, छप्पर का सूखा घास जरूर खाएगी। तब से गाय के ऊपर के दाँत नहीं होते।

कैसे देखे हैं भिम्मा गोरू और छेरिन ला रे भैया।
कहसे दूबर पातर मरन जोग भै गैय हैं भाई।

कैसे एक-एक पाजंर दिखाय रहिन हैं दादा।
या अर्जुन खेल मा भुलाए रह थैं।
गौरून के कहूँ फिकर नहीं करे रे भाई।
अब लै गैन हैं भिम्मा गोरून ला
कजरी वन दहनारा चराय ला हो।

हो ऽऽऽ सफ्फा ढोर दुबाराय गैन है। सात लाख गोरू, नौ लाख छेरी, मरन जोग भै गैन हैं। सोच थै भिम्मा या अर्जुन करिया पटवर मा ढोरन ला बैठार दथै और अपन टूरन साथ डण्डा-डहोरी खेल मा भुलाए रह थै। सफ्फा ढोर मरन लायक भै गेन हैं। आज चराए रहे हैं। भिम्मा ढोरन ला हो ऽऽऽ।

लोक कथाएँ

गोंड लोक कथाओं को किस्सा कहते हैं। गोंड लोक में कई किस्से कहानियाँ फैली हुई हैं। मंडला, शहडोल, बैतुल आदि अंचलों के गोंड और बैगाओं में प्रायः मध्यप्रदेश (Central India) की कथाएँ प्रचलित हैं। अलिखित होने से इन कथाओं में आंचलिक विशेषताओं का समावेश स्वाभाविक है। फिर भी कथाओं का पारम्परिक रूप बहुत कुछ मौजूद है। पौराणिक आख्यानों और नई सभ्यता का प्रभाव इन कथाओं पर अवश्य पड़ा है। इन कथाओं में आदिवासियों की भोली कल्पना की उड़ान के साथ उनके रीति-रिवाजों, धार्मिक विश्वासों, देवी-देवताओं और परम्पराओं का समावेश सहज रूप से देखा जा सकता है। आदिवासी जीवन और संस्कृति का जैसा सर्वग्राही उनकी कथाओं में दिखाई देता है वैसा अन्यत्र दुर्लभ है।

सहज विश्वास और सत् परीक्षा की छोटी-सी मिशाल इस लोक कथा में द्रष्टव्य है।

एक डोकरा रहे। एक डोकरी रहे। डोकरी रोज दिन शिकार खेलने जाए करे। डोकरी तीज घर में रहे करे। एक दिन डोकरा खरहा लान थै। डोकरी कहैं थै का करे डुकरा? भाई मैं तो शिकार पाए हों, खेदा करे गये रहे हों। डुकरी बड़ी खुशी हुई। कहन लगी जल्दी काट भुंज डोकरा। डोकर काटै भुंजे लागिस और डोकरी झट जुवार निकार के दराई दर के भात राँध डारेस। जब भात राँध के रीते थै, तब डोकरी कह थै—डोकरा मैं तलावा हो आऊँ, नहा आऊँ डोकरा कहिस थै। हो भाई जा। उतना मा डोकरी के आवत-जावत

भर में डोकरा खा-पी के अलग हो जाए थै। डोकरी आवत है, देखत है। उहाँ कछु नहीं। डोकरा कहै थे डोकरी तैं तो बड़ा गड़बड़ कर देय। कहै डोकरी में नहीं खाए आ हूँ। कहै हिं डोकरा नहीं खाए हैं डोकरी सच्ची। डोकरी बौले थै चल भाई तलाव में चली किरिया करन खौं डोकरा कहै थे–हौ चल। एक खड़िया झींकत थै और तलवा में जाकै, बीच तलवा में खड़िया ला गाड़ के लगै डोकर किरिया कर। नहीं डोकरी आगे तू चल।

डोकरी बोलै थै खरिया में खड़ी होकर–

"मैं खायौ लमहा शिकार,
जुवार का भात।
तुरही के रूठने
धर मंगरा गप्पने।"

डोकरी रहै उतर जात है। डोकरी कहत है डोकरा अब तै चढ़।

डोकरा चढ़ता है।

मैं खायों लमहा शिकार,
जुवार के भात।
तुरही के रूठने
धर मंगरा गप्पने॥

झींकी रहे टूट जाता है। डोकरा पानी में गिर जाता है। मगरा डुकरा को पकर लेता है और पानी में भाग जाता है।

डोकरी की अब रूआई पड़ी-का बताऊ डोकरा मोर नीक कपड़ा नहीं लै रहे डोकरा। आज तो तैं खत्म हो गए डोकरा।

गोंडवानी–गोंडवानी में वीर राजाओं की वीर गाथाएँ गायी जाती हैं। ये गोंड क्षत्रिय किसी इतिहास के पात्र नहीं हैं ये पात्र उनकी कल्पना के हैं और उसकी गाथाएँ भी कल्पना की उपज हैं। कुछ पात्रों के नाम इतिहास में मिलते हैं जैसे पैमल शाह, हिरदे शाह परन्तु उनके चरित्र मनगढ़ंत हैं। गोंड राजाओं की कथा में शृंगार और वीरता का बखान अधिक रहता है।

घोड़े का शृंगार–चारों पाँवों में नेवरा, नेवरा ऊपरा झंवरा, गिन गिन पुट्ठे में हीरा बिजली दै सिंगोरा, चन्दा सूरज मनियारी सोने की डुमची, चाँदी के पलैचा, सोने की करिहारी, नौलाख के हार, पाँच लाख की बिन्दिया, छः लाख की मनिहारी, रूपे के रकाब, रेशम के कसना, मोतीचूर की कलंगी, एक-एक रोया में हीरा गुँथे हैं, राजा होवै थैं असवार हो।

शहडोल क्षेत्र में पौराणिक आख्यान को आधार बनाकर पूरी कथा को पद्य में रच

लिया गया है। श्रवणकुमार की कथा के कुछ अंश यहाँ प्रस्तुत हैं—

केखरे जलम भै, ओलिया रे कोलिया।
केखन जलम भै माँझे अँगना, गोई साजन।
गऊ जमल भै, ओलिया रे कोलिया में।
पंडौ जलम भै, माँझे अँगना, गोई साजन।
हर्रा बेहरा तरी, परिगै मेलान।
कुसा कटइया के बिछना बिछै हैं।
कंड बिनैया बिन धूनी लगै हैं।
कांदा कोड़इया, कोऊ करै आहार रे।
तुम्मा औ लड़की ले जल भरन गई।
अन्तरे हैं दसरथ बैठे हैं मचान, गोई साजन।
भुक-भुका, भुक-भुका तुम्मा बजत है,
कट-कट-कट-कट खींचे हैं कमान गोई साजन।
मारे हैं दसरथ भइने अपन का
मार दिए भइने अपनका, गों साजन
राम रमइया करके गिरे हैं श्रवने।
धोखे माँ मार परयो भइने अपन का गोई साजन।

ददा। देख ही कहत आदमी के कैसे हो कहथै या लड़की। उतने में ब्राह्मन भी घबड़ा गए। सोके ऊहा से गेस सबेरे उठके राजा के पास। कहै का कहिस तोर लड़की। ता हौ कहिस सी राजा साहेब। कहथै जहाँ इन्दर नाच हो तौ कौहा के पेड़ के नीचे वहाँ अन्दर बाहर जाके देखहि तब फिर शादी करा हूँ, कही सी।

राजा साहेब वहाँ जाके देख तो नाच हौवे। नाच होते-होते राजा खुशी हो गया। फिर बिहान भये। ब्राह्मन कहे का का देखे राजा साहेब। कह थै महाराज। कहें नई अच्छा-अच्छा नाच हवै महाराज उन्हौ लरकी कहैथे आज फिर जाही महाराज। तब शारी कराहूँ। फिर गेस ता ऊपर चढ़ी जाहीं जहाँ भगवान के रथ जाथै। राजा रथ ला पकड़ के ऊपर गेस। चढ़के देखै तो दानिया राजा केर मकान तैयार रहै। तब मिस्त्री से पूँछत भाई मिस्त्री या केखर मकान बन रही से। कहथै या दानिया राजा केर बन रही सी।

फिर उन्हाँ से आगे तो महाराज पूछथै कौन-कौन चीज देखैं राजा साहेब। कहै भाई अच्छा मकान दानिया राजा क बन रहा है। बाह्मन की लड़की ने एक बार फिर राजा को भेजा। राजा गया। देख मकान टूट रहा है। मिस्त्री ने बताया कि राजा महाराज की लड़की के साथ शादी कराए तेन ओखिर माया भग दैइस। राजा मिस्त्री से पूँछ थै कि

या मकान कैसे मा रुकी भाई तो मिस्त्री बताई थै कि राजा गरीब बाम्हन के लड़के के साथ महाराज की लड़की की शादी करादें तब मकान रुकहीं। तब राजा यहाँ उन्हाँ से आकर लड़का ढूँढके महाराज की लड़की की शादी कर दईस।

जन जीवन का ऐसा कोई पहलू नहीं है जो आदिवासियों की कथाओं में अवतरित न होता हो। पारिवारिक ईर्ष्या का जितना सुन्दर वर्णन प्रस्तुत लोक कथा में किया गया है उतना और कहीं मिलना कठिन है। बहू की सहजता और सास की क्रूरता का इससे अधिक अच्छा चित्रण नहीं हो सकता।

एक डुकरी रहै। वोका एक लड़का रहै। वा लड़का अपना लाद-व्यापार करत रहै। कुछ दिन के बाद बस्ती वाले कहे थै की अब भाई लड़का की शादी करादी जाए। डोकरी कै थे हो हों भाई अब मैं शादी करत हों लड़का की। कुछ दिनों के बाद लड़के की शादी हो गईस। जब लड़का की शादी कर देय थै। महीना एक लड़का रहिस घर में फिर अपन लाद व्यापार को चल देय थै। डुकरिया का नाम करै थे बहू खों को जितना चीजा-बसन पहने रहे गना, जेवर लहँगा लुगरा वो सब उतरवाय के रथ लेथ थै और बहू को अतना दुख लेन लागिस। अपन अच्छा दाल चाँवल मसके और बहू को पेज पियाय करे। बहू को बहुत दुख देन लागिस डोकरी। लड़की या सोचे थे की अगर मैंके चलके जाए थैं तो बाप-महतारी के बदनाम होहीं। बिहाने लिवाए के लाने तो फिर मारपीट करी मोहीं। सोचे के लड़की नहीं भगी। एक दिना डोकरी गाय मिलाने को बारह बजे ले जावै लगी तो कोई एक काला साँप रास्ते पर मार के फेंक दे थे रहे तो डोकरी उसे लाठिया में उठाके घर लै आवे थै। घर में लाने के बाद उसे

मछली कस जूठी-मुठी काट के थाली में रख के भीतर ले जात है। जब भीतर ले के धरेथे तब बहू को बुलाईस कि आ-बहू। बहू भीतर चली गई। जब चली जात थै तब डुकरी झट से दरवाजे में आ के बैठ जायै थै तब बहू तो भग नहीं सकत है। तब का बोले थै बहू खों वा—

"झिंकी लैहाँ बहूरानी मछरी के खंडा।
छौंकी लैहाँ रे।

सुनकर बहूरानी का जवाब देय थे—

आज दिना सास मोरी भाजी न पकवावें राम,
आज काहे रे।
मछली पकवावै राम
आज काहे रे

सोचीस अगर आज नहीं पकावत आहूँ तो बिहाने आही मोर धनी तो सुनियत मोला मारहीं। पकाइस मछली खों। पकाइस के जब रीत थै—आदिवासियों की कथा शैली सर्वथा सहज और सुबोध है। जिस प्रकार का भाव होता है उसी प्रकार की बोली का प्रयोग करते है। इससे श्रोता के मन-मस्तिष्क पर सीधा प्रभाव पड़ता है। शहडोल जिले में प्रचलित एक लोक कथा का कथ्य ध्यान देने लायक है।

एक रहिस बधवा। एक रहिस सिकटा। ऊँ हूँ दोऊ जोटाईन सखी। दूनों झन अपन अपन बारी माँ बोझन उख। जब पक के तइयार होइस ता सिकटा हरे करिन हुसियारी। सिकटा (सियार) कहिस, मामृ तरी-तरी के हम लईल्यों, ऊपर-ऊपर के तैं लइले। बघवा हिस हौ। त बघवा रहे त ऊपर-ऊपर कै काटिस अऊ तरी-तरी के काट लिंहिस सिटका। अऊ काट के करिस के बनाइस गुड़ अऊ धर दिहिस। ओहिब खेत माँ फेर बोईन गोहूँ। त गोहूँ जब पाक गीस त सिटका फेर हुसियारी करिस। उवा कहिस कि सीख या दफे खाले-खाले के तुम ली है रहा, अऊ ऊपर-ऊपर के हम। बघवा कहिस हौ। त सिटका रहिस त ऊपर-ऊपर के काट लिहिस बालै बाल अऊ बघवा रहिस त तरी-तरी के काटिस डेहरा। दूनो झन गई अपन-अपन घरै। एक दिन ऊ नेउता करिन गोरूवा चरैया अहिरा। के उवा आइस बघवा के घरै। बघवा बनायै रहिस भूसा के रोटी और पनचुरवा गुड़। अहिरा कोड़ी के जर माँ बैठ रहै त बस रोटी ओही माँ नाथ दिहिस। पुन गए सिटका के घरै। उहाँ अच्छा रोटी पाइस, अऊ अच्छा गुड़ व उहाँ टोटा आऊ ले खाइस अऊ कहे लागिस सिटका के मीट रहै, बघवा के नई। बघवा सुन पारिस अऊ धउरिस। एक ठ बर के पेड़ रहिस त अहिरा ओहिच माँ चढ़ गईस, और बंसी बजावै लागिस त ओखर एक लाख सुरही गाय आईन बघवा इनका मारिडारिस अहिरा अपन घर चल दी हिस।

किस्सा रहिस ता बुताय गय। (शहडोल जिले के आदिवासी : एक सर्वेक्षण से उद्धृत।)

गोंडी कथाओं में राजा रानी, ब्राह्मण, किसान, बूढ़ा-बूढ़ी, पशु-पक्षी पहाड़-नदी, पेड़ पौधे, फूल-पत्ते, हवा-पानी, देवी-देवता, आदि सभी को अपने गुणों के आधार पर पात्रों के रूप में वर्णित किया जाता है। इन कथाओ में केवल हास्य व्यंग ही नहीं बल्कि मानवीय आदर्शों का पूरा-पूरा ध्यान रखा जाता है।

डिण्डौरी के आस-पास इस प्रकार की एक कथा जगतलाल पटेल से मिली है–

'पहले एक गरीब ब्राह्मण रहै। बाम्हन व मुट्ठी मांगै। मुट्ठी माँगते-माँगते अपने बाल-बच्चों का पालन करै। ऐसा करते-करते बहुत दिन हो गईस। एक दिना रास्ते में नाऊ जाए, दानिया राजा के पास, बाल बनावा खौं। रास्ता में दोनों से भेंट भै गई। कहने लगा–महाराज कहाँ जाए रहे हो। कहाँ–मुट्ठी माँगन जायथों खवास। कहौ भाई–किना पा जात हो दिन का। भाई बालै-बच्चों के लायक पाते हौं, ज्यादा तो नहीं। प्रतिदिन मोर ये हीच धन्धा है। तै दानिया राजा के पास जा। तोर अच्छा हो जाहीं। दलद्दूर दूर हो जई। कहैन भाई खवास नाराज हो तो न होय भाई। कहै नहीं भाई तो दान देकर बिस्तर से उठता है।

बाम्हन महाराज गए सकारे राजा के पास। 'मिलै दान' कहके बैठ गया राजा ने उठके हुआ ते फेर दान दै सो। दान देन के बाद सूपा भरी सोन देईसी। फिर लान के अपन घर में। महाराजन कह थे आज तो खूब लम लाने हो महाराज कहै आज बहुत खुशयाली है। आज गये रहौ दानिया राजा के पास। जा पड़ोसन के पास से कुड़ी लान। नाप। जब नापित ते एक कुड़ी सोन निकलिस। फिर बिहान भये फिर गईस राजा के पास। कहिस मिलै दान कहथै फिर दान दैस। बाद में फिर ख्वास गैस। राजा साहब पूछते का है रे ख्वास। कहै महाराज की तो अच्छी लड़की है। तोरे बाल बच्चा नहीं आय, शादी करले। महाराज गैस हो कहै–महराजजी तोरे पास सुन्दर लड़की हवै। मैं शादी करलौं। वा हौ करिस न नाहीं। वाह आ गए। महाराज अपन घर में चिमाने बैठिस तो लड़की कह थे कैसे ददा आज घोपाल जैसे बैठे

हो। कहै-बाई वा राजा साहिब कहिस-तोर लड़की से शादी करहौं तो हौ कह दे न

"चीखीं लैहों बहूरानी मुसटी की रोटी पकाई ले हा रे।
बहूरानी मुसटी की रोटी पकाई ले हा रे।

लड़की का जवाब देय थै ऊहाँ से–

आगेदिना सास मोरी पेज न बनवावै राम,
आज काहे रे।
रोटी पकवावै राम
आज काहै रे।

बना डारिस रोटी तब डोकरिया बोलिस–

चीखीं लैहैं बहूरानी मछरी का खंडा,
चीखी लैहे रे।
बहूरानी मछरी के खंडा, चीखी देखो रे।

लड़की का जवाब दे थै उन्से–

आगे दिना सास मोरी भाजी न चिखावैं राम,
राज काहे रे।
मछली चिखावें राम, आज काहे रे।
बहू निकार के चीखित मछरी के खंडा। सांप के मूड आ गए
मुँह में। जब खाके रीते थै तो विष समाय जात है। तब

लड़की का बोलै थे उहाँ पै–

खात खनीं नोनी लागिस अखियाँ घुमावे राम,
आज काहे रे।
रिम झिम निंदिया सतावे राम आज काहे रे।

डुकरी बोले थै–

झीकी लैहा बहूरानी पेटी का लहंगा
पहिरे लैया रे।
बहूरानी पेटी का लहंगा पहिरे लैया रे।

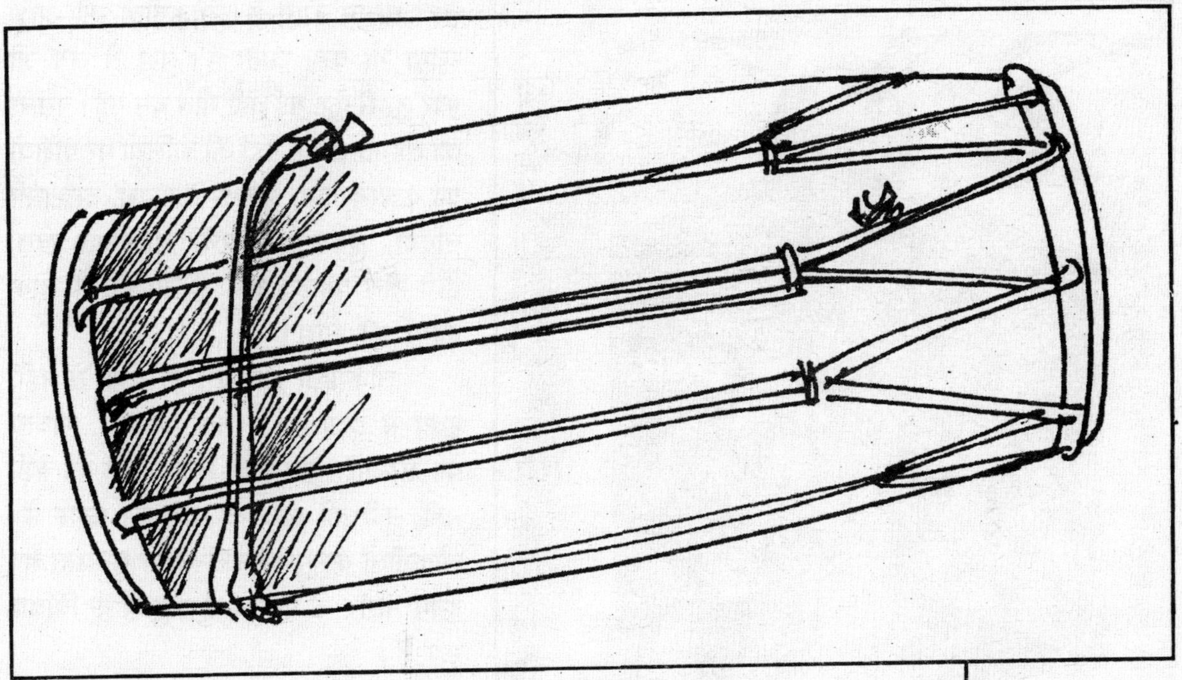

तब बहू बोले थे ओखर—

आगू दिना सास मोरी धोती न दिखावे राम
आज काहे रे।
लहंगा बदावे राम, आज काहे रे।
जब मोरी तबियत खराब हो गए तब लहंगा बतात है आज।

वह कहिस—

खात खनी नोनी लागिस, अँगिया घुमावे राम
आज काहे रे।
रिमझिम निंदिया सतावे राम, आज काहे रे।

लोकगीत

लोकगीतों में मानव का समस्त जीवन व्यक्त हुआ है। ये प्रकृति गान हैं। शिशु के जन्म से लेकर मरण तक लोकगीतों में विभिन्न रूपों में जीवन का रंग मिलता है।

लोकगीतों का बहुधा मौखिक प्रचार होता है। इनकी शैली सरल होती है और गेय

तत्त्व प्रधान होता है। लोकगीतों को आशु रचना भी कहा जाता है। मुख से जब जो स्वर लहरी फूट गई वही गीत बन गई। वसन्त का सुहाना समय, पेड़ों की डालियों पर पक्षियों का कलरव गान, झुके-झुके बादल, बलखाती नदियाँ, गुनगुनाते झरने, लहलहाते खेत, ऊँचे-नीचे पहाड़। यहीं सें उपजती है लोक काव्य की धारा।

लोकगीतों का जन्म मस्तिष्क से नहीं, हृदय से हुआ है। ये तर्क पर नहीं, भावना पर आधारित हैं। इनमें छन्द शास्त्र की बेड़ी नहीं, नदी की स्वच्छन्द धारा का प्रवाह है। लोकगीतों का गुण इनकी सहज सुन्दरता है। इनमें मानव के प्रेममय सुख-दुःख के विविध रूप हैं।

लोकगीतों में भावों की अभिव्यक्ति स्वाभाविक है, जो हृदय से निकली हुई लय के साथ होती है। जंगल में पक्षी उन्मुक्त होकर गाते हैं, उसी तरह लोकगीत स्वाभाविक स्वरों में हृदय से फूट निकलते हैं। इनमें सरल काव्य होता है, भावों की खींचतान नहीं होती।

लोकगीत प्राकृतिक गान हैं जिनमें लोक का समस्त जीवन व्यक्त होता है। जीवन की सच्ची झलक मिलती है। भाई-बहन की बिछुड़न गाथा, युगल-प्रेमियों का विरह-मिलन, आभूषण प्रेम, सौतिया डाह, किसानों की गरीबी आदि के भाव इन गीतों में भरे हैं। इसके सिवाय लोकगीतों में जीवन का सत्य और उसका सच्चा स्वरूप मिलता है।

लोकगीतों का बहुधा मौखिक प्रचार होता है। इनके लिखने वाले का नाम नहीं मिलता। संगीत इनका शरीर है और भाव इनकी आत्मा है। इनकी शैली सरल होती हैं मगर इनका गेय तत्त्व प्रधान होता है।

लोकगीतों का गुण उसकी सहज, स्वाभाविक स्वच्छन्दता व सरलता है इनमें मानव के सुख-दुःख, मिलन व बिछड़न का इतिहास है। स्नेह और करुणा के विविध रंग हैं। लोकगीतों में भिन्नता होते हुए भी एकरूपता है। यही लोकगीतों की स्वाभाविकता का रहस्य है।

गिरि-कन्दराओं में पनपते हुए मानवों में जब थोड़ी बुद्धि आई, उसके आधार पर उनकी भावनाओं के अंकुर फूटे, उसे व्यक्त करने के लिए उन्होंने आलाप करना शुरू किया और यहीं से उनका लोक संगीत प्रारम्भ हुआ। संगीत के साथ गीत का जन्म हुआ और एक के बाद एक हजारों गीत बनते चले गए।

डोकरी बोले थे–

झीकीं लैहा बहूरानी रात पलंगिया,
पौढ़ी रहियो रे।
बहूरानी रात पलंगिया पौढ़ी रहियो रे।

जब सोईस बेचारी तो सोई ही रहगै। खतम हो गइस। डोकरी सबेरे उठते उसे कपड़ा उढ़ाके। सोलह डलियाँ कोदों मिकारे थे। सोलह गघरा पानी भरके घिनौची में रख दे थे। अब जानै थे कि मोर लड़का आवत होई, बाहर निकल के देख लईस और दराई शुरू कर दै। जब दर के रीतत तो बाहर निकर के देख लेथ। तो लड़का चला आ रहा है। जब लदनई करके लड़का लौटत है तब डुकरी का गाना गावत है उनठे–

सोलह डलिया कोदों दरौ, सोलह गागर पानी बेटा,
नहीं जगै रे।
तोर सोवै थै दुलहिना, नहिं जगै रे।
टोहि लेवे मोरे बेटा, अइले बदलिया,
जगाय लेवे रे।
तोर सोवै थै, दुलहनिया नहीं जगै रे।

उन्हन के समय का होत है। अलह की साँठी तोड़ लड़का और अन्दर घुस जाते हैं जब खोल के देखे थै तब विष के मारे काला भँवर दिखै। अंडक चमकै बिल्कुल काला भँवर दिखे थे।

वा झट महातारी पास पहुँचे थे और अलगनी को पकड़
के रोने लगिस।
हाथ पकड़ निकार देती तो सह लेतिव रे
विष दैके मारे दाई कैसे करौ ओ
मोर सुन्दर दुल्हनियाँ कैसे मारे जो।

रो धो के रीते थे। फिर गाँव में खबर कर थै। भाई सब चला मोर घर में ऐसा हादसा हुई गए हैं। गाँव वाले जुड़त हैं। मरघट में लाश लै जाथै। चिता पर रख देय

थै। पति बोलिस-हम सत्य के होतो हाथ उठा दे। चिता से हाथ ऊपर उठता है और युवक चिता में कूदकर पत्नी के साथ जल जाता है।

जमुनैया लौरे यार, बाँस की कनैया जमुनैया लौरे रे॥
अरी बिछाय ले दरी बिछाय ले और बिछाय रे खोर।
खेल कूद के मजा उड़ाय ले, नाम कमाय ले तोर॥
माद बजैया मादर मा लोरि जाए।
या करमाहिन बैया, करमा में लोरि जाए॥
एक पैसा के झोंपा ले जूरा में लटकाय।
सागू के बद ला है तो पाछू के पछताय॥
लावा ढुरके तीतर ढुरके और ढुरके मजूर।
बड़े सकरहा उठके देखेंव भग गै कितना दूर॥

बाँस की पतली-पतली डालियाँ, यमुना नदी के पानी में लोर रही है अथवा झूल रही है।
अरे भाई जमीन पर दरी बिछा ले, उस पर चादर बिछा ले और खेल-कूद के आनन्द मना ले। नाम कर ले।
मादर बजाने वाला मादर बजाते-बजाते लोर जाता है और करमा गाने वाली, नाचने वाली युवतियाँ करमा गीत-नृत्य में झूम जाती हैं।
अरी बाई। एक पैसा का झोंपा (जूड़े लटकाने का फुँदरा) ले ले। उसे बालों के जूड़े में लटका ले। आगे होने वाली घटनाओं को देख, नहीं तो पीछे पछताना पड़ेगा।
लावा पक्षी ढुरक (चल) रहा है, तीतर ढुरक रहा है और मोर भी ढुरक रहा है। सबेरा हो गया है। सबेरे उठके देखती हूँ तो तुम कितनी दूर भाग गए हो॥

दादर में गाँव बसे नौ कारी छानी, मजूर झाली रे जहाँ नील बगरे है॥
अय सिरजन हारा मजूर झाली रे जहाँ नील बगरे है॥
कारी बदुरिया में चन्दा छिपे होय ऽऽ।
वैसई छिपाय लेहूँ तोला। मजूर झाली रे जहाँ नील॥
सड़कन-सड़कन पत्ता उड़त है होय ऽऽ।
वैसई उड़ाय लेहूँ तोला॥

कौआ के हाथों कागज लिख भेजों हो
ऽऽ।
सुआ के हाथों सन्देशा॥
कलकी मा ढुलकी और काँधे में चिकारा
हो ऽऽ।
सबके हवै जोड़ी जांवर हमन का बिगाड़ा॥
जाए बजारे लये ला पनही हो ऽऽ।

धीरे वाने चलावे तवै तो वनही॥

पहाड़ पर उच्च सम भूमि में गाँव बसा
है। जहाँ मयूर और
नील गाय चर रहे हैं।
काली बदली में जैसे चन्द्रमा छिपता है,
मैं उसी प्रकार तुझे
छिपा लूँगा।
सड़कों में जैसे पत्ते उड़ते हैं मैं उसी प्रकार
तुझे उड़ाकर ले जाऊँगा॥
कौआ के द्वारा कागज लिखकर भेजा हूँ
और सूआ पक्षी के द्वारा
सन्देश भेजा है।
बगल में ढुलकी (ढोलक) है और काँधे में चिकारा टँगा फिर
रहा हूँ। अरे भाई सबकी जोड़ी है, केवल मैं ही अकेला हूँ।
बाजार जाना तो पनही ले आना। अरे भाई, इस प्यार में धीरज
रखोगे तभी तो बात बनेगी॥

गोंडों के गीत

करमा झूमर

ओहो हाय चोला नहिं माने राम। बिन देखे पराना चोला
नहीं मारे रे
लोटा के तो पानी छुटगै, औ थारी के भात।

कोड़ा ढिगा बैठे बैठे, कट जाथै या रात॥
दादर झाँवर तोला ढूँढयो, कहाँ लुके है जाय॥
आमा के अमरेया कैसे औ कोदो खरिहान।
मन में घोखत-घोखत संगी हुई जायै विहान॥
चोला भीतर आगी बरथै, ऊपर ले गुँगवावै।
असुवर के तो नंदी बोहथै, जब्बे सुरता आवै॥
कैसे मा तें माया छांड़े, सुरता मोर भुलाये।
गल्ली खोरी तोला ढूँढयो, हंसा रैन उड़ाई॥

प्रीतम के देखे बिना ये प्राण नहीं मानते विरह में खाना पीना सब छूट गया है। आग के पास बैठे-बैठे यह सारी रात कट जाती है। तुझे मैंने पहाड़ की दरारों में, पहाड़ के बीच में, जंगल को पतरोई में सब जगह ढूँढ़ा, तुम नहीं मिले, न जाने कहाँ जाके छिप गए हो॥

आम की अमराई में, कोदों के खलिहान में बैठे-बैठे तेरा ध्यान करती हूँ तो सोचते-सोचते सबेरा हो जाता है॥

शरीर के भीतर आग जलती है, ऊपर से धुआँ निकलता है, आँसुओं की नदी बहती है, जब भी तेरी याद आती है। तूने क्यों माया (प्रेम) छोड़ दिया है। मेरी याद क्यों भुला दिए हो। गाँव की गलियों में तुझे ढूँढ़ रही हूँ। इसी बीच प्राण, शरीर छोड़कर उड़ गए हैं॥

भैया काहिन भैगे राम, आँसो की समैया भैया काहिन
भैगे रे॥
कोड़ काड़ के बिजहा लाये, माटी मा फैलाए।
धन रे पानी तोर करनी ला, सफ्फा ला बोहाए॥
सफ्फा खेत के माटी बोहगे, देख के फट थै छाती।
आँखिन में अँधियार छायगे, का करवो अब साथी॥
धांधर पांजर इक में मिलगै, तन नैहा ठिकाना।
साल दिना अब काहिन खावो सफ्फा बहगै दाना॥
नहिं तो पकै कोदो कुटकी, नहीं तां पकै धान।
दूर-दूर से पहुँना आही, कैसे करवो मान॥

खूब वर्षा हुई। पानी से खेत की माटी बह गई और उसके साथ बोया हुआ अनाज भी बह गया। किसान अपने कर्मा गीत में उसका वर्णन करता है—

अरे भाई। अब क्या करेंगे राम। आज के समैया में ये क्या हो गया है?

यहाँ वहाँ से ढूँढ़कर बीज दाना लाकर खेत में बोया पर अरे पानी तेरी करनी से तूने सब बीज बहा डाला।

खेत की सब माटी बह गई, जिसे देखकर छाती फटी जा रही है। आँखों में अन्धेरा छा गया है। अरे संगी अब क्या करेंगे?

मेहनत करते-करते शरीर की हड्डियाँ इकट्ठी हो गई हैं, शरीर का कुछ ठिकाना नहीं है। वर्ष भर अब क्या खाएँगे। सब दाना (अनाज) तो बह गया है।

अब न कोदो-कुटकी पकेगा और न धान पकेगी। दूर-दूर से पाहुने आएँगे तो उनका मान (सम्मान) कैसे करेंगे।

करमा लहकी

बारी के तूमा नार बेला रे बेला चले आव नार,
जब तक जिन्दगी है मेरा।
करिया तो धोती किनारी, नहीं आय हो ऽऽ हाय॥
परदेशी जो हो गए चिन्हारी नहिं आय ग॥ बेला रे बेला॥
आमा इमलिया देखत रहतेव ग हो ऽऽ हाय।
जिन्दगानी भर तोला हेरत रहतेंवग॥बेला रे बेला॥
नवा पिछौरी उलट खिलना हो ऽऽ हाय।
कवै होही चिरैया तोरे से मिलना ग॥बेला रे बेला॥
नदिया का पानी हुलासी लगि जाय ऽऽ हो ऽऽऽ।
लगी माया न छूटै पुलिस लगि जाय॥बेला रे बेला॥
नवा सड़क मा बिछी है गिट्टी हो ऽऽ हाय ऽऽ।
जहाँ रहवै छबीला भिजावे चिट्ठी॥बेला रे बेला॥

बारी में लौकी की बेल है। जब तक मेरी जिंदगी है। उसी बेल के सहारे चले आना।
काली धोती में किनार नहीं है। परदेशी हो गए हो क्या पहचान नहीं है।
आम और इमली को देखती रहूँगी और जीवन भर तुझे ढूँढ़ती रहूँगी।
नई पिछौरी है। उल्टा सिवावन लगा है। अरी प्रिया, कब तुझसे मिलना होगा।

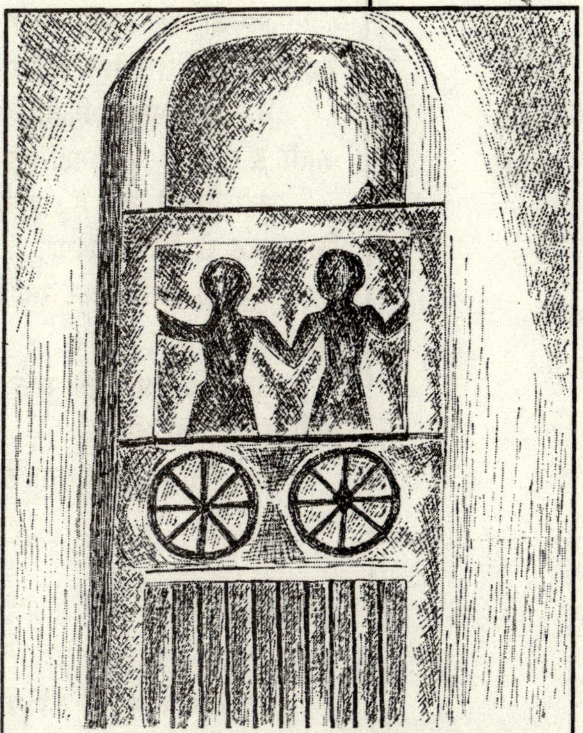

नदी में पानी आया है उसमें और भी ज्यादा पानी आ जावेगा।

इसी तरह लगा हुआ प्रेम नहीं छूटेगा चाहे उसे छुड़ाने को पुलिस आ जावे।

नई सड़क में गिट्टी बिछी है। अरे छबीला। जहाँ तुम रहोगे जरूर ही चिट्ठी भेजना।

धन रे मनुष्य चोला, परदा मा राख्यों तोला, कैसे खटावै
तोर चोला।
न मोल खाए जाए न मोला पीये जाए हो ऽऽ।
धोका परै कछू न सुहावै हो॥धन रे मनुष्य चोला॥
नदी तीर मा कैसे खड़े हैं, पानी गंदला हो होय ऽऽ।
तुम गोरी हम साँवरे, कैसे मिलना होय हो॥
खड़पड़ खड़पड़ टंगिया बाजे, आरी में करले फेट हो हाय ऽऽ।
गाड़ासरई बाजार में आवें, तभ्भिच होही भेंट ग॥
धोती पहरे झलम झेला, पेंटा बाँधे कसके।
बीच गली मा भेंट भैगे, कभी न बोले हँसके॥
दार बनाई ले भात बनाई ले, रोटी बनाइ ले, रोटी बनाई ले कच्चा।
बीच गली मा भेंट भैगे, बात बनाई ले सच्चा॥

प्रेमिका को सामने पाकर प्रेमी कहता है अरे मानव का शरीर तुझे मैंने परदे में रखा, पर कैसे तेरा मन खट्टा हो गया (उचट गया)?

न मुझसे भोजन किया जाता है। न मुझसे पानी पिया जाता है। जब तेरी याद आती है तो मुझे कुछ नहीं सुहाता है।

नदी किनारे खड़े हैं। पानी गंदला हो रहा है। तुम गोरी हो, हम साँवरे हैं। भला किस तरह से मिलना होगा?

कुल्हाड़ी खटपट कर रही है। आरी खरीटा मार रही है। तुम गाड़ासरई बाजार में आओगे तभी भेंट होगी।

झल्लम झल्ला धोती पहने हो, साफा बाँधे हो। बीच रास्ते में भेंट हो गई है, परन्तु कभी हँसके नहीं बोले।

दाल बना ले, भात बना ले और रोटी बना ले। बीच रास्ते में भेंट हो गई है। बात सच बना दे॥

करमा ठाढ़ा

धन धन परभू जी की माया हो, देखी संसार में कैसी लीला छाया है॥

कौन टोला बसैं तोरे लंगड़ा औ लूला हो ऽऽ हाय।
कोन टोला बसैं मुँहें के बौरा हो॥ देखो संसार में॥
खाल्हे टोला बसै तोरे लंगड़ा औ लूला हो ऽऽ हाय।
ऊपर टोला बसैं मुँहें के बौरा हो॥
कौन टोला मादर बजे, कौन टोला टिमकी हो ऽऽ हाय।
कौन टोला करमा रखे हैं॥
खाल्हे टोला मादर बजे ऊपर टोला टिमकी हो ऽऽ हाय।
खरना मा करमा रसे है॥
जमपुरी बाजार में हीरा रतन बिकाथैं हो ऽऽ हाय।
चतुर चतुर सौदा करथै, मूरख मन पछताथै हो ऽऽ हाय॥
ईश्वर की माया धन्य है। देखो संसार में कैसी लीला छाई है।
कौन से टोले में लंगड़े और लूले रहते हैं और कौन से टोले में बौरा लोग बसते हैं।

नीचे के टोले में लंगड़े और लूले लोग रहते हैं तथा ऊपर के टोले में बौरा लोग बसते हैं।

कौन से टोले में मांदर बज रहा है और कौन से टोले में टिमकी बज रही है। कौन से टोले में करमा नाच हो रहा है।

नीचे के टोला में मांदर बज रहा है। ऊपर के टोला में टिमकी बज रही है। गाँव के आँगन में करमा रसा हुआ है।

यमपुरी के बाजार में हीरा-रतन बिक रहे हैं। जो बुद्धिमान हैं वे सौदा करते हैं और जो मूर्ख हैं वे पछताते रहते हैं।

ओ हो हाय भाजी पानी में राम कर लेवे गुजारा पानी में॥
झै तो होवे चाँवर बासी, झै रोटी के खंडा
डाकर डाकर पेज पीवो चोला होही ठेडा।
चिथरा चिरकट तन में नैहा, घर में नैहा आड़।
कोदो केर बिछौना में ही, कट जाही या जाड़॥
मिलके करबो खेती धन्धा, संझा और सकार।
न कोने के लेना देना, सोवो टाँग पसार॥

गरीबी है पर संतोष है। कहते हैं—भाजी (जंगल के पेड़ों की पत्ती) खाकर और पानी पीकर गुजारा कर लेंगे।

चावल न हो और न रोटी का टुकड़ा ही हो। हम गरम-गरम पेज पिएँगे, हमारा चोला (शरीर) ठण्डा हो जाएगा।

शरीर में फटे पुराने कपड़े नहीं हैं। घर में आग भी नहीं है यानी यह झिंझरा है। कोई हरज नहीं पयाल का बिस्तर बिछा लेंगे। यह ठण्ड निकल जाएगी।

सब जन मिलकर खेती का धन्धा करेंगे। रात-दिन उसमें मेहनत करेंगे। न किसी से लेना है और न किसी को देना है। रात्रि में पैर फैलाकर आराम से सोएँगे।

करमा रागिनी

किन्दर-किन्दर पान टोरै, गोरी तोला का छांडों ओ॥
किन्दर-किन्दर पान टोरै, गोरी तोला लै जाहूँ ओ॥
या घर मा आगी लगै वा घर मा धुआँ।
दोनों के जरथै पराना, गोरी तोला ले जाहूँ ओ॥
या पटी झोड़ी बहै वा पटी नाला।
कैसे के पावो किनारा संगी तोला नहीं छांडों ओ॥
दोना मा बासी धरवो लौका मा पानी।

नक जावो डोंगर दौहारा, जोड़ी तोला नहीं छाड़ों ओ।
खाल्हे खलौटी मा बन्नी मजूरी करवो।
हरियाही जिन्दगी हमारा जोड़ी तोला लै जाहूँ ओ॥

घूम-घूम के महलोन के पत्ते तोड़ रही है। अरी गोरी मैं तुझे नहीं छोड़ूँगा। मैं तुझे ले जाऊँगा।

इस घर में आग लगी है। उस घर में धुआँ उठ रहा है अर्थात दोनों के प्राण जल रहे हैं अरी गोरी मैं तुझे नहीं छोड़ूँगा।

इस ओर छोटी सी नाली बहती है, उस ओर नाला बहता है, भला ऐसे में किस भाँति किनारा पाएँगे।

दोनों में बासी (रात का बचा हुआ भात) धरेंगे और तुम्बा में पानी रखेंगे। इस तरह दौहार पहाड़ को पार कर लेंगे।

छत्तीसगढ़ में बनी मजदूरी करेंगे। इस तरह हमारी जिन्दगी हरी-भरी हो जाएगी।

सैला भड़ौनी

तारी रे नाना, तारी नारी ना ना रे॥
तारी रे नान्ना, तारी नारी नाना॥
बारी कचरिया फरे लटी झोर रे॥
भाभी के चुटका ला लेंगे देवर चोर॥
देवर खो पकर पातों मार तों मूसर चार रे॥
भाभी के बिन्दिया ला लेंगे देवर चोर रे॥
देवर खों पकर पातों मारतों मूसर चार रे॥

देवर और भौजाई का इस गीत में मजाक है–
बाड़ी में कचरिया खूब फली हुई है।
भाभी की चुटकी को देवर चुरा कर ले गया।
भाभी कहती है कि–देवर को पकड़ पाती तो चार मूसल मारती।
भाभी की अंगिया को देवर चुराकर ले गया।
भाभी कहती है कि–देवर को यदि पकड़ पाती तो चार मूसल मारती
भाभी की बिन्दिया को देवर चुरा कर ले गया।
भाभी कहती है कि–देवर को यदि पकड़ पाती तो चार मूसल मारती

करमा लंगड़ा

हाय भला झिन मारो राम, पोसे
परौना ला झिन मारो रे॥
रेती के बिरछा चुनैटी के चूना,
पानी बिना मर जाए॥
भला झिन मारो रे॥
मग जावें पंछी तैं तो दूर देशन
मा, न करबे सुरता हमारा॥
कपड़ा ला सिए ला दये तो दाजी,
दाया माया ला राखो
करेजा भीतरी॥
संझा के बेरा उड़ै तो लावा, घर
चलती के बरा लगाए माया॥

प्रेमी अपनी प्रेमिका से विदा होकर घर जाने लगता है तो कहता है पोसे हुए परेवा (पक्षी) को मत मारना॥

रेत में लगा हुआ वृक्ष और चुनौटी में रखा हुआ चूना, पानी के बिना मर जाता है उसी प्रकार यह प्रेमी बिना प्रेम के मर जाएगा।

पक्षी। तू तो दूर बहुत दूर देशों में उड़ जाएगा और हमारी सुधि नहीं लेगा।

कपड़ा सीने को दरजी को दे दो। परन्तु दया माया (प्रेम) कलेजे के भीतर ही रखना पड़ता है।

शाम के समय लावा पक्षी उड़ते हैं, उसी तरह घर जाने के वक्त में माया लगा लिए हो यानी प्रेम कर लिए हो॥

बैला चलिन राई घाट। करौंदा बेला छोटे-छोटे रे॥
डोंगर में आगी लगै जरथै पतेरा।
सुन-सुन के हीरा मोर, जरथै पतेरा।
महुआ के लाट, खम्हेर ठोला।
लौटि के आवे हमारा टोला॥
पीपर के पत्ता पवन हिलाना।
कबैं होही व जोड़ी तौरे से मिलना॥
कुटकी के पेज रांधों माहुल के दौना।

तोर बिना जोड़ी मोर घ़र भैगे सूना॥

पति, बैल लादकर व्यापार करने जा रहा है। उसकी पत्नी विरह पीड़ित है। वह कह रही है–

बैला राई घाट की ओर चले। करौंदा बैल छोटे-छोटे हैं।

पहाड़ में आग लगी है, सब घास-फूँस जल रहा है। ये सुन-सुन कर मेरा कलेजा भय से जल रहा है।

तुम्हारे लिए महुआ का लाटा और खम्हेर का नाश्ता रख रही हूँ तुम लौट के हमारे टोला, पुरा जरूर आना।

मेरा मन पीपल वृक्ष के पत्ते के समान है जो हवा के झोंकों से हिल रहा है। अरे जोड़ी अब तुमसे मिलना कब होगा? कुटकी अनाज का पेज (व्यंजन) बनाई हूँ, माहुल पत्ते का दोनो समाई हूँ, परन्तु अरे जोड़ी तेरे बिना मेरा घर सूना लग रहा है।

ददरिया

गायले गायले, बोतल के दारू कोन पीवें अलबेला जवान॥
खिड़की ले बंगला ले, देखत हो ही राम, रामै राम चिरई
बोले दोस॥
मन माही सोचै शबद रचना।
छाया बन के उतर गै, तुम्हारे सपना॥
पथरा के भीती मटकना डोर।
गाली बोली ला दैले माया ला झनटोर॥
कुआँ के पानी झींकी के झींका होय।
दुरिहा ले चिरैया देखी के देखा होय॥
गैन्हें बजरिया लये ला चिमटा।
इन बातों के भैया झैं करवै चिन्ता॥
खंडा मछरिया तोर घ़िव के बधार।
तोला राखों चिरैया जिव के आ़धार॥

बोतल की शराब को कौन पी रहा है? वह अलबेला जवान है। बँगले की खिड़की से उसे देख रही हूँ। राम राम ले लो। बन में चिरैया बोल रही है।

ददरिया गीत के इस टेक पर युगल प्रेमियों का वार्तालाप होता है जिसमें स्वप्नों का संसार है, देखने की ललक है। वायदा है, उलाहना है और प्रीत निभाने का संकल्प है।

प्रेमी कहता है—क्या कहूँ। तुम्हारा स्वप्न तो मन में छाया बन के उतर गया है।

प्रेमिका कहती है—हम गरीब हैं। तुम गाली दे लो, बात कह लो पर प्रेम को मत तोड़ो।

प्रेमी—कुएँ का पानी खींच रहे हो और दूर से ही देखा-देखी कर रहे हो।

प्रेमिका—बाजार गए हो चिमटा खरीदे हो। भैया इन बातों की चिन्ता मत करना।

प्रेमी—मछली के खंडे हैं उन पर घी का बघार है। अरी प्यारी तुझे मैं प्राणों की तरह रखूँगा।

जश गीत

ये हो बूढ़ा महाराज, सेवा तुम्हारी हम सब करें हो मा॥
लीपी पोती चौंतरिया, महुवा के छाँव।
ऊँहा बिराजे बड़े देवता, गोंडन के गाँव॥
फूल चढ़ाऊँ दूध मोगरा रे नरियर को भोग।
आज सहायक हुई जा, विपदा ला टोर॥
तोरे भरोसा करथन रे माया झन टोर।
पूरन काज ला करदे, पैया लागों तोर॥

हे बूढ़ा देव। हम सब लोग तुम्हारी सेवा (पूजा) करते हैं।

चबूतरा लीपा-पोता स्वच्छ है। उस पर महुआ वृक्ष की छाया है। वहीं यानी उसी चबूतरे पर बूढ़ा देवता विराजमान है।

हे बूढ़ा देव। मैं तेरी पूजा में मोंगरा के फूल चढ़ाऊँगा। नारियल का भोग लगाऊँगा। तू आज मेरी मदद करने को तैयार हो जा, मैं तेरे पैर पड़ता हूँ।

हम तेरा भरोसा करते हैं तू हमसे माया (प्रेम) मत तोड़ो। हमारे काम पूरे कर दे। हम तेरे पैर पड़ते हैं।

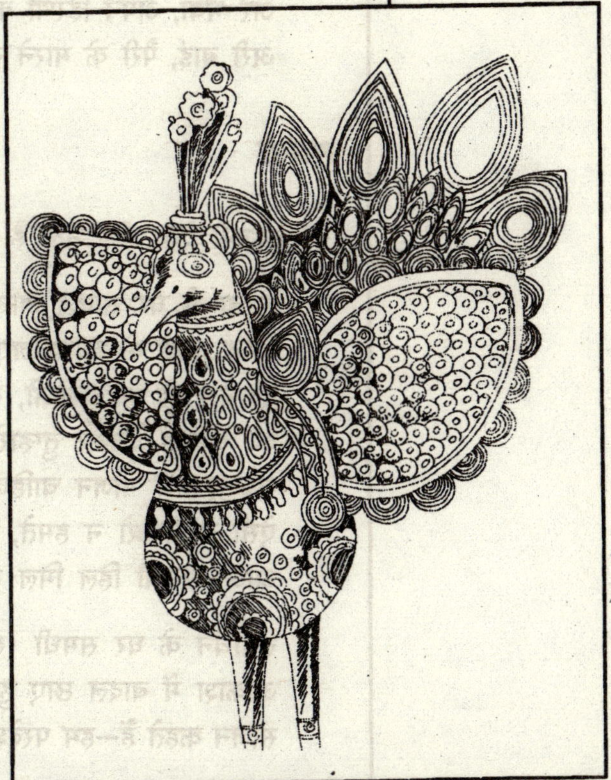

रीना गीत

री रीना रीना री हलो रीना हो, री रीना री हलो आय॥

कि सुआ हो रही रीना री हलो आय॥
बारी के ईर तीर बोयो झलर धान हो।
हर नागर मिरग चरि जाए॥ कि सुआ हो॥
हांको रे भैया अपने मिरग ला हो॥
मैं मारो बिछिया भवाय॥ कि सुआ हो॥
बिछिया के मारे सिर कट जाए हो।
रक्तन के नदी बह जाए॥ कि सुआ हो॥
हांको रे भैया अपने मिरग ला हो॥
पैरी के मारे सिर कटि जाए हो।
रक्तन के नदी बह जाए॥कि सुआ हो॥

बाड़ी के किनारे-किनारे झलरी धान बोई है। मृग का झुण्ड चर जाता है।

अरे भैया अपने हिरणों को हाँको अर्थात भगाओ। नहीं तो पैरों में पहिनने वाली बिछिया घुमाकर मार दूँगी।

अरी बाई, बिछिया मारने से सिर कट जाएगा और खून की नदी बह जाएगी।

अरे भैया, अपने हिरणों को भगाओ नहीं तो मैं पैरों की पैरी घुमाकर मार दूँगी।

अरी बाई, पैरी के मारने से सिर कट जाएगा और खून की नदिया बह जाएँगी।

सजनी

सजनी ऐसा गीत नृत्य है जो साजन यानी समधी के स्वागत में गाया जाता है।

मुरला के घर साजन आए, नाचो पंख पसार॥
उमड़ घुमड़ के बदरा छाए, शीतल चले बयार॥
दूर देश के हम परदेशी, कर लो कुछ सत्कार॥
का चाहिए जेवनार तुम्हारो, का चाहिए सत्कार॥
रूप तुम्हारो भोजन चाहिए, नैन को सत्कार॥
ऐसी बातें करो न हमते, हो जैहें सत्कार॥
आओ सजनी हिल मिल करके, बंद करें तकरार॥

समधिन के घर समधी (साजन) आये हैं। अब पंख फैलाकर नाचो।
आकाश में बादल छाए हुए हैं और ठण्डी हवा चल रही है॥
साजन कहते हैं—हम परदेशी हैं। दूर देश से आए हैं, हमारा कुछ सत्कार कर लो।

समधिन उत्तर देती है कि तुम्हें कौन सा भोजन चाहिए और किस प्रकार का स्वागत चाहिए?

जवाब मिलता है कि—तुम्हारा स्वरूप ही हमारा भोजन है और तुम्हारे नैनों से हमारा सत्कार हो॥

समधिन जवाब देती है—कि तुम हमसे ऐसी बातें मत करो नहीं तो झगड़ा हो जाएगा।

दोनों में मेल हो जाता है और कहते हैं—सजनी आओ दोनों हिल-मिल कर यह झगड़ा बन्द करें।

फाग

अरे हाँ हमारे पेंडे परे मुरली वारे।
गलियों में मचावै रार, हमारे पेंडे परे मुरली वारे॥
गलियों में मचावै रार, दूध की मटकी फोरी।
बाँह पकर झकझोर करत हमसे बरजोरी।
ग्वाल बाल ठाढ़े हँसे तकन न आवे लाज।
जमुनाजी के तीर में लुट गई अकेली आज॥
लुट गई अकेली लाज सबन ने घेरा डारो।
भर पिचकारी रंग हमारे ऊपर डारो॥
सारी भीगी रंग से, हम हो गई बेहाल।
चोलिया के भीतर बसे फिर उनको कौन हवाल॥
उनको कौन हवाल जान फागुन रितु आई।
रस की झरै फुहार, देह में मस्ती छाई॥
रंग से भीजी चूनरी, दिल में भड़के आग।
श्याम भुजा भर खींच ले, मैं हो गई तुम्हारी आज॥

फागुन का महीना है ब्रज की नारियों से कन्हैया छेड़खानी कर रहे हैं। गलियों में रार मचा रहे हैं।

कभी सिर की दूध की मटकिया फोड़ते हैं। तो कभी ब्रज की नारियों की बाँह पकड़कर झकझोरते हैं। ग्वाल बाल सब खड़े होकर हँसते हैं। मैं तो आज जमुना के किनारे अकेले लुट गई।

सबने मुझे घेर लिया है और पिचकारी में रंग भरके मेरे ऊपर डाला जिससे मेरी सब साड़ी रंग गई और मैं बेहाल हो गई।

चोली के भीतर जो रहते हैं उनका क्या हाल होगा। मैं क्या बताऊँ।

फागुन की ऋतु आई है यह जानकर शरीर में मस्ती छाई है।

रंग से चुनरी भीग रही है और दिल में आग भड़क रही है।

हे श्याम! भुजा में भर कर चिपका लो, मैं आज तुम्हारी हो गई।

सेताम गीत

चन्दा चकोर नेहा लागइले कोरै कोर॥
छकड़ा तो छकड़ा सगौना के छकड़ा।
मूँछ वाला भागतो दाढ़ी वाला सपड़ा॥
या छानी व छानी कूदै बिलैया।
धीरे से बात करे भौजी तोरो भैया॥
भाजी तो टोरे अढ़ाई डलिया।
ललकारत आवे जबलपुरिया॥
कूची तो कूची महुवा की कूची।
आधी रात ब्याह भये दोनों कान बूची॥

चन्द्रमा के समान मुखवाली (चन्द्रमुखी) माया लगा ले, धीरे-धीरे।

छकड़ा गाड़ी से तो सागौन लकड़ी की गाड़ी अच्छी होती है। अरे भाई मूँछवाला जवान भाग गया तो दाढ़ी वाला बूढ़ा पकड़ में आ गया, वही अच्छा है।

बिल्ली छप्पर ऊपर कूद रही है। अरी भाभी तेरा भैया धीरे-धीरे बात कर रहा है। क्या बात है?

भाजी तो अढ़ाई डोलिया तोड़ ली हो पर यहाँ/जबलपुर वाला ललकारते आ रहा है।

कूची महुवा की अच्छी होती है। आधी रात में विवाह कर लिया।

देखा न सुना बहू दोनों कानों से बूची है। यानी दोनों कान कटे हैं।

सोहर—

ऐसन जनतेंव मैं राम का जनम हुई है हो ऽऽऽ॥
कारी कलुरिया।
दुहातेंव मैं राम नहवातेंव हो ऽऽऽ॥

यदि मैं जानती कि राम का जन्म होगा तो अपनी काली गाय को दुहवाती और उस दूध से राम को स्नान कराती।

जशोधाजी के अंगना, जशोधाजी के अंगना हो ऽऽऽ॥
खेलत हैं कुँवर।
कन्हैया के बंशी बजैया हो ऽऽऽ,
खेलत हैं कुँवर॥

यशोदा जी के आँगन में कुँवर कन्हैया खेल रहे हैं। बंशी बजा रहे हैं।

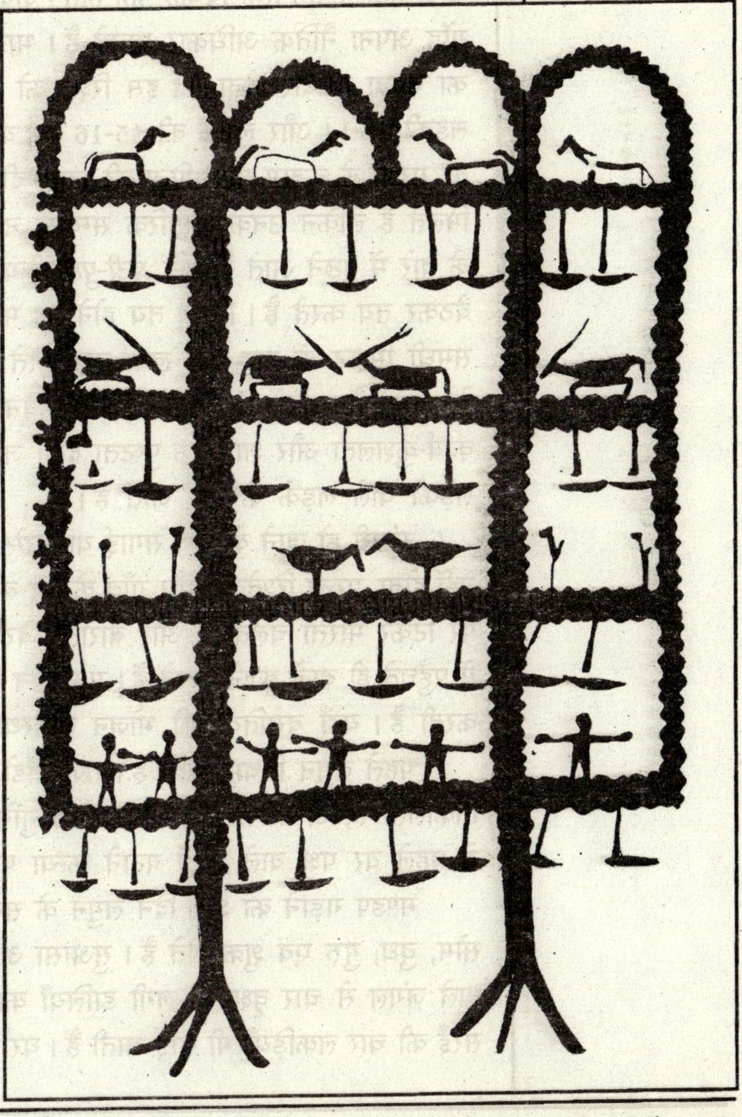

ऐसा बलम है अनारी, झरोखे से सैनी चलावै॥
तो मर गई लाज के मारी, झरोखे से सैनी चलावै॥
सास मोरी जागै, ससुर मोरा सोवै,
ननदिया है पहरेदारी, झरोखे से सैनी चलावै॥

—अनाड़ी बालम झरोखे में बैठकर इशारा कर रहा है। लोग देख रहे हैं। मैं शरम से मर रही हूँ उधर बालम झरोखे से इशारा कर रहे हैं। इस समय सास जाग रही है। ससुरजी आँगन में आए हैं।

ननदी तो जैसे पहरेदारी में बैठी है। ऐसी स्थिति में पिया का मिलना कठिन है। अनाड़ी बालम को यह बात समझ में क्यों नहीं आती।

छिटकी है रात जुन्हैया,
हमारे घर ललना भये री।
सास मोरी हुलसे, ननद मोरी विहंसे॥

ससुरा के खुशी न समैया,
हमारे घर ललना भये री।

—रात में चाँदनी छिटकी है और ऐसे में हमारे यहाँ पुत्र का जन्म हुआ है। सास पुलकित हो रही है। ननद प्रसन्न है और ससुरजी के मन में खुशी समा नहीं रही है। हमारे यहाँ पुत्र ने जन्म लिया है।

गोंडों में बाल विवाह प्रथा का चलन है परन्तु धीरे-धीरे यह धारणा अब बदल रही है। पहले रजस्वला होने से पूर्व लड़की के हाथ पीले करना पवित्र कार्य समझा जाता था। गोंडों में समगोत्री विवाह नहीं होते। ददिहाल और ननिहाल परिवारों में विवाह करना गोंड अपना नैतिक अधिकार मानते हैं। भाई अपनी बहिन की लड़की से विवाह करने का पहला हकदार होता है। इस रिश्ते को *दूध लौटाना* कहा जाता है। गोंडों में प्रायः लड़की 13-14 और लड़के की 15-16 वर्ष की उम्र में विवाह हो जाते हैं। लड़का-लड़की की मरजी के बजाय माता-पिता की रजामन्दी सर्वोपरि होती हैं। विवाह पूर्व लड़के-लड़की मिलते हैं लेकिन उनके शारीरिक सम्बन्ध नहीं होते। लड़के वाले जब लड़की के रिश्ते के बारे में पूछने आते हैं, उसे *बेटी-पुछोनी* या मंगनी कहते हैं। मंगनी गाँव के पंच मिल बैठकर तय करते है। रिश्ता तय होने पर महलोन पान के छाकों में दारू पी जाती है। समधी मिलन के बाद पंच *खर्ची* तय करते हैं। *चारी* के रूप में सात से चौदह रुपये देने पड़ते हैं। गोंडों में लड़के-लड़की के चुनाव में रंग एवं सौन्दर्य की अपेक्षा परिश्रम, कार्य-कुशलता और शारीरिक पुष्टता देखी जाती है। इन सब चीजों को परखने के लिए लड़की वाले लड़के के यहाँ जाते हैं।

मंगनी हो जाने के बाद सगाई या *बरोखी* रस्म की जाती है। *सगाई-बारात* में दूल्हा नहीं होता, परन्तु रिश्तेदार और गाँव के दस-बारह लोग होते हैं। बजगरी रास्ते में नगड़िया पर टिकेरे मारता चलता है और बाराती बिरहा एवं ददरिया गाते पैदल चलते हैं। गाँव में पहुँचते ही बाजे बजने लगते हैं। सुआसिन सिर पर कलश रखकर बारात की अगवानी करती है। यहाँ बरातियों की भोजन व्यवस्था लड़के वाला ही करता है।

पहले लगुन विचार करते हैं। राज गोंडों में लगुन पुरोहित हिन्दू पद्धति के अनुसार निकालता है, अन्य गोंडों में दोषी, बैगा गुनिया यह कार्य करते हैं। विवाह की तिथि से पहले वर पक्ष वाले खर्ची पटाने कन्या पक्ष वालों के यहाँ आते हैं।

मण्डप गड़ाने का शुभ दिन लगुन के समय ही नियत कर लिया जाता है। ये दिन सोम, बुध, गुरु एवं शुक्र होते हैं। सुआसा और कुछ अन्य नौजवान पूर्व दिशा में पड़ने वाले जंगल से चार वृक्ष की लगी डालियाँ काट कर लाते हैं। इसके साथ ही ऊमर या सरई की चार लकड़ियाँ भी लाई जाती हैं। घर पहुँचकर मण्डप लकड़ियों का परछन किया

जाता है। परछन के बाद मंडवा-गड़ौती है। उसके बाद दूसरे लोग चार कोनों में चार खम्ब गड़ाते हैं। मण्डप को ऊमर, आम, सरई के पत्तों से आच्छादित कर दिया जाता है। बीच के खम्ब से सटाकर—मगरोहन और उसके पीछे बाँस की कनैया, हरे बाँस की डाल गाड़ी जाती है। मगरोहन साल्हे वृक्ष की लकड़ी का चौकोर मंदिरनुमा होता है जिसे तराशकर विभिन्न डिजाइनों से सजाया जाता है। मगरोहन गाँव का बढ़ई या कोई किसान बनाता है। मण्डप गाड़ते समय महिलाएँ गीत गाती हैं। एक गीत इस प्रकार है।

चन्दा सूरज तुम्हारे पैया लागत हौं, छन भर हुइजा सहाय।
आज मोरे अंगला मंडवा गड़े हैं, देवतन को न्यौति बुलाय॥
कहना ले आवे चार के खम्बा, कहना ले उमर की डार।
कहना ले आवे झिंझरी के बासिन, कहना ले सरई की डार॥
बन बिंदरा ले आवे चार के खम्बा, बन कजली ऊमर के डार।
चौरागढ़ ले आवै झिंझरी के बासिन, चाँडा ले सरई के डार॥
ऐरे वनस्पति तुम ला सुमरों, बिनती सुनियो हमार।
हमरे अंगना मंडवा गड़े हैं, दूल्हा पै छैंया छहाय॥

मण्डप गड़ने की साँझ को महिलाएँ मिट्टी लाने जाती हैं, जिसे माँगर माटी कहते हैं। पाँच या सात कुँवारी कन्याओं के सिर पर बाँस की टोकनियाँ होती हैं, जिनमें सुआस के हाथ से खोदी गई मिट्टी भरकर लाई जाती है। सुआसिन के सिर पर कलम होता है। घर की मालकिन दिया जलाकर भूमि की पूजा करती हैं। आग में राइ या घी को होम देती हैं। *कुहरी* और *फरा* धरती की पूजा और माटी के मूल्य के रूप में पैसे रखती हैं। पहले सुहासा कुदाल चलाकर मालकिन के आँचल में एक मुट्ठी मिट्टी डालता है। यही क्रिया सात बार की जाती है। घर पहुँचकर मालकिन यह मिट्टी देवता के सामने डालती है और कुँवारी कन्याएँ मण्डप में रखती है। इसी मिट्टी से मगरोहन का चबूतरा और कलश रखने

का रेहना और छोटे-छोटे पाँच या सात चूल्हे बनाए जाते हैं। खम्ब के पास लीपकर गोबर से गौर-गणेश बनाया जाता है। पास में कलश पर दीप जलाकर रखा जाता है। मण्डप लाने वालों का दारू से स्वागत किया जाता है। इसे *मंडवा-तरपौनी* कहते हैं। गोंड समाज में मण्डप में पुरूष और महिलाएँ *लावा-भुजाई* और *धान-बाँधना* रस्म हँसी मजाक के लिए करते हैं। मण्डप के दूसरे दिन चार-छः युवतियाँ *मैहर* और *मायनो* भरती हैं। मैहर में आटे को औंधे कूड़े से पाँच बार नापकर उसकी पोटली मण्डप से बाँधते हैं और मायनो मण्डप को कपड़े से चारों ओर से घेर कर सुआसिन द्वारा मीठे पकवान बनाने की प्रक्रिया है। मण्डप में *मैहर भरना* एक महत्त्वपूर्ण रस्म है। घर के भीतर देवालय में कपड़े पर देवी-देवताओं के कुछ चित्र अंकित किए जाते हैं, कहीं-कहीं मिट्टी की मूर्तियाँ भी बनाई जाती हैं। तेल चढ़ाना, हल्दी कुचरौनी, हल्दी चढ़ाना, हल्दी उतारना, नहडोरा (स्नान) कंगन बँधना, कुँवर, कलेवा, परछन जैसी रस्में वर-कन्या दोनों मण्डपों में सम्पन्न होती है।

आज मोर दुलरा को हरदी चढ़त है, आओ सुहागन नार।
चन्दा सूरज के पैंया री लागो, जो जग करे उजियार।
ठाकुर देव के जश को गावो, जो खेगें के रखवार।
आज सुमरणि सब देवन की, जिनके लगे दरबार।
खम्ब सलौटी, लोढ़ा री टीको गोरा के पाँय पखार।
कलसा टीको, पीढ़ा टीको, मनसा पुरब हमार।
मोरे दुलरा को हरदी चढ़त है, घरी भर हुई जा सहाय॥

नहडोरा (स्नान) गीत

बैठो कदम की छैंया, बनी तोरे द्वार खड़ी।
ठण्डा सो पानी गरम कर आई,
सपरो कदम की छैंया, बनी मुँह जोह रही।
रेशम धोती घड़ी लयै ठाड़ी,
पहरो कदम की छैंया, बनी मुँह मोर रही।
रेशम झंगा, अण्डी पिछौरा,
ओढ़ो कदम की छैंया, बनी तोरे सामू खड़ी।
ताता जलेबी, दुधन के लडुवा,
खाओ कदम की दैंया, बनी तोरे
पीओ कदम की छैंया बनी तोरे ॥ ५ ॥

सेजा सफेदी चन्दन के पलका,
पोढो कदम की छैंया, बनी तोरे संगे परी॥

गोंड दूल्हे का शृंगार परम्परागत है। हल्दी में रंगी हुई *पियरी धोती,* शरीर में सफेद झंगा, कमर में पिछौरा, या उमेठा, सिर पर सफेद पीले रंग का साफा, साफे पर बाँस की नेर से बना मोर बाँधा जाता है। गले में सुन्दर सुतिया हमेल कमर में तलवार या कटार या हाथ में बाँस का पंखा लिए जब गोंड दूल्हा निकलता है तो उसकी इस छवि को दूर से ही पहचाना जा सकता है। पास देखने पर आँखों का काजल दूल्हे के सौन्दर्य को और बढ़ा देता है। सुआसा दूल्हे का शृंगार करता है। इसके बदले में उसे रुपये जेवर या पशुधन का नेग मिलता है। दूल्हे का शृंगार हो जाने पर दूल्हे की माँ दिया, गई, नमक से परछन करती है, ताकि दूल्हे को किसी प्रकार नजर न लगे।

सुआसा दूल्हे को गोद में उठाकर घोड़े पर सवार कराता है। बारात गाजे-बाजे के साथ पैदल ही रवाना होती है। गोंडों की बारात में महिलाएँ भी होती हैं। वे रास्ते में गीत गाती चलती हैं–

मोर सलोना बन्ना देखो कानन कुंडल सोहे री।
जामा झंगा तन पर सोहै, कमर उमैठा बाँधो री।
मोहन माला गले में सोहै, कमर कटारी खोंसे री।
नैनन कजरा मुख में बीरा, रंग सुहावन लागै री।
बन्ने का मुँह देख-देख के, बन्नी कुलाँचे लैवे री।

रास्ते में गाए जाने वाले गीतों में बिरहा और ददरिया, गोंड स्त्री और पुरुष मिलकर गाते हैं।

बिरहा गीत

ककरी ला खाइन करिया, किरवा डोंगर ला खाइन बनजार गोरी लुगैया लोगन खाए,
ज्यों खाए बीरा पान॥

–ककड़ी की बेल को काले कीड़े खा गए, पहाड़ को लकड़ी काटने वाले खा गए, गोरी स्त्री मर्दों को खा गई। जैसे पान का बीड़ा खाकर अपना मुँह लाल किया जाता है, उसी प्रकार अपने आनन्द के लिए मर्दों को बिगाड़ दिया।

अमरैया चिरैया किलोल भई जाग,
मोला आन दे, मोला जान दे, अमरैया रे दोश।
येहू तो निकरै सज-धज के,
मोर जोड़ी निकरगै मुलुक तज के।
टिंघरा ले धोती, खसल परिजाय।
जब आवे लुगैया, समझ परि जाय।
आमा इमलिया दोउन में काया।
दोई रनिया निभा ले, दोउन में माया।
पानी तो बरसे पतर बुँदिया।
मोला चोली सिवाय दे मंसुरबुदिया।
गघरी के पानी गरम कर ले।
तोरी जायै जवानी धरम कर ले।

बारात गाँव के पास पहुँचकर किसी वृक्ष की छाया में या जलाशय के किनारे ठहर जाती है। बारात की पहुँच की खबर देने के लिए एक व्यक्ति मण्डप की डाल हाथ में लिए कन्या पक्ष के घर जाता है। इसे *मिष्टया* कहते हैं। मिष्टया हाथ की डाल को लकड़ी

के मण्डप पर फेंक देता है। लड़की वाले मिष्टया की खूब आव-भगत करते हैं। वह बारात की सारी सूचनाएँ दे देता है और लड़की वालों की व्यवस्था देख-परख लेता है। मिष्टया लौट जाता है और बारात की अगवानी की तैयारी की जाती है। पेड़ की छाया से बारात को *जनवासे* में आदर के साथ पहुँचाया जाता है। जनवासे में दूल्हे की साली दूल्हे को अपने हाथ से पाँच कौर भोजन कराती है। दूल्हा *मुँहजोई* नेग देता है। इसके बाद *बाँस-छिंकाई,* समधी-मिलौकी, बाजा-मिलन आदि की रस्में होती है। *बरजोरी* प्रथा में दूल्हा सखियों से घिरी दुल्हन की अँगुली में अंगूठी पहनाता है। यह कार्य खुले आँगन में होता है। *द्वार चार* होने के पश्चात लड़की को नहलाकर ससुराल से आए रैनी, कंगन और कपड़े पहनाए जाते हैं, इसे *चढ़ावा* कहते हैं। कन्या का मामा और मामी कन्हर लेते हैं। दुल्हन को गोद में बैठाते हैं। उसके खुले बालों पर दुल्हन का भाई पानी डालता है और मामा-मामी बालों से टपकते पानी का आचमन करते हैं। यहाँ मामा-मामी लड़की के चरण स्पर्श करते हैं। इसके बाद मण्डप में लड़की के माता-पिता कन्यादान करते हैं। दहेज देते हैं। तत्पश्चात दूल्हा, दुल्हन की माँग में सात बार सिन्दूर भरता है। सुआसिन दूल्हा-दुल्हन की गाँठ जोड़ती है।

गाँठ जुड़ जाने के बाद भाँवर होते हैं। खम्ब की दाहिनी ओर से पाँच या सात भाँवर फिराने का गोंडों में आम रिवाज है। भाँवर में दूल्हा आगे और दुल्हन पीछे-पीछे चलती है। फेरे या भाँवर लड़की के माता-पिता नहीं देखते। वे वहाँ से कहीं चले जाते हैं। भाँवर होने के पश्चात दूल्हा-दुल्हन को गाते बजाते जनवासे तक ले जाते हैं, इसे *रहस-बधाव* कहते हैं। कन्या पक्ष की महिलाएँ बतासे का नेग लेकर घर वापस आती हैं साथ में दुल्हन भी आ जाती है। जिनमें रहस बँधाव नहीं होता, उनमें *फरसा* रोपना क्रिया होती है। विदा से पूर्व बारात को भोजन कराया जाता है इस समय कन्या पक्ष की महिलाएँ समधियों को जमके गाली गीत सुनाती हैं।

गोंडों में लड़की की विदाई के क्षण मार्मिक होते हैं। भोजन के पश्चात् विदाई की तैयारी हो जाती है। कन्या पक्ष के लोगों

का मन भारी हो जाता है। वर-पक्ष में विवाह सम्पन्न होने की खुशी के क्षण देखे जा सकते हैं। दुल्हन सखियों से घिरी रोने लगती है। माता-पिता, भाई-बहन सब दुल्हन से मिलकर रोते हैं और आशीष देते हैं।

आज मोरी दुलरी ससुराल चली री।
मैके की सुध-बुध बिसार चली री॥
नैन कजरवा मिला हुई गै।
अंसुवन से ढरकाय चली री॥
संग सहेली मिलि भेटि रोवैं।
सबकी सुध बिसराय चली री॥
मैके को छोड़ अब ससुरे बसेरा।
मैके से नाता तोड़ चली री॥
हम सबकी ये मनसा गुइया।
फूलै फरै कचनार कली री॥

—दुल्हन डोली में बैठी धार-धार आँसू बहा रही है। ऐसे में दुल्हन का भाई लोटे में पानी लेकर डोली के पास भरे गले से आता है, डोली रोककर वह बहन के आँसू पोंछता है, मुँह धुलाता है। इधर दामाद अपने सास-ससुर के आँसू पोंछता है, धीरज बँधाता है। सारा वातावरण बोझिल और करुण हो जाता है। विदाई में बाँस से बनी टोकनी, सूपा देने की प्रथा है। गोंड मान्यता है कि बासिन कन्या का रूप है, वह वंशवृद्धि करती है। वधू को लेकर बारात घर लौटती है। सबसे पहले दूल्हे की बहिन वापस आई बारात का स्वागत करती है। लड़के की दाई नववधू को जेवर का नेग देती है। वरवधू के पहली बार प्रवेश पर *मुँह चायना, द्वार छिंकाई, पौर पूजन, दूधा भाती, पैला भरना, लोढ़ झेना, कंगन छोड़ना, हरदी छुड़ावन* जैसी रस्में सम्पन्न होती हैं। गोंडों में सुहागरात मनाई जाती है। विभिन्न रस्मों से सम्बन्धित गीत महिलाएँ गाती हैं। तीसरे दिन लड़की को लेने के लिए कन्या पक्ष के मेहमान आ जाते हैं। चौथे दिन लड़की को भेज देते हैं, इसे *चौथी लिवौवा* कहते हैं। कुछ दिनों बाद पुनः लड़की को ससुराल वाले दो-चार दिन के लिए भेजने को *गमनाचार* कहते हैं। विवाह के बाद कई दिनों तक कुछ प्रथाएँ चलती रहती हैं। *समधौरा, मौर विसर्जन, बहुरिया खिचड़ी, खम्ब उखाड़ना* ऐसी ही प्रथाएँ हैं। उल्लेखनीय बात यह है कि गोंड समाज में विवाह का कुल खर्च तीन और चार हजार के बीच होता है। विवाह में सबसे अधिक खर्च दारू पर होता है।

परम्परागत विवाहों के अतिरिक्त गोंडों में कुछ और भी विवाह प्रचलित हैं, ये हैं भगेली विवाह और बलात् विवाह। भगेली विवाह केवल लड़के-लड़की की राजी-बाजी से

होता है। कुँवारेपन में लड़की, लड़के के प्रेम पाश में बँध जाती है, लेकिन लड़की का बाप इस बात पर राजी नहीं है, ऐसी स्थिति में लड़की हाट-बाजार से लड़के से मिलकर भाग जाने की तिथि तय कर लेती है। लड़का उसी तिथि को लड़की की प्रतीक्षा करता है। लड़का यह बात अपने दोस्तों, भाई-बहन को बता देता है। लड़की निश्चित तिथि को भागकर रात्रि के समय अपने चहेते लड़के के घर की उरिया में आकर बैठ जाती है।

पिता मुकद्दम और कोटवार को बुलाने दौड़ पड़ता है। इधर लड़का एक लोटा पानी घर के छप्पर पर डालता है, जिसकी धार को लड़की अपने सिर पर झेल लेती है। लड़के की माँ अब लड़की को घर के भीतर ले जाती है। कुछ समय में सारे गाँव में खबर फैल जाती है। अब वह लड़की गाँव की मानी जाती है। पंच उसकी पूरी जिम्मेदारी लेते हैं। उसे पिता के घर लौटने को कहते हैं, लेकिन अपनी मरजी से जो बयान देती है, पंच वही करते हैं। लड़की के पिता को खबर दे दी जाती है। उसी रात मंडवा गड़ाकर भाँवर हो जाती है। इस तरह यह विवाह सम्पन्न हो जाता है। बाद में लड़की वाला खर्ची पाकर राजी हो जाता है।

बलात् विवाह में लड़का जबरन लड़की को अपने घर में घुसेड़ लेता है या हाट बाजार में हल्दी छींट देता है। अब लड़का लड़की से विवाह करने का हकदार हो जाता है। ऐसा तब होता है जब लड़की और लड़का के माँ-बाप किसी तरह विवाह करने के लिए राजी न हों। ऐसी स्थिति में रात में ही मंडप गाड़कर बाजे-गाजे और नाच के भाँवरें फिर जाती हैं।

गोंडों में विधवा विवाह प्रचलित है। इस तरह *रखैली* विवाह और अन्तरजातीय विवाह पर भी कोई प्रतिबन्ध नहीं है। गोंड जाति में विधवा भौजाई को देवर चुरियाँ पहिनाकर पत्नी के रूप में रख सकता है। दावा तोड़ने की प्रथा के अनुसार नया पति स्त्री के पहले पति को पंचों द्वारा ठहराई नकद राशि दण्ड स्वरूप देता है। प्रथा का भी चलन है। एक पति एक से अधिक पत्नियाँ रख सकता है।

ये देवयोनि और भूतयोनि मानते हैं। गोंड आत्मा को मानते हैं। कर्म के अनुसार आत्मा भूतयोनि या देवयोनि प्राप्त करती है। देव-मिलौकी पूजा करने से मृतक की आत्मा देवत्व प्राप्त कर लेती है। वे आत्माएँ देव-पितरों में नहीं मिलाई जा सकती हैं, जिनकी

मृत्यु किसी दुर्घटना में होती है। *नवा-खानी* गोंडों के पितरों की पूजा का त्यौहार है। गोंड लोगों का विश्वास है कि बड़ा देव ही आदमी को जन्म देता है और वही उसे उठा लेता है। बीमारियाँ गोंडों के लिए दैवीय-विपत्तियाँ हैं। गोंड मानते हैं कि शरीर छोड़ देने के बाद भी आत्मा का घर और परिवारजनों के प्रति मोह रहता है।

गोंडों में अग्निदाह और दफनाने की प्रथा है। स्वाभाविक मौत से मरे व्यक्ति का अग्निदाह किया जाता है और प्लेग, हैजा तथा सर्पदंश वाले मृतक को दफनाते हैं। बच्चों को भी दफनाया जाता है। शव को नई लंगोटी और कफन में या सफेद लाल साड़ी में लपेटकर सीढ़ी पर सुलाया जाता है। मृतक के सिरहाने तमाखू, चोंगी के अलावा उसकी वस्तुएँ रख दी जाती हैं। चार आदमी सीढ़ी को कन्धा देकर शमशान भूमि तक ले जाते हैं। बीच में एक जगह शव-यात्रा को विश्राम देते हैं। विश्राम के स्थान पर एक गड्ढा खोदकर दो पैसे रख देते हैं और उस पर बेरी की काँटों वाली झाड़ी पत्थर से दबा देते हैं। गोंडों का मत है कि मृतक की आत्मा श्मशान से घर की ओर आएगी तो इसी राह से आएगी और जब इस स्थान पर पहुँचेगी तो काँटों में उलझ जाएगी। श्मशान भूमि में लकड़ी की चिता तैयार की जाती है। उस पर स्नान कराने के बाद शव को पेट के बल लिटा दिया जाता है। मृतक का सिर उत्तर की ओर पैर दक्षिण की ओर रखे जाते हैं। शव यात्रा में आए सभी लोग मृतक को पंच लकड़ी देते हैं। मृतक का बड़ा पुत्र, भाई या सम्बन्धी स्नान कर गीली धोती पहने हुए मुखाग्नि देता है। कपाल क्रिया के बाद सभी लोग चिता की परिक्रमा कर जलाशय में स्नान करते हैं। स्नान कर सब लोग घर लौटते हैं। आगे-आगे जिसने मुखाग्नि दी है, हाथ में गीली धोती रखकर चलता है रास्ते में एक कंकड़ उठाता है, उस पर थूकता है और सिर के ऊपर फेरा लगाकर पीछे वाले व्यक्ति को देता है। प्रत्येक व्यक्ति यही क्रिया कर कंकड़ को सबसे पीछे पहुँचाता है। पीछे वाले यही क्रिया कर पीछे फेंक देते हैं। इससे किसी प्रकार की भूत बाधा घर में नहीं आती, ऐसी मान्यता है। गर्भवती स्त्री के मरने पर राई बिखेरी जाती है, जिससे वह चुड़ैल योनि में न आए। घर आकर शवयात्री पानी से पैर धोकर आँगन में बैठते हैं। एक व्यक्ति तेल हल्दी देता है। सभी लोग अपने-अपने हाथ-पैरों में लगाते हैं और घर लौटते हैं। पुरुषों के आ जाने के बाद महिलाएँ स्नान करने जाती हैं। मृतक की पत्नी आगे-आगे चलती है, पीछे कतारबद्ध अन्य महिलाएँ चलती हैं। जलाशय पर पहुँचकर घाट पर मृतक की पत्नी की चूड़ियाँ फोड़ी जाती हैं। सबसे

पहले वही स्नान करती ह। फिर अन्य स्त्रियाँ स्नान करती हैं। स्नान कर पुरुषों के समान प्रक्रिया दोहराकर अपने-अपने घर लौटती हैं। तीन दिन मुर्दे को भोजन दिया जाता है। घर का सियाना रात में दोनों में दाल, चावल, दूध-दही रखकर घर से कुछ दूर श्मशान की दिशा में जाकर किसी पेड़ के तले मृतक का नाम लेकर जमीन पर रखता है। मृतक के घर में तीन दिन बाहर से भोजन व्यवस्था होती है। अग्नि देने वाला व्यक्ति तीन दिन अछूत माना जाता है। तीसरे दिन *खारी* उठाने के बाद यह व्यक्ति शुद्ध हो जाता है। बिनी हुई हड्डियों को पोटली में किसी पेड़ पर लटका देते हैं।

दफनाने की क्रिया में भी उत्तर-दक्षिण सिर-पैर का ध्यान रखा जाता है। मुर्दे को कब्र में औंधा लिटाया जाता है। शरीर से कफन निकाल लेते हैं। शवयात्रा में शामिल सभी लोग पाँच-पाँच मुट्ठी मिट्टी डालते हैं। फिर कब्र को मिट्टी से पूर दिया जाता है उस पर काँटे और पत्थर रख देते हैं। बाकी सभी क्रियाएँ पूर्वानुसार होती हैं।

मृतक संस्कार में *दशमानी* या दशगात्र प्रथा गोंडों का महत्त्वपूर्ण क्रियाकर्म है। दस दिन के बाद दशमानी होती है। इसे बड़ा कर्म भी कहा जाता है। दस गोत्रों में सगोत्रों के अलावा अन्य जाति और धर्म के लोग आमन्त्रित किए जाते हैं। लोग अपने साथ *सहाय* भी लाते हैं। सहाय में दाल, चावल, कोदई रहती है। नतैन दारू और बकरा भी लाते हैं। सहाय प्रथा के कारण गरीब से गरीब गोंड बड़ी धूमधाम से मृतक का क्रिया कर्म करता है। गाजे-बाजे और नाचने वालों को भी निमन्त्रित किया जाता है।

दशमानी के दिन प्रातः महिलाएँ घर को लीप-पोतकर शुद्ध करती हैं, कुछ लोग

आँगन में बड़ा मण्डप बनाते है। जिसे पाल, परदे या पत्तों से छाते हैं, जमीन में पायल बिछा देते हैं। मण्डप में रात-रात भर नाच गाना होता है। गोत्र और परिवार के लोग दोपहर से पहले घाट पर जाते हैं। मुण्डन करवाते हैं मूँछ और दाढ़ी मुँड़वाते हैं। मुंडन के बाद स्नान होता है। *इसे बाल देना* कहते हैं। पुरुषों की तरह महिलाएँ पहले दतून करती हैं। दतून के बाद आत्मा खोजने की क्रिया होती है। कुँवारी लड़कियाँ पानी में गोता लगाती हैं और कोई भी जलजीव पकड़ती हैं। जिसकी पकड़ में पहले जीव आता है वह अपने को बड़ी भाग्यवान समझती है। गोंड महिलाओं की धारणा है कि मरने वाला लड़की को चाहता था और वह जरूर उसकी कोख से आएगा। उस जीव को मिट्‌टी के डबले में रख देते हैं। नदी के पार एक मण्डप बना दिया जाता है उसके बीच में साल्हे वृक्ष की डाल भी गाड़ दी जाती है। दोसी वहाँ रहता है। विधवा स्त्री स्नान कर उस डबले को हाथ में लेकर मंडप के पास जाती है। दोसी वहाँ दाल-चावल की खिचड़ी बनाता है। खिचड़ी जीव को अर्पित की जाती है। जीव की पूजा करते हैं। होम देते हैं। विधवा को उस जीव के साथ सात भाँवरें फिराते हैं। ये भाँवर उल्टी होती है। इसका अर्थ मृतक जीव के फेरे खोल दिए। अब वह स्वतन्त्र है। विधवा से कोई सम्बन्ध नहीं। विधवा जीव को पानी में वापस कर देती है। अब महिलाएँ घर आ जाती हैं। आँगन में मंडप बनाकर मृतक पूजा दोसी कराता है। दशगात्र में गंगा पूजा, पंग बँधी और मृतक भोज अवश्य होता है। भोजन के बाद रात-भर गाना-बजाना और नृत्य चलता है। गोंडों में मृत्यु गीत नहीं गाए जाते। इस अवसर पर करमा, ददरिया गाए जाते हैं। परधान रामायणी, पंडवानी, गोंडवानी गाते हैं। मृत्युदान परधान या अन्य गोंड *बिरसिया* लेते हैं। इसे *मौर दान* कहते हैं। दान लेने वाला नेगी या दसौंधी कहलाता है।

दसगात्र में विधवा स्त्री को पंचों के सामने *चूड़ी पहननी* पड़ती है। विधवा को उसके देवर के नाम से चूड़ी पहनाई जाती है। नियम के अनुसार देवर का प्रथम अधिकार अपनी भाभी

पर रहता है। यदि सगा देवर नहीं होता तो देवर चूड़ी पहनाने के लिए राजी नहीं होता तो पंच लोग किसी भी दूसरे के नाम से चूड़ी पहना देते हैं। विधवा का कोई सहारा ढूँढ़ देना पंच लोग अपना कर्तव्य समझते हैं। नाम की चूड़ी पहनने के बाद उस पुरुष की पत्नी बनकर रहना या न रहना विधवा की इच्छा पर निर्भर करता है। यदि विधवा किसी और की पत्नी बन जाती है तो पूर्व पति के घर से नाता टूट जाता है। उस घर में उसका कोई हक नहीं रहता। उसके बाल-बच्चे छीन लेते हैं। देवर से पुनर्विवाह करने पर विधवा के साथ ऐसा व्यवहार नहीं करते। देवर की इच्छा ही प्रधान होती है। यदि विधवा चाहे तो किसी से विवाह न कर वैधव्य जीवन अपने बाल-बच्चों के बीच उसी घर में बिता सकती है। विधुर पुरुष के लिए भी पंच लोग पुनर्विवाह का सोच-विचार करते हैं और उसे सहयोग देते हैं।

पर्व-त्यौहार

1. बिदरी पूजा—इसका अर्थ बादल पूजा है। बिदरी पूजा में बादल के साथ धरती और अन्न की भी पूजा की जाती है। बिदरी पूजा ज्येष्ठ मास की किसी भी तिथि में की जाती है। बिदरी पूजा में पूरा गाँव शामिल होता है इस तरह बिदरी पूजा ग्रामोत्सव का रूप धारण कर लेती है। गाँव के मुखिया के आँगन में बिदरी की पूजा की जाती है जहाँ

ग्राम का प्रत्येक किसान इकट्ठा होता है। गाँव का बैगा (पुजारी) सूर्योदय से पहले स्नान करके एक लोटा जल लेकर ठाकुर देव के स्थान में पहुँच जाता है। गाँव का मुखिया भी पूजा की सामग्री लेकर वहाँ पहुँचता है। पूजा की सामग्री में एक काली पोई (काली मुर्गी) जिसने अण्डे देना शुरू नहीं किया, एक सफेद और लाल मुर्गा, तीन नारियल, दूध, शराब, रार या अगरबत्ती रहती है। गाँव के किसान धान, कोदों, कुटकी, जगनी, उड़द आदि बीज दोनों में भरकर लाते हैं। ठाकुर देव के चौरे को गोबर से लीपकर उस पर अन्न के दोने रख दिए जाते हैं। बैगा (पुजारी) ठाकुर देव, धरती माता, अन्न देव तथा अन्य देवताओं का स्मरण करते हुए कण्डे की आग में रार का होम देता है। दोनों के अन्न को चौरे पर पहाड़ीनुमा ढेर कर देता है। ढेर के समीप कण्डे की आग रखकर रार अगरबत्ती का होम-धूप देता है। सबसे पहले ठाकुर देव का स्मरण कर सफेद मुर्गे को अक्षत चबाकर बलि देता है। अन्न के ढेर पर खून का तर्पण करता है। आग में दारू का तर्पण करता है। मुर्गे के सिर को आग के पास रखता है और धड़ को दूर रखता है। हाथ में जल लेकर अन्न के ढेर को बाँधता है। धरती माता को होम देता है और काली पोई की बलि देता है। उसके खून से भी अन्न के ढेर को सींचता है। फिर *खेरोदेव* का स्मरण करते हुए लाल मुर्गे की बलि देता है। उसका खून भी ढेर पर छिड़कता है। अन्य देवताओं का स्मरण कर नारियल फोड़ता है। बैगा अनाज के ढेर को दोनों हाथों से खमस (मिला) देता है। इस विशेष उपचारित और पूजित अन्न के ढेर में से बैगा दोनों में भरकर प्रत्येक किसान को देता है। किसान खेत में बीज बोने के समय इन बीजों को उनमें मिला देते हैं। गोंड धारणा यह है कि ऐसा करने से फसल अच्छी होती है। बैगा इस समय गाँव के सभी खेतों की सुरक्षा हेतु चुल्लू में पानी लेकर सुरक्षा कवच के रूप में खेत बाँधने की क्रिया भी करता है। बैगा को दावत दी जाती है। विदाई के समय सीधा-सामान और सवा रुपया दिया जाता है। युवक गोंड मदिरापान करते हैं। वास्तव में बिदरी पूजा कृषि से सम्बन्धित उत्सव है।

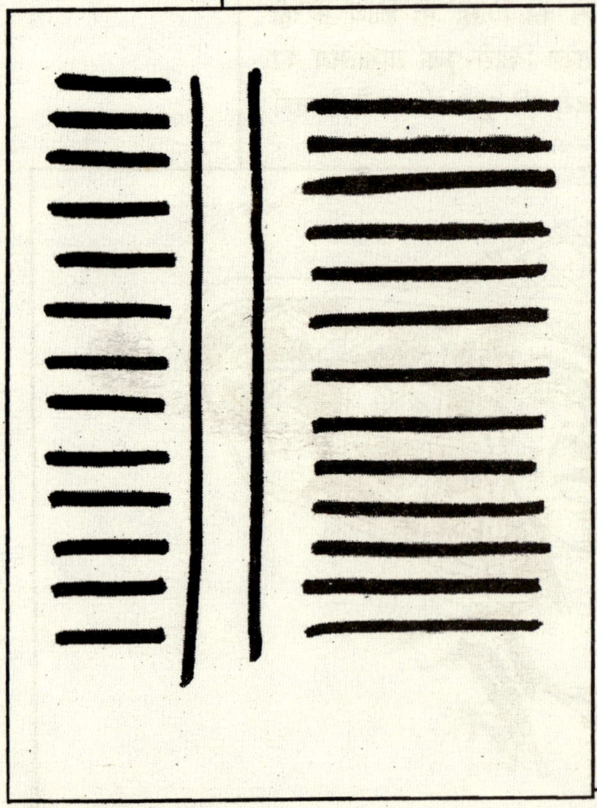

2. बक बँधी–आषाढ़ मास की पूर्णिमा यानी गुरु पूर्णिमा को लेकर मनाया जाता है। बैगा पलास के पौधे की जड़ से रेसे निकालकर उन्हें हल्दी में रंग लेता है। मन्त्र बोलते हुए घर के प्रत्येक युवक की दाईं कलाई

में ये रेशे बाँध देता है। घर और खेत में इन रेशों को गाड़ता है। दरअसल यह प्रकृति जन्य रक्षा बंधन है। घर के लोग किसी भी बाधा से पीड़ित न हों, गोधन को कोई बीमारी न हो, फसल में कोई रोग न हो, यही इस पर्व का उद्देश्य है। मंडला जिले में इस सम्बन्ध में एक मिथक प्रचलित है। जिसे मैंने कासीराम प्रधान से सुना था। ''लिंगों को भगवान ने फूल से पैदा किया था। वह ब्रह्मचारी था। उसने गोंडों को अपना भाई बनाया। ये सात भाई थे। सातों की पत्नियाँ थीं। लिंगों सुन्दर था। उस पर सातों पत्नियाँ मोहित थीं। उन्होंने लिंगों का ब्रह्मचर्य खंडित करने की पूरी कोशिश की। लेकिन लिंगों अपने सत्य से नहीं डिगा। तब उन्होंने लिंगों पर शील भंग करने का झूठा दोष लगाया। इस पर उनके पति लिंगों कुपित हो गए। उन्होंने लिंगों की सचाई जानने के लिए अग्नि परीक्षा लेना चाही। लिंगों सोच में पड़ गया। उसने अपने भाइयों से एक दिन की मोहलत माँगी और भगवान से प्रार्थना करने लगा। भगवान ने *नांगा बैगा* को भेजा। नांगा बैगा ने छूला (पलास) की जड़ खोदी, रेशे निकाले और उन्हें हल्दी में रंगकर लिंगों की दाहिनी कलाई में बाँध दिया और बोला–बेटा जा, आग तुम्हारा कुछ नहीं बिगाड़ सकेगी। तब लिंगों ने अग्नि परीक्षा दी और उसमें खरा निकला। तब से गोंड भाई बैगा से इस रेशे को बँधवाते चले आ रहे हैं। चूँकि लिंगों ने आषाढ़ मास की पूर्णिमा को अग्नि परीक्षा दी थी इसलिए आषाढ़ पूर्णिमा की यह तिथि बक बँधी के नाम से मनाई जाती है।

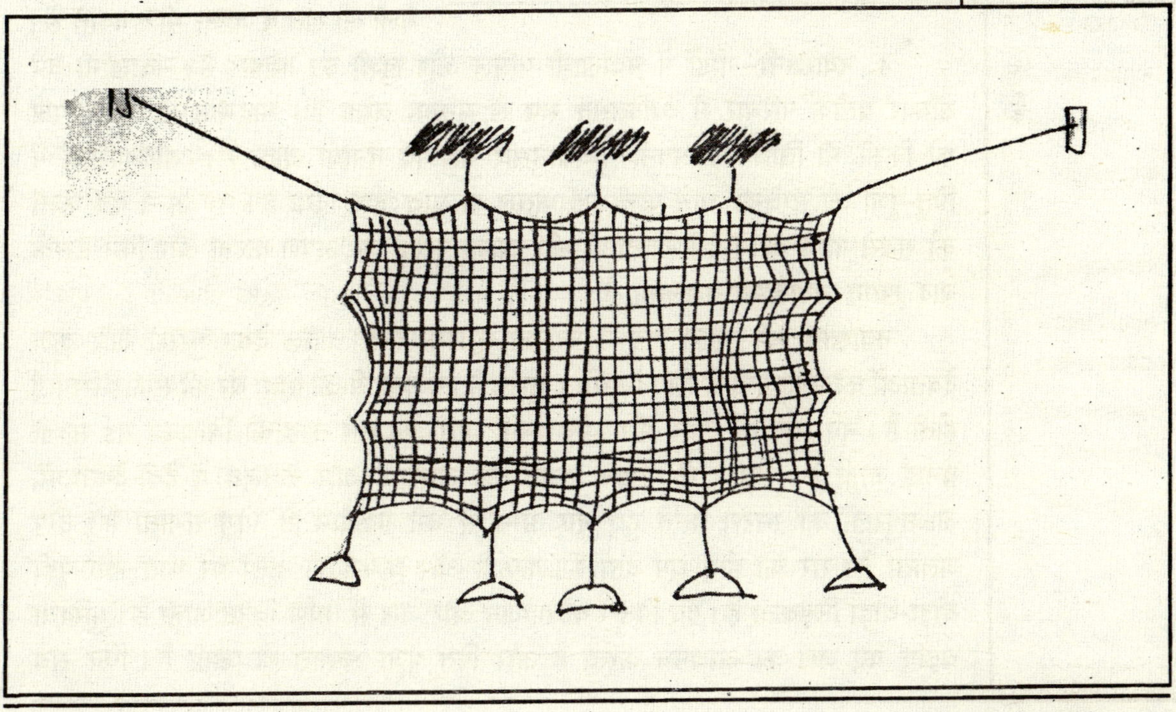

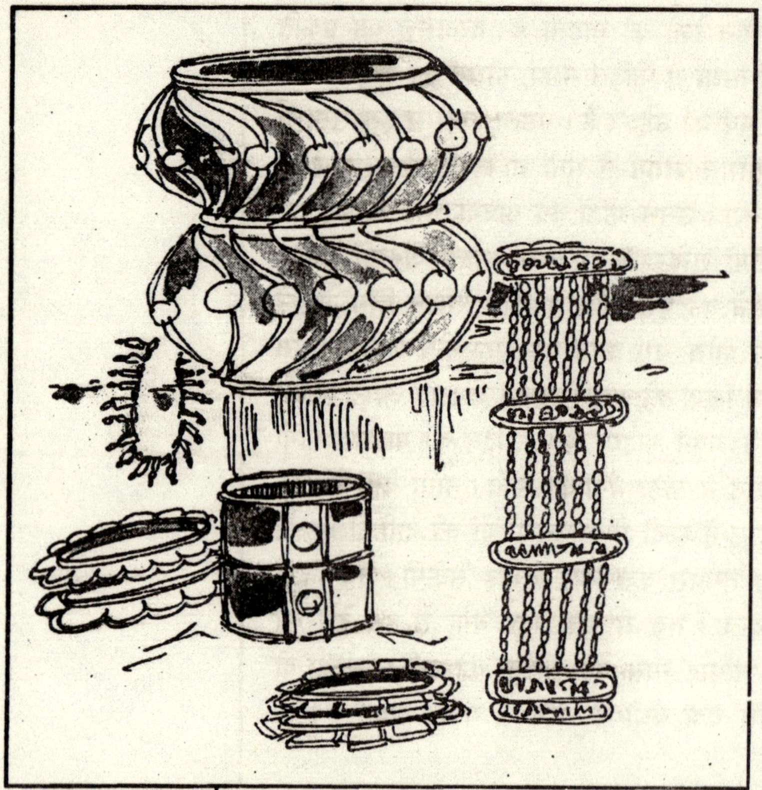

3. हर ढिली : श्रावण मास को हर ढिली का पर्व मनाया जाता है। यह उत्सव वास्तव में खरीफ फसल की बोनी के समापन का है। बैलों को हलों से ढील देने के कारण इसका नाम हर ढिली पड़ा। बैलों पर इस दिन विशेष ध्यान दिया जाता है। बैलों को नहलाते-धुलाते हैं। बैलों की पूजा होती है। खीर और पूड़ी खिलाई जाती है, बैलों का मुँह चलाया जाता है। कृषि कार्य में बैलों की महत्ता सर्वविदित है। हर ढिली के दिन बैगा हर घर के द्वार पर छप्पर के नीचे जोगीलटी बेल खोंसता है। धारणा है कि इससे खेत की फसल जोगोलटी की तरह फैलेगी और भिवा की तरह खूब फल आएँगे। बैगा को इसका भरपूर नेग मिलता है कुछ किसान इन बैलों को खेत में जाकर भी लगवाते हैं।

4. नवाखानी—गोंडों में नवाखानी फसल और खुशी का त्यौहार है। नवाखानी का त्यौहार प्रत्येक परिवार में व्यक्तिगत रूप से मनाया जाता है। भाद्रमास के शुक्ल पक्ष को किसी भी तिथि को अपनी सुविधानुसार यह पर्व मनाया जाता है। आदिवासियों ने पितृ-पूजा का सम्बन्ध आने वाली नई फसल के साथ जोड़ दिया है। नए अन्न एवं फलों को सबसे पहले अपने देवी-देवताओं और आजा-पुरखों को अर्पण करना और फिर उसके बाद खाना *नवाखानी* कहलाता है।

नवाखानी की पहली रात में घर का मुखिया पीले चावल देकर पुरखों और कुल देवताओं को नवाखानी के लिए निमंत्रित करता है। नवाखानी को प्रातः घर की सफाई-लिपाई होती है। नए धान का भात और खीर बनाई जाती है। सब तरह की मिलाकर नई सब्जी बनाई जाती है। दोपहर में मुखिया स्नान कर आता है और देवालय में देवी-देवताओं, आजापुरखों को स्मरण करते हुए नए अन्न से बने पकवान से भोग लगाता है। दीप जलाता है। रार का होम धूप देता है। ककड़ी और कुम्हड़े के फूलों पर भात खीर-पूड़ी थोड़ा-थोड़ा छिड़कता है। देव पितरों को भोजन और जल से तर्पण किया जाता है। मुखिया चढ़ाए गए जल का आचमन करता है और पितृ पूजा समाप्त हो जाती है। फिर सब

परिवार के लोग मिलकर नया भोजन करते हैं।

5. जवारा—एक धार्मिक पर्व है। यह वर्ष में दो बार मनाया जाता है। एक क्वार के महीने में दूसरा चैत्र के महीने में। दोनों माह की शुक्ल एकम तिथि से नवमी तक जवारा का पर्व मनाया जाता है। जवारा आदिवासियों की शक्ति पूजा है। जवारा उत्सव नौ दिन चलता है। देवी की मड़िया में थोड़ी जमीन खोदकर गेहूँ के बीज बोए जाते हैं। कुछ लोग मिट्‌टी के खप्परों तथा टोकनों में जवारा बोते हैं। पूजा देवी के पुजारी की देख-रेख में होता है। वही देवी का सेवक है। नौ दिन तक व्रत रखता है। जगह-जगह त्रिशूल-बनाना गड़ाए जाते हैं। नौ दिन-रात का दीप जलता है। आठवें दिन देवी को अठमाई चढ़ाई जाती है। देवी के प्रधान लँगुरे को रोट चढ़ाए जाते हैं। अठमाई में दीव की निरामिष पूजा होती है।

जवारों को नवीं के दिन बड़ी धूमधाम से जलाशय में विसर्जित कर दिया जाता है। विसर्जन का दृश्य दर्शनीय होता है। मड़िया में भक्तों की भीड़ उमड़ पड़ती है। मुर्गी-मुर्गा और बकरे की बलि दी जाती है। कुछ महिलाएँ खप्पर और कलस रखती हैं। छतुर लड़के रखते हैं। पुजारी के गले में लोहे की हँसली और लोहे की चेन होती है। दाहिने हाथ में लोटे की काँटेदार जंजीर या गाय के पूँछ के बालों की साँट होती है। देवी के अन्य बरूआ बाना और साँट लिए चलते हैं। जिस पर भाव आ जाते हैं। मादर, ढोलक, टिमकी, झाँझ, मजीरा पर देवी के जसगीत गाए जाते हैं। जवारा का पूरा जुलूस जलाशय की ओर गाते-बजाते, नाचते-कूदते धीरे-धीरे बढ़ता है। जवारा सिर पर रखी महिलाओं को और बरुओं

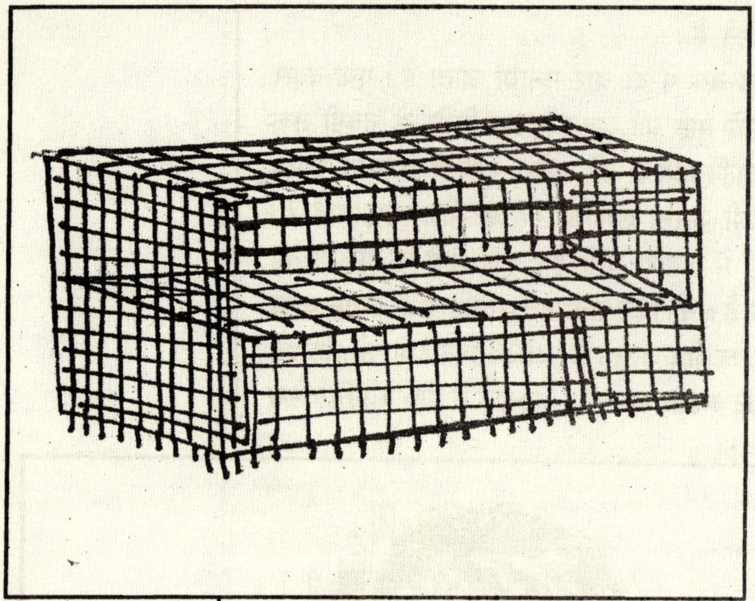

को देवी भाव आ जाते हैं। वे काँपने व कूदने लगते हैं। कोई अपने आप को सांट मारता है। कोई बाना गाल में घुसेड़ लेता है। महिलाएँ बाजों को धुन में झूम-झूमकर नाचती हैं। कोई अड़ जाती है, उसे पूजा-दुहाई देकर मनाया जाता है।

कोइल बोलै अमा डार, लाल धौलागिरि में।
कहाँ लगा दये अम्बा-इमलिया, कहाँ लगाए देवी बगियारे॥
डोंगरा लगा दये अमा-इमलिया, मढ़िया लगाए देवी बगिया रे॥
काहे में सींचो अमा-इमलिया, काहे में सींचे फुल बगिया रे॥
पानी में सींचो अमा-इमलिया, दूधन सींचे फुल बगिया रे॥
कौन रखावै अमा-इमलिया, कौन रखावै फुल बगिया रे॥
पंडा रखावै अमा-इमलिया, लंगुरे रखावै फुल बगिया रे॥
कौन तो घूमै अमा-इमलिया, कौन फिरे फुलबगिया रे॥
पंडा तो घूमै अमा-इमलिया, देवी फिरे फुल बगिया रे॥

जलाशय पर जाकर जवारों की पूजा करते हैं। सभी लोग एक-दूसरे को जवारे देकर गले मिलते हैं। यह क्रम दूसरे दिन तक चलता है। बगिया की मिट्टी जलाशय में ठण्डी कर दी जाती है।

6. मड़ई—मड़ई दीपावली की प्रतिपदा से कार्तिक पूर्णिमा तक पन्द्रह दिन बड़ी धूम-धाम से मनाई जाती है। मड़ई एक धार्मिक उत्सव है। मड़ई अब मेले के रूप में विकसित हो गई है।

मड़ई शब्द की उत्पत्ति मड़वा से हुई है। मड़वा यानी मंडप, जिसमें विवाह सम्पन्न होता है। गोंड मान्यताओं के अनुसार उनके गुरु दौगुना का विवाह एक मंडप तले गंगाइन देवी के साथ दीवाली प्रतिपदा को हुआ था, तबसे उसी की स्मृति में उत्सव मड़ई के नाम से मनाया जाता है। मड़ई किसी हाट के दिन भरती है। मड़ई मेले में भिन्न-भिन्न दुकानदार तमाशबीन आते हैं। मड़ई में मण्डप बनाकर आज भी दौगुना और गंगाइन

देवी का विवाह रचाया जाता है। मड़ई बाँधने को चण्डी खड़ी करना कहते हैं। मड़ई मेले में कई चण्डी दल इकट्ठा होते हैं। एक चण्डी दूसरी चण्डी से भेंट करती है। मेले में चण्डियों का मिलन बड़ा उत्तेजक और देखने लायक होता है। इनके साथ अहीरों के नृत्य दल विशेष आकर्षण के केन्द्र होते हैं। चण्डी का विसर्जन कार्तिक पूर्णिमा को होता है। यहीं मड़ई मेले विश्रान्ति ले लेते हैं। पौषमास *हड़हा मास* कहलाता है। इस माह में सभी देवी-देवता अन्तर्धान हो जाते हैं।

7. छेरता—यह उत्सव पौषमास की पूर्णिमा को मनाया जाता है। यह बच्चों का त्यौहार है। इस दिन बच्चे टोली बनाकर निकलते हैं। वे घर-घर जाते हैं। सबके हाथ में बाँस की एक छड़ी होती है और काँधे में एक झोली। वे आँगन में खड़े होकर छड़ी की नोक से जमीन कुरेदते हैं और "छेर छित्ता छेरता, छेर छित्ता छेरता" की रट लगाते हैं। घर मालकिन चावल, कुदई, आटा, दाल आदि झोली में डाल देती है। कोई-कोई हल्दी, मिर्च, नमक भी देते हैं। घर-घर के अनाज से बच्चे जलाशय के किनारे भोजन बनाकर खाते हैं। छेरता का अर्थ धरती है। छेर छित्ता छेरता का अर्थ 'धरती हमें अनाज दे' से है।

गोंड समाज में कुछ इस तरह के त्यौहार हैं जो हिन्दू और आदिवासी समूह दोनों

में हैं। उनका नाम एक है परन्तु दोनों समाजों की आस्थाएँ और धारणाएँ भिन्न हैं जो एक दूसरे के विश्वासों से मेल नहीं खातीं। नाग पंचमी और दीवाली इसी प्रकार के त्यौहार हैं।

नाग पंचमी सर्प पूजा का उत्सव है। गोंडों में नागपूजा आदिकाल से है। भय से त्राण पाने के लिए नाग पूजा का विधान किया गया है। गोंड सर्प उतारने के मन्त्रों को वर्ष भर में एक बार शुद्ध करते हैं, जिसे मन्त्र जगौनी कहते हैं। कहीं-कहीं नागपंचमी को सैला नाग-नृत्य किया जाता है। प्रत्येक गोंड परिवार में नागपूजा की जाती है।

दीवाली उत्सव क्वार मास की अमावस्या से प्रारम्भ होकर कार्तिक पूर्णिमा तक पन्द्रह दिन मनाया जाता है। अमावस्या की रात्रि में दौगुना गुरु और अन्न की पूजा करते हैं। वे इस रात में मंत्र सिद्ध करते, गुरु मन्त्र लेते तथा औषधियों की जड़ी-बूटियों को जगाते और दूसरे दिन लक्ष्मी यानी गोधन की पूजा करते हैं। गोंडों की मान्यता है कि दौगुन गुरु की पूजा से दीवाली उत्सव का जन्म हुआ है। इसी तिथि में अन्न और लक्ष्मी (गाय) पृथ्वी पर आए इसलिए उनकी पूजा दीवाली में की जाती है।

दीवाली पर घर आँगन लीपे पोते जाते हैं। घर का मुखिया व्रत रखता है। संध्या को आटे का चौक पूरते हैं। बाँस की कोरी टोकनी को गेरू से पोतकर उसमें चावल तथा बड़ा की तीन जोड़ रख देते हैं। टोकनी में फूल रखकर घी का दीया जला दिया जाता है। टोकनी में दीया दौगुन गुरु के नाम से और गौशाला के द्वार पर एक दीया होले राय के नाम से रखा जाता है। शेष अन्य जगहों कुल देवों तथा आजा पुरखों के नाम से रखते हैं। घर में रेंड के पत्ते खोंस दिए जाते हैं। पशुओं को गेरू छुही से रंगा

जाता है। आदिवासी बालक मौनी चराने जाते हैं। हाथ में बंशी रखते हैं। अमावस्या की रात्रि में गोंड बालकों में ढर्रा देने की प्रथा है। खरगोश की लेंडी को दाहिनी कलाई पर रखकर जलाते हैं। यह निशान हर गोंड को जीवन भर रहता है। दीवाली उत्सव कार्तिक पूर्णिमा को समाप्त हो जाता है।

आस्था, अनुष्ठान और विश्वास

गोंड प्रकृति की अपार शक्तियों के पूजक हैं। वह चाँद और सूरज, बादल, बिजली, वर्षा, अग्नि के प्रति पूजा का भाव रखता आया है। आदिवासियों का कोई धार्मिक ग्रन्थ नहीं। जो उसे उसके देवी-देवता, बैगा, बरुआ, भूत-पिशाच आज्ञा देता है वही करता है। आदिवासियों को अपने देवी-देवताओं पर अडिग विश्वास है। उनके मन में भगवान की क्षीण कल्पना जरूर है लेकिन सृष्टिकर्ता भगवान के बाद संसार की सत्ता उनके अपने बड़े देव के हाथ में है। उनके लिए यह संसार ही सब कुछ है। जो कुछ भी है इहलोक है, परलोक की कल्पना उनकी बुद्धि में नहीं आती। वे किसी भी संकट में भगवान को याद नहीं करते। उनमें देवी-देवताओं से संबंधित कई मिथ कथाएँ प्रचलित हैं। यही कथाएँ उन्हें धार्मिक और आस्तिक बनाती हैं। यही इनके धर्म का मार्ग है।

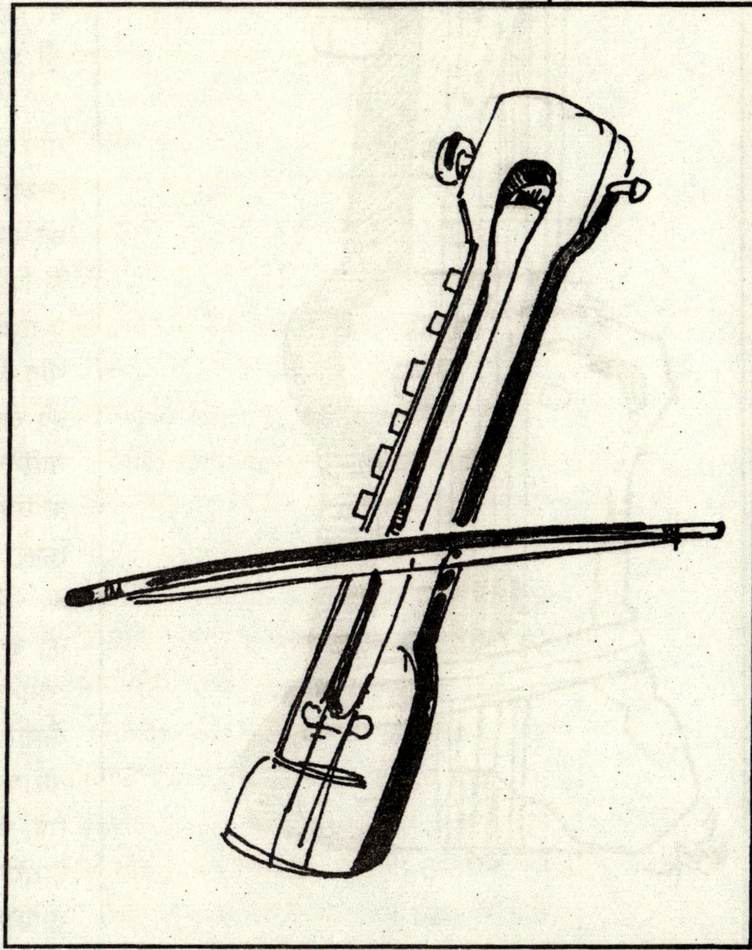

गोंडों के कई देवी-देवता हैं, जिन पर वे अटूट आस्था रखते हैं। जिनमें बड़ा देव सबसे बड़ा और व्यापक देवता है। बड़ा देव की कल्पना हर आदिम समूह में देखने को मिलती है। गोंड जिस शक्ति को सर्वसम्पन्न मानते हैं वह उनका बड़ा देव ही है। बड़ा देव या बड़का देव। लिंगों, राय लिंगों और

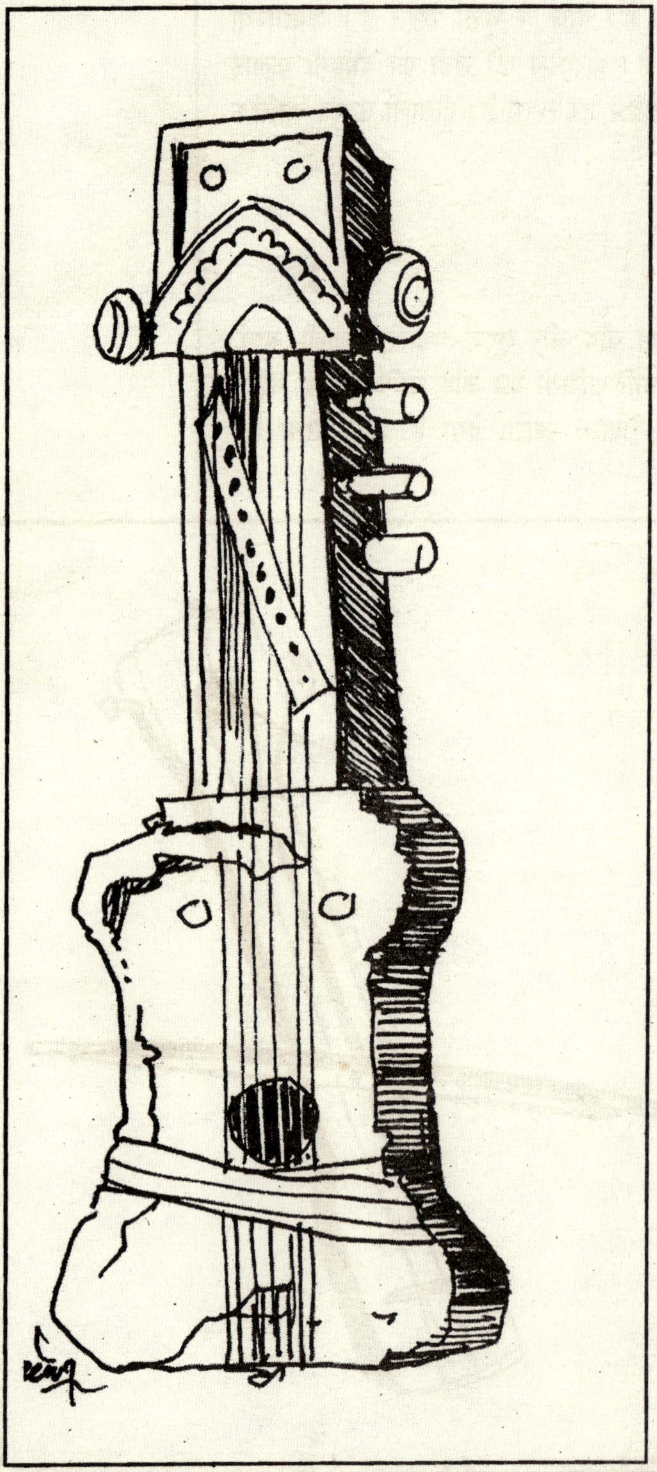

बारापेन भी बड़ा देव के रूप हैं। बरसों से बड़ा देव को भगवान शंकर का रूप माना जाने लगा है। इस तरह की कई कथाएँ प्रचलित हैं। गोंड समाज में बड़ा देव का स्वरूप सफेद वस्त्रधारी, सफेद दाढ़ी वाला सौम्य पुरुष मान्य है। जिसकी सवारी सफेद घोड़ा है और हाथ में भाला है। बड़े देव की स्थापना हर ग्राम में पूर्व की ओर होती है। साल में एक बार बड़े देव की सामूहिक पूजा की जाती है। एक चबूतरे पर स्तम्भ तोड़ दिया जाता है जहाँ कीलें जड़ी पादुकाएँ रखी जाती हैं। बड़े देव की अनगढ़ मूर्ति उसी चौरा पर रखी रहती है। कहीं-कहीं बड़े देव की मड़ैया भी डाल दी जाती है।

ठाकुर देव—गोंडों के ग्राम देवता हैं। वह ग्राम के रक्षक हैं। यह श्वेत वस्त्रधारी सौम्य स्वरूप हैं। ठाकुर देव गाँव की दैवी आपत्तियों को दूर करता है। ठाकुर देव के बरुआ होते हैं, जिन्हें समय-समय पर भाव आते हैं। बिदरी पूजा के समय भी ठाकुर देव की पूजा होती है। गाँव में बीमारी आने पर भी ठाकुर देव की पूजा की जाती है। ठाकुर देव को सफेद मुर्गी और नारियल चढ़ता है। ठाकुर देव का स्थान गाँव के बाहर किसी वृक्ष के नीचे रहता है। वृक्ष के ऊपर सफेद ध्वजा फहराई जाती है।

नारायण देव—नारायण देव का स्थान घर की दहलीज में है और वह घर में आने वाली सभी प्रकार की दैवी बाधाओं जैसे भूत-प्रेत, बीमारी आदि को देहरी में ही रोक देता है। नारायण देव की पूजा घर की दहलीज पर होम, धूप, अगरबत्ती और नारियल से की जाती है। नारायण देव की पूजा वर्ष में एक बार घर की सुविधानुसार कभी भी की जा सकती है।

घमसेन देव—घमसेन देव का चौरा बड़े देव के पास रहता है। उस पर एक खम्ब गड़ा रहता है और उस पर ध्वजा फहराती रहती है। घमसेन देव के चौरा पर मनौती के जवारे बोए जाते हैं। देव की वर्ष में एक बार सामूहिक पूजा होती है। घमसेन की नर्मदा नदी के उत्तराखंड में अधिक मान्यता है। घमसेन देव बुद्धि और बल का प्रतीक है। इसका भाव आने वाला बरुआ बहुत शक्तिशाली होता है और कीलों से बने झूले के पटिए पर बैठता है।

नागेश्वर देव—नाग या सर्प को पूजा भाव से गोंड नागेश्वर देव कहते हैं। इनकी पूजा नागपंचमी को होती है। साँप के बमीठे की पूजा होती है।

खैर खूँट मुठिया—अर्थात् चरवाह-चरवाहिन देव गोंडों की गायों की रक्षा करने वाले देव हैं।

खेरमाई का स्थान ग्राम की सीमा पर होता है। यह ग्राम की सीमा रक्षक देवी है। इसका स्थान अधिकतर महुआ वृक्ष के तले होता है। वर्ष में एक बार इसकी पूजा होती

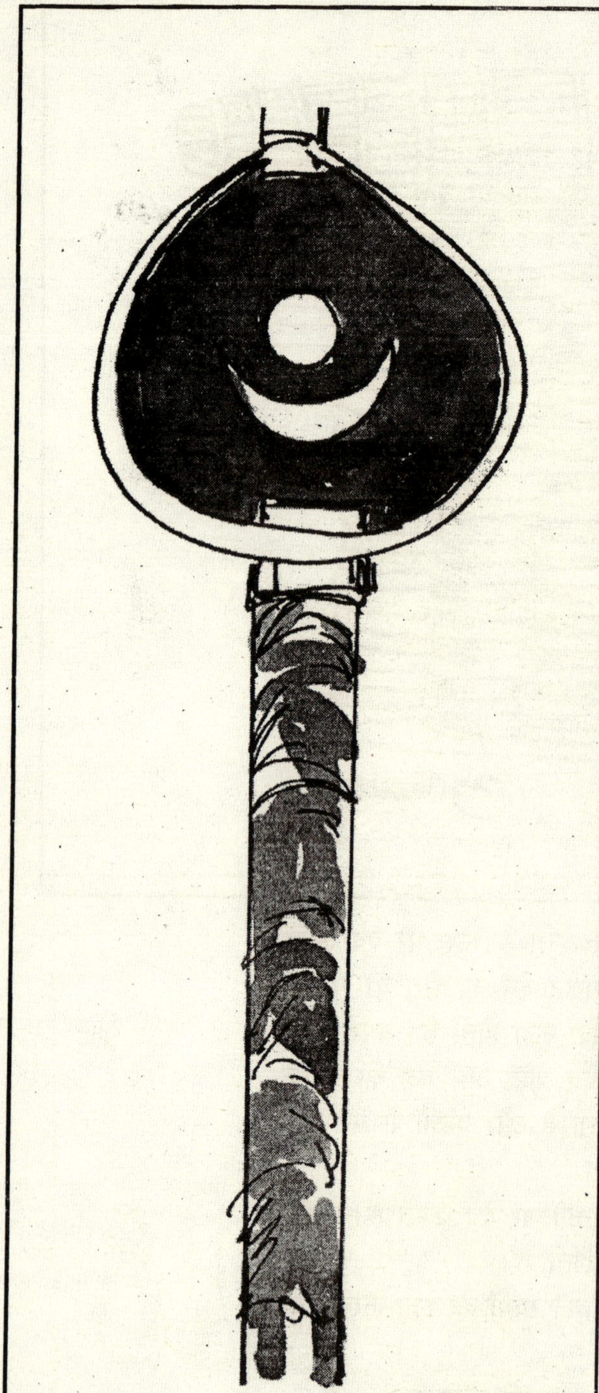

है। पूजा में नारियल और गांरूड़े चढ़ते हैं। *बनजारिन माई* वन की देवी है जो वन सम्बन्धी संकटों का हरण करती है। वन देवी निःस्वार्थ फल देने वाली है। बनजारिन देवी का स्थान जंगलों के घाट हैं। घाट से गुजरने वाला कोई पत्थर बनजारिन देवी के चौरा पर रखता है, यही इसकी पूजा है। पत्थरों के ढेर में बनजारिन माई का वास है। अब कहीं-कहीं मन्दिर बन गए हैं। *रातमाई* रात्रि देवी हैं। इसे अन्धेरी माई भी कहते हैं। रात माई भय से त्राण दिलाने वाली है। *गंगाइन माई* का चौरा घर के बाहर आँगन के एक कोने में होता है। गाँव का पुजारी व गुनिया के यहाँ इसकी स्थापना और पूजा होती है। दिवाली के बाद शुक्ल पक्ष में इस देवी की पूजा बाँस के डण्डों में मोर पंख बाँधकर होती है। पूजा में बकरा, मुर्गा एवं दारू चढ़ाई जाती है। *शारदा माई* की स्थापना वरदान देने वाली देवी के रूप में होती है। इसका पुजारी स्नान कर घण्टों एक पैर पर खड़ा रहकर कठिन साधना करता है। चौरा पर जवारे बोए जाते हैं। *शीतला माई* ममतामयी माता है। यह शारदा माई की छोटी बहन मानी जाती है।

विनाश करने वाली, अहित करने वाली और कष्ट देने वाली देवियों पर नाम मात्र की भी श्रद्धा नहीं होती। किन्तु जब वे अपना आतंककारी प्रभाव दिखाती हैं तो आदिवासी इनसे त्राण पाने के लिए इन्हें देवी मानने पर विवश होते हैं। इसी आधार पर जितनी भयंकर बीमारियाँ हैं, जिनसे अधिक मौतें होती हैं उन सबको इन्होंने देवी की मान्यता दे रखी है। उनकी सेवा और पूजा का विधान भी बना रखा है। *बूढ़ी माई* ऐसी ही देवी है। बड़ी चेचक को बूढ़ी माई कहते हैं। भोले गोंड लोगों को यह मालूम ही नहीं है कि हमारे देश में चेचक उन्मूलन हो गया है। अब बूढ़ी माई की कोई जरूरत नहीं है। छोटी माता को गोंड *कसलाई माई* कहते हैं। हैजा और प्लेग

बीमारियों को *मरही माता* नाम दिया गया है। मरही माता से सारा गाँव भयभीत रहता है, कारण कि वह एक घर से शुरू होकर सारे गाँव में छा जाती है। पूजा गाँव के बाहर पग मार्ग पर की जाती है। पूजा में लकड़ी की गाड़ी, देवी की पोशाक, टिकुली, चूड़ियाँ, बकरी, मुर्गा-मुर्गी, नारियल और दारू लगती है। पूजा गाँव का पंडा या बैगा करता है। मलेरिया बुखार को हुलकी माई या दलकी माई कहते हैं। घट सर्प को *धुली माई* कहते हैं। *चैरंगा माई* पशुओं की बीमारी है। पशुओं के चारों पैर जकड़ जाते हैं। संध्या समय तेल का दीया जलाकर देवी के नाम से जलढार देते हैं।

गोंड अपने जीवन में भय, बीमारियों के कारण और दैवी आपदाओं से बचने के लिए कई मनगढ़ंत देवी-देवताओं की उपासना करता है। जरा-सा भी भय हुआ कि गोंड उसकी देव की तरह पूजा करने लगता है। अहरानी, महारानी, इन्द्रानी, बिन्द्रानी, रासाढारनी, अँगारमाती, लोहाझारती देवियाँ तारक और मारक देवियाँ हैं। कंकाली देवी, डोकरी दाई, अघोरी पूजा की देवियाँ हैं। भैरों देव रक्षक हैं। गोंड वंश के कुल देवता भी उतने ही पूज्य होते हैं जितने अन्य देव। पुरबनीमाता, दूल्हा देव, बघेश्वर देव, आजा पुरखा, सूरज देव, जल देवता, अग्नि देवता, धरती माता, गौमाता, सरई के वृक्ष में बड़े देव का वास मानते हैं। दूल्हा देव रसोई का देवता है और क्रोधी स्वभाव वाले सुरजा देव, करुहावीर आदि कई देवताओं की कल्पना गोंड मन में रहती है। बुन्देला देव युद्ध का देवता है। कुल मिलाकर गोंड जीवन भय का जीवन है। पग-पग पर इन काल्पनिक देवी-देवताओं की वह सहायता की प्रार्थना करता है।

गर्भवती महिला को वृक्ष की जड़ दिखाने से प्रसव जल्दी हो जाता है। विधवा स्त्री को किसी भी जल जीव के साथ उल्टे फेरे फिरवाए जाते हैं। बीमारियों में झाड़-फूँक का सहारा लेते हैं। पागल होने या अधिक बीमार रहने को गोंड जादू का नाम देते हैं। मूठ मारना एक मारक क्रिया है।

गोंड सहज रूप से अन्धविश्वासी हैं। आदिवासी जीवन को निरापद बनाने के लिए अन्धविश्वासों को मानता है। आदिवासी समाज की अन्धविश्वासी परम्पराओं ने कहीं-कहीं आदिम संस्कृति का रूप ग्रहण कर लिया है।

गोंड समाज में कई तरह के शकुन और अपशकुन फैले हैं। शकुन ऐसी स्थिति में शुभ माना जाता है– 1. कार्य से जाते समय जाल या मछली लिए ढीमर मिल जाए। 2. घर से निकलते समय पानी से भरा घड़ा दिख जाए। 3. किसी काम से जाते समय राह

में यदि बछड़े को दूध पिलाती गाय मिल जाए। 4. स्वप्न में मृत प्राणी का दिखना। 5. पूर्व और दक्षिण दिशा की ओर सियार रास्ता काट जाए। 6. कौओं को चारा बाँटना किसी अतिथि का आना है। 7. दाहिना पुरुष का और बायाँ स्त्री का अंग फड़कना। 8. स्वप्न में अन्न-जल, आकाश दिखना। 9. स्वप्न में शेर का दर्शन देव दर्शन है। 10. बैशाख में कोयल का बोलना। 11. गोधूली वेला में घर में दीपक जलाना। 12. आषाढ़ में बीज बोते समय काले साँप का दिखना। 13. किसी कार्य के लिए निकलते समय अर्थी का निकलना। 14. दाहिने अंग की ओर या पीठ पीछे छींक होना। अपशकुन ऐसी स्थिति में माना जाता है। 1. यात्रा के समय काने आदमी का मिलना। 2. सामने खाली घड़ा दिखना। 3. बिल्ली का रास्ता काटना। 4. निकलते समय सामने छींक होना। 5. राह में तेली का मिलना। 6. निकलते समय लकड़ी का बोझ मिलना मृत्यु की आशंका का संकेत है। 7. आषाढ़ में असढ़िया साँप का दिखना। 8. कौवे का सिर पर बैठना, बीट करना और कौवे का मैथुन देखना। 9. छिपकली का अंग पर गिरना। 10. पुरुष का बायाँ और स्त्री का दायाँ अंग फड़कना 11. स्वप्न में हँसना। 12. सन्ध्या को घर के किवाड़ लगाना। 13. कुत्तों का रोना। 14. काले साँप का रास्ता काटना। 15. सूअर को मैथुन करते देखना। 16. कुर्री नाम के पक्षी का सामने बोलना। 17. सियार का फें-फें। 18. बाईं आँख का फड़कना। 19. शाम को दीपक न जलाना। 20. किसी भी काम के प्रारम्भ में छींकना।

गोंडों में कुछ ऐसी सामान्य धारणाएँ हैं जो कार्य की सम्भावनाओं को प्रकट करती

हैं। 1. गौरैया चिड़िया का धूप स्नान वर्षा शीघ्र आने की सूचना देना है। 2. गौरैया का पानी में रगी या वर्षा का पानी बह निकलने का सूचक है। 3. बगुलों का पंक्तिबद्ध उड़ना वर्षा होने का संकेत है। 4. छोटा चन्द्र मण्डल दूर वर्षा का और बड़ा चन्द्रमण्डल शीघ्र वर्षा का सूचक है। 5. वर्षा में झाड़ू से आँगन बहुराना, कांडी, कुनैता गड़ाना वर्षा की अवहेलना है। 6. घर की छप्पर पर सुबह कौआ बोलता है, तो कोई मेहमान आने वाला है। ये धारणाएँ खेती-किसानी व अपनी अनुभवपरक और परीक्षित होती हैं। जो सदैव खरी उतरती हैं। जादू टोना करने वाले और उनके निवारक गुरु गोंड समाज में तीन प्रकार के होते हैं—1. उमराव गुरु, 2. जलन्धर गुरु और 3. दौगुना गुरु। उमराव गुरु देवी-देवताओं का साधक होता है, जलन्धर गुरु जड़ी-बूटियों का जानकार होता है और दौगुना गुरु मन्त्र-तन्त्र विद्या में प्रवीण होता है। गोंड लोग भूत-प्रेत, चुड़ैल, राक्षस आदि में विश्वास करते हैं। शिक्षा के प्रसार से इन पर कुछ लोगों का भरोसा उठ गया है। अब वे जादू टोने की अपेक्षा आधुनिक दवाइयों का उपयोग करने लगे हैं। फिर भी गोंडों की बीमारियों का इलाज गाँव के गुनिया, बैगा और बरुआ के हाथों में है।

ददरिया

मोला इन गारी देओ बाई, मा थे जमुरिया ला झन गारी दे॥
आमा ला टोरय खाहुँच कहके।
मोला दगा में बुलाए आहुँच कहके॥ सिंगी बुंदेला ला
झन गारी दे॥
रंगी गुलाली सिंचटा आयो।
तोरे घर की दुआरिया पूंछत आया॥ सिंगी भाटा
खर खर नदिया दतूर कर ले।
जाने वाले सँवरिया सलाम कर ले॥ सिंगी भाटा
पान तो खाए करेला मुँह लाल।
ज्यादा माया झै बढ़ाए हो जाहीं जिव के काल॥सिंगी भाटा

अरी बाई। मुझे गाली मत दो। अपने संगी साथी को गाली मत दो।
मैंने आम तोड़े हैं खाएँगे कहके, मुझे धोखा देके बुला लिया है।
मैं प्यार में गुलाल रंग सींचते आया और तेरे घर का द्वार पूछते आया।
नदी खलखलाती हुई बह रही है। दातौन करके हाथ मुँह धो ले।
ओ जाने वाले साँवरिया सलाम तो कर ले।
पान खाए का हो। मुँह को लाल किए हो, अरे ज्यादा प्रीत मत बढ़ाना, जी का काल हो जाएगा॥

कहरवा गीत

शादी के अवसर पर विदा के समय स्त्री-पुरुष मिलकर गाते हुए नाचते हैं।

लाली गुलाली डोली सजी है, पचरंग सजी रे बारात।
कौन गली से गोरी निकर गै, हँसत की रोवत जात॥
बारी के ईर तीर नीबू लगे हैं, और भला नीबू न टोर बेईमान।
नीबू में काँटे जड़े हैं रे, नीबू न टोर बेईमान॥
हरियर बाँस के लाल बिजनैया, अरे भला तेरा लहर मेरा नींद।
जरा बिजनैया डुला दे तेरा लहर मेरा नींद॥
या टोला वा टोला, बस्ती बसे है, अरे भला कौन टोला ढूँढन जाऊँ।
छैला को लगै बिलैया, कौन टोला ढूँढन जाऊँ॥

डोली, लाल और गुलाबी रंग से सजी है। पाँच रंगों से बारात सजी है। गोरी (बहू) न जाने कौन गली से निकल गई है। वह हँसती जाती है या रोती जाती है, कुछ पता नहीं?

बारी के किनारे-किनारे नीबू लगे हैं। अरे बेईमान, नीबू मत तोड़। नीबू में हीरा लगे हुए हैं।

हरे बाँस का लाल बिजना बना है। तू बिजना डुला, मुझे नींद आ रही है। जरा बिजनैया डुलाते रहना।

बस्ती इस मोहल्ले में बसी हुई है। मेरे प्रियतम को जादूगरनी बिल्ली न जाने कहाँ ले गई है। मैं भला कौन से टोले में ढूँढ़ने जाऊँ।

गोत्र

देवोपासना के आधार पर गोंडों के सात गोत्र हैं—1. पराती (हंसिया), 2. कुल्हाड़ी, 3. बसूला, 4. पास (बखर), 5. कुसिया (हल में लगने वाली कटिया), 6. खुसी। ये देवता घर में ही रहते हैं। सातवाँ देव राँपी चमार के घर में रहता है। कोई छह देव मानते हैं और कोई सात देव। इन देवों की साल में एक बार केवल दशहरे पर पूजा होती है। गोंड गोत्रों के प्रतीक कर्म के सूचक हैं। हंसिया, कुल्हाड़ी जैसी चीजों को गोत्र में प्रतिष्ठित कर गोंडों ने स्वयं के कर्म की प्रतिष्ठा बढ़ाई है।

राज गोंडों के अठारह गोत्र अलग हैं। सब को *दूधाभाई* कुर कहते हैं। रक्त सम्बन्ध होने के कारण इनमें परस्पर विवाह नहीं होता। विवाह मरण में इसके यहाँ जितनी संख्या में दूधा भाई इकट्ठे होते हैं, वह खानदान उतना ही गौरववान होता है। देव गुड़ी में दूधा

भाइयों का मिलन देखने योग्य होता है। गोंडों के गोत्रों को देखने से पता लगता है कि गोंडों के जितने गोत्र होते हैं उतने उनके टोटम या गोत्र चिह्न होते हैं। गोत्र बनने सम्बन्धी कई किंवदन्तियाँ हैं।

गोंडों का चेहरा कुछ चपटा, माथा चौड़ा, कुछ लम्बा, नाक कुछ चपटी, नथुने चौड़े होते हैं। इनकी आँखें काली, पलकें पुष्ट एवं बाहर की ओर औसतन उभरी होती हैं। इनका कद मध्यम और रंग काला होता है। गोंड स्त्रियाँ औसतन काली पुष्ट और चपल होती हैं। कटि क्षीण तथा स्तनों का उभार अधिक होता है।

उनमें अपार सहन शक्ति होती है। जीवन के प्रति उनका दृष्टिकोण मस्ती का होता है और वे आरामप्रद और झंझटों से मुक्त जीवन पसन्द करते हैं। गोंड सदैव अभावों में जीना जानते हैं। वे अपने रंजोगम नृत्य-गीत हास्य और ममत्व से भुला देते हैं। सामान्य रूप से गोंड कर्म करने में विश्वास करते हैं। लेकिन भाग्य को भी महत्त्व देते हैं। महिलाएँ स्वभाव से सहज, लजीली और मेहनतकश होती हैं। घर, खेत, मजदूरी और बाजार में गोंड स्त्रियों का बराबरी का हक है। गोंडों में जो लोग राजघराने के हैं, वे राज गोंड कहलाते हैं तथा अन्य साधारण गोंड *जिमिंदार* या किसान गोंड कहलाते हैं। गोंड शासक के रूप में एवं भूमि सम्पन्न होने के कारण अपेक्षाकृत अन्य आदिवासियों से 'अधिक सभ्य और सुसंस्कृत हैं।' मध्यप्रदेश का ऐहिहासिक नाम ही गोंडवाना है।

गोंड समाज पितृसत्तात्मक है। गोंडों का विश्वास है कि "बीज खेती से अधिक महत्त्वपूर्ण है। पुरुष बीज है नारी खेती है।" पुरुष परिवार का मुखिया होता है। फिर भी सयानी महिलाओं से हर कार्य में सलाह ली जाती है। गोंड गाँवों में संयुक्त परिवार बहुत कम देखने को मिलते हैं। विवाह के बाद लड़का या लड़की कुछ ही दिन अपने माता-पिता के साथ रहते हैं और अपना परिवार अलग कर लेते हैं। लमसेनहाई में लड़की दामाद को ससुर अलग कर लेते हैं। लमसेनहाई में लड़की दामाद को ससुर अलग मकान और खेत की व्यवस्था कर स्वतन्त्र परिवार बना देते हैं। गोंडों की एक मिथक-कथा इस प्रकार है : एक बखत मा लाठी ले साँप निकर के चट्ट चेंची मा चटकाय दैस। धोखा कर डारे बैरी रे, ऐसा जलन्धर कईस और उहाँ ही बैठ गईस। जलन्धर गुरु के अठारह चेला रहें। तेन ओखर विद्या ला सीखत रहें। उन सफ्फा

झन आके जलन्धर ला घेर लैन। जलन्धर बोलिस अब मीर आखिर बखत आय गैसी अखर तुम सोच झैं करा। मैं मर जाहूँ ते मोर मांस ला काट के आगी माँ चुराय ले हों और चुरा के सब झना खा डोऱ हो। मोर सफ़ूफा विद्या तुम्हार ढिगा आ जाहीं। अखर जब मोर मांस चुराहो तो ओखर भाफु कहूँ और अेर झैं भगन न दे हो नहीं तो ऊहाँ कछु न रह जाहीं। अतना कह के जलंधर गरु भगदईस। अब उन चेला मन जलंधर गुरु के मांस ला हाड़िन में भर के एक नंदी तीर मा पकाय लगिन। उहाँ नंदी तीर मा सात ठन टूरी बैठे रहें। केन जाने सरग ले उतरे रहें जो धरती ले जनमें रहे। अखर का कहवें, अतना सुन्दर रहे कि उनखर शरीर मा नजर ना ठहरे। झँवा मारे। जब चेला हर नदिया में नहान लागिन और लड़की मन हाड़िन के पास आइन और उन खर ढकना खोल कर देखन लगिन। ऐसे मा हाँडी के भाप उनखर मुँह माँ भरगै। भाप नाक, कान, आँखी और पेट माँ समाय गै। जलंधर केर चेला छूँछे रह गैन सफ़ूफा

गन तो उन टूरी मन के अंग माँ भरगै। भापनाक, कान आँखी और पेट माँ समाय गै। जलन्धर केर चेला छूँछे रह गैन सफ्फा गुन तो उन टूरी मन के अँग मा समाय गै। तम्मिच ले उन शोधों मैं गैन अब उनखर भख्या लगन लागिस। जेन ला कछू देंय वोखर बसैबई हाल हुई जाए। जे ला नजर भर देख देय ओला नजर लग जाए। अब दौगुन गुरु और शोधनों को झगड़ा ठन गैस। शोंधों तेन अपन गुन करन लगिन और दौगुन अपन मन्त्र न ले रोगियों को अच्छा करन लागिस। अब भगवान प्रसन्न भै गे। होते करते एक दिन दौगुना गुरु के भी आखरी बखत पहुँच गै। दौगुन जब मरन लागिस तन सम्मत ओखर सब चेला चेला जुड़ आइन। सब झना मूंड पीट-पीट के रोवन लगिन और गुरु ले बोलन लगिन। गुरु तैं तो चल दिए अखर इन सात बहिनी भखारिन शोधों से कहाँ लैं जीत वो। हमार लरका बच्चा सफ्फन ला खाय डारहीं। तब दौगुन कहिस—नहीं रे अमावस की रात मा तुम मोला गुहार हो (पुकारोगे) मोर मन्त्र ला जागाहो तो तुम्हार मन्त्रन मा बल आ जाहीं और उन तुम्हार ढिया बने रह हीं अर मैं तुम्हार बानी मा विराजत रह हूँ। दिवारी मा मोर पूजा रचा हो। मंत्रन ला जगा हो। तेन कारण वा दौगुन गुरु के दिवारी मनाथन हम गौंड पंच हन। उक्त कथा हेमराज गोंड कालपी ने मुझे सुनाई थी।

दिवाली में लक्ष्मी गौ पूजा का प्रचलन गोंडों में भी है।

"पुराने समय की बात है, जब भगवान ने संसार को बनाया था, उस समय गाय पाताल लोक में रहती थी एक दिन गाय ने विचारा कि पाताल में रहते-रहते मन ऊब गया है अब मृत्यु लोक में चलकर रहना चाहिए। गाय का नाम गुलजारिन और उसके अहीर सेवक का नाम राक्षर था। एक दिन गुलजारिन ने राक्षर से कहा चलो सिंहासन द्वीप चलें वहाँ सातों भाई देवता जन्म लिए हैं। राक्षर ने कहा, मैं तुम्हारे साथ नहीं जाऊँगा। वहाँ पाप ही पाप है, धर्म का नाम नहीं है, वहाँ के लोग तुम्हें काटकर खा जाएँगे। गुलजारिन ने समझाया पाप-पुण्य तो सब जगह है। चलो मैं सब सम्हाल लूँगी। इस पर राक्षर बोला, तुम्हारे कहने से चलता तो हूँ पर वहाँ खाऊँगा क्या? गाय बोली हम अपने साथ अन्न देव को भी साथ रख लें; तुम जाकर अन्न देव से विनती करो।

रैया राक्षर अन्न देव के पास गया, विनती की। अन्न देव ने कहा—सिंहासन द्वीप पहुँचने के लिए सात समुन्दर, सोलह धार, आठ खण्ड, नौ द्वीप पार करने पड़ेंगे। भला

मैं कैसे तुम्हारे साथ चल सकता हूँ। मैं तो रास्ते में ही सड़-गल जाऊँगा। यह बात रैया राक्षर ने गुलज़ारिन को सुनाई। गुलजारिन ने कहा अरे राक्षर, तुम अन्न देव को अपनी बेटी के पेट में रख लो तो वह सुरक्षित वहाँ तक पहुँच जाएगा। रैया राक्षर की बेटी बासिन कन्या थी। वह बासिन कन्या के पास गया और उसे सारी बातें बताईं। इस पर बासिन (बाँस) कन्या ने कहा, मैं धरती अपना समस्त सौन्दर्य और शृंगार लेकर आकाश दूल्हे की बारात की प्रतीक्षा करती रही। आकाश ने दूर से उसका सौन्दर्य देखा और कामावेग में उसका बीज-पतन हुआ। इस बीज से मछलियाँ और कीड़े पैदा हुए। आकाश की सवारी के रूप में हीरे-जवाहरातों से जड़ा हुआ घोड़ा आज भी इन्द्रधनुष बनकर चमकता है।

जादू-टोना करने वाले एवं तन्त्र-मन्त्र जानने वाले गोंडों की गुनियाओं, ओझाओं, पेड़ों के तीन-गुरु हैं। एक उमराव गुरु, दो जलन्धर गुरु, और तीन दौगुना गुरु। उमराव गुरु शुद्ध-पवित्र देवी-देवताओं का साधक माना गया है। साधक गुरु वन की जड़ी-बूटियों का कुशल जानकार है। दौगुना गुरु तन्त्र-मन्त्र का अभूतपूर्व ज्ञाता है, गोंडों में इसके सम्बन्ध में बहुचर्चित कथा है।

दौगुना गुरु गहन वन में साधनारत थे। उनके बारह शिष्य थे, गुरु ये चाहते थे कि मेरे जीते जी मेरे शिष्य मेरी सारी शिक्षा और गुण सीख जाएँ। परन्तु उनकी यह अभिलाषा पूर्ण न हो सकी। दिनों-दिन बढ़ती हुई वृद्धावस्था के कारण गुरु समझ गए थे—अब मैं थोड़े दिन का मेहमान हूँ। एक दिन सब शिष्यों ने मिलकर उनसे कहा—गुरु महाराज, आप तो अब कुछ ही समय के पाहुने हो। हम लोग आपसे गुण नहीं सीख पाए हैं। हमें कुछ उपाय बताइए जिससे हममें आपके सारे गुण आ जाएँ। दौगुना गुरु ने धीरज बँधाते हुए कहा—बेटा, घबराओ मत मेरे शरीर के खून हाड़ मांस में मेरे गुन भरे हुए हैं, जब मैं मर जाऊँ तो मुझे न जलाना और न गाड़ना। मेरे शरीर को काटकर टुकड़े-टुकड़े कर लेना और सात कोरे घड़ों में मांस को भरकर ऊपर से घड़ों के मुँह पर अच्छा ढक्कन लगाकर नदी किनारे मांस पकने रख देना। ध्यान रहे ढक्कन खुलने न पाए और भाप बाहर न जाने पावे फिर स्नान कर ढक्कन खोलना उसकी भाप लेना और मांस भक्षण कर लेना। तुम्हारे शरीर के रोम-रोम में मेरे गुण आ जावेंगे, तुम्हारी वाणी में इतनी शक्ति आ जाएगी कि तुम जो कुछ बोलोगे वो सच होगा। इतना कहकर गुरु ने

प्राण छोड़ दिए। शिष्यों ने गुरु के वचनों का अक्षरशः पालन किया। नदी किनारे घड़ों में मांस पकने रखकर शिष्य नदी में नहाने चले गए। दूर से सात बहनें सब देख रही थीं। कौतूहलवश उन सातों ने आकर घड़ों के ढक्कन उघाड़कर देख लिए। उनके मुँह और आँखों में भाप लग गई। वे घबराकर भाग गईं। जब शिष्य स्नान करने आए तो चूल्हा ठण्डा हो गया था, ढक्कन अलग पड़े थे मांस भी ठण्डा था। सब शिष्य पछताने लगे। वे सातों बहनें दौगुना गुरु के असली गुणों से भर गईं। उनकी भख्या (वाणी) फलने लगी। लोग उन्हें सोंधो कहने लगे। शिष्यों ने मांस खाया, उन्हें केवल मन्त्रों की सिद्धि मिली, वे गुणी कहलाए। इस प्रकार सोधों मारक और गुनी निवारक साधक हुए।

कहावतें–लोकोक्तियाँ

किसी उचित अवसर पर खरी और प्रभावकारी बात कहने के लिए गोंड कहावतों का प्रयोग करते हैं।

बाम्हन, कुकर, नाऊ, जात देख गुर्राऊ।
भैंस व्यावै पड़ा की गोड़ फटे।
एक पूत जग जूत, हँडिया छाँट परैया में मूत।
पढ़े न लिखे कचहरी की रस्दा पूछे।
चोर-चोर मैंसायाने भाई।
अहीर मिताई जब करै, सबै जात मर जाय।
पनका, पठारी, पठान, इनसे बचावै भगवान।
साप चावै मुँह खाली का खाली।
तिरिया चरित जानें नहिं कोय।
खसम मार के सत्ति होय॥
सास बहू का झगड़ा देखन वाला लबरा।
हाथी की पूँछ का बड़ा शोर सुना था।
पूँछ उठा के देखा तो डंडा खुचा था।
पटक दो तुम, मूँछ उखाड़ लूँ मैं।

आदिम जाति आभूषण

प्रस्तुत शोध आलेख द्वितीयक अनुसंधान स्रोत जिसके अन्तर्गत पूर्वाध्ययनों के प्रलेख शामिल होते हैं, पर आधारित हैं। आलेख के लिए 1961 की जनगणना के समय मध्यप्रदेश में किए गए ग्राम-अध्ययनों में से निम्न को आधार बनाया गया है–

क्र.	ग्राम	तहसील	जिला
1.	जैतपुरी	जबलपुर	जबलपुर
2.	अमवार	मंडला	मंडला
3.	गाधेर	गुना	गुना

जैतपुरी : यह गाँव जबलपुर शहर के केन्द्र से दक्षिण-पूर्व में लगभग 10 मील (16 किलोमीटर) पर पटवारी हल्का न. 57, राजस्ववृत खमरिया में स्थित है। इसकी पूर्वी, उत्तरी और पश्चिमी सीमा गौर सुरक्षित वन को छूती है। इस सुरक्षित वन के पार उत्तर में आबादी रहित सुखलापुर और गधेरी माम है। पश्चिम और दक्षिण पूर्व में भीटा और बलहवारा ग्राम है जिससे जैतपुरी के घनिष्ठ आर्थिक-सामाजिक और धार्मिक संबंध हैं। बलहवारा के आगे जमुनिया गाँव है। जो स्थानीय संत बाबा ठनठनपाल का स्थान है इनका यहाँ के लोगों पर बहुत अधिक प्रभाव रहा है। जैतपुरी गाँव का विकास खण्ड और पुलिस स्टेशन चार मील दूर बरेला में स्थित है। गाँव का प्राकृतिक दृश्य चित्रात्मक है। यह छोटे-छोटे बाँस और अन्य हरे-भरे वृक्षों से घिरा है। इसे गौर नदी इधर-उधर से घेरे है जिसके कारण बरसात में यहाँ आवागमन कठिन हो जाता है।

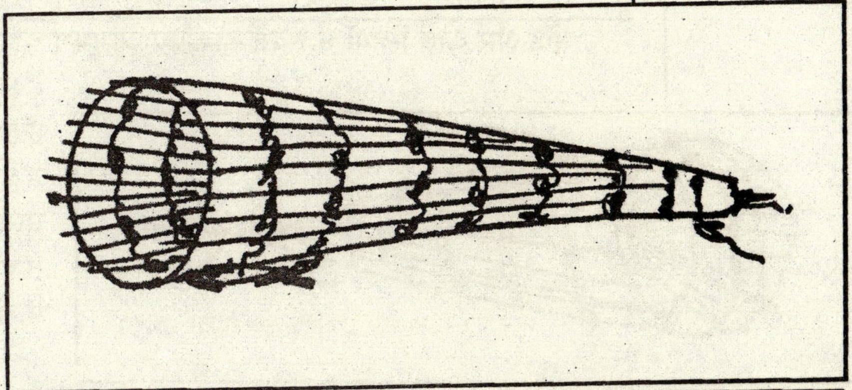

1961 में जब इस गाँव का अध्ययन किया गया तो इसकी कुल जनसंख्या 223 थी। और इसके निवासियों की जाति संरचना निम्नानुसार थी–

क्र.	जनजाति/जाति का नाम	घरों की संख्या	पुरुष	स्त्री	योग
1.	गोंड	27	68	75	143
2.	कोल	16	32	34	66
3.	काछी	2	3	2	5
4.	मेहरा	1	1	4	5
5.	ब्राह्मण	1	2	1	3
6.	मुसलमान	1	-	1	1
	योग 48	10	116	223	

इस प्रकार गोंड और कोल यहाँ मुख्य हैं। दोनों परंपरा से और संवैधानिक रूप से प्रदेश की अनुसूचित जनजाति की सूची में शामिल आदिवासी जातियाँ हैं।

इस अंचल में गोंड और कोल आदिजातियों में प्रायः एक जैसे आभूषण पहने जाते हैं। जैतपुरी के कोल और गोंड द्वारा प्रयुक्त आभूषणों के प्रकार और संख्या निम्नानुसार है–

क्र.	आभूषणों का नाम	आभूषण धारित करने वाले परिवारों की संख्या गोंड	कोल	योग
1.	चूड़ा	18	12	30
2.	सुतिया/हंसली	10	6	16
3.	मूँदरी	9	2	11
4.	खुटिया	5	2	7
5.	छन्नी	4	1	5
6.	टोडर	2	-	2
7.	बोहँटा	-	11	-
8.	हवेल	1	1	2

गोंड और कोल स्त्रियों में सबसे लोकप्रिय आभूषण चूड़ा या कड़ा, हंसली और मूँदरी है। चूड़ा सामान्यतः चाँदी से बना होता है किन्तु जो पैसे की कमी से इसे नहीं खरीद पातीं, वे अन्य सस्ती धातुओं जैसे काँसे या गिलट से बने कड़े पहनती हैं। यह आकृति में गोल होता है और कलाई में

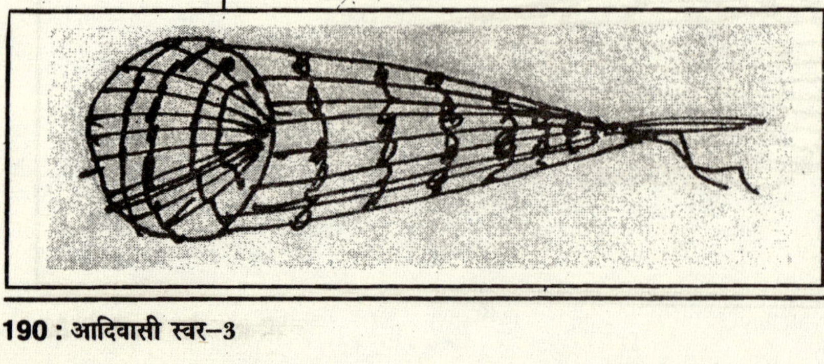

पहना जाता है। हंसली गले में पहनने का आभूषण है। यह भी चाँदी का बना होता हैं। मूँदरी पैर की उँगलियों में पहना जाता है और इसे केवल विवाहित स्त्रियाँ ही पहनती हैं। यह ऊँची जातियों में पहने जाने वाली बिछिया का आदिमजातीय संस्करण है किन्तु यहाँ बिछिया सुहाग का लक्षण मानकर अनिवार्य रूप से पहना जाता है। वहाँ गोंड और कोल स्त्रियों में यह एक शौक के रूप में ही धारण किया जाता है। इनके यहाँ केवल यह निषेध है कि कुँवारी लड़कियाँ और विधवा स्त्रियाँ इसे नहीं पहन सकती हैं।

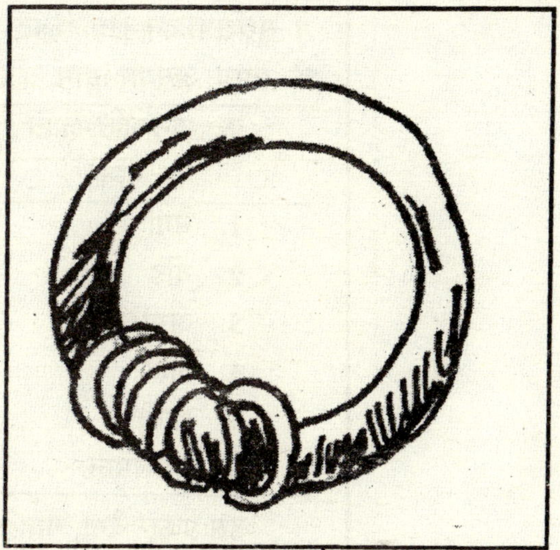

गोंडों और कोलों में कम प्रयुक्त होने वाले आभूषण खुटिया या लौंग हैं। यह सोने का बना नाक में खोंसने वाला आभूषण है। तुलनात्मक रूप से कीमती होने के कारण यह अधिक लोकप्रिय आभूषण नहीं है। टोडर पैर में पहना जाने वाला एक भारी आभूषण है। सम्पन्न लोगों का टोडर चाँदी का बना होता है। गरीब लोग सस्ती धातुओं का बना टोडर पहनते हैं। बोहटा भी मुख्यतः चाँदी का बना आभूषण है। जिसे कुहनी के ऊपर बाँहों में पहना जाता है। हवेल चाँदी के सिक्कों से गुँथी माला है। बहुत अमीर लोग सोने के मुहर की हवेल भी पहनते हैं। इसके अलावा सुविधा होने पर बाँहों में नागामोरी और पैरों में बेड़ी भी पहनी जाती है। दोनों आभूषण सामान्यतः चाँदी के होते हैं। नाग मोरी चाँदी की लहरदार पट्टियों से बनता है। बेड़ी चाँदी की छड़ को मोड़कर सादे ढँग से बनाया जाता है।

धातु के आभूषणों के अलावा लगभग सभी गोंड और कोल स्त्रियाँ, वयस्क लड़कियाँ गले में पीले रंग की काँच की गुरियों की गुँथी माला और हाथ में काँच की चूड़ियाँ पहनती हैं। विधवा स्त्रियाँ काँच की चूड़ियाँ नहीं पहनती हैं। विवाहित स्त्रियाँ माथे पर टिकुली लगाती हैं किन्तु माँग में सिंदूर नहीं लगाती हैं।

गोंड तथा कोल पुरुष आभूषण नहीं पहनते किन्तु कुछ लोग गले में ताबीज पहनते हैं।

अमवार : यह एक आदिवासी ग्राम है। जो मंडला जिला मुख्यालय से 70 किलोमीटर पर स्थित है। मोतीनाला, जबलपुर-रायपुर मार्ग पर मंडला से 42 किलोमीटर पर स्थित है। यहाँ से एक वन मार्ग द्वारा 105 किलोमीटर चलकर मबई विकास खंड मुख्यालय पर पहुँचा जाता है। अमवार मबई से मबई-अमरकंटक मार्ग पर पैदल रास्ते से 3 किलोमीटर घने जंगलों में पहाड़ी पर स्थित है। यह पहाड़ी मैकाल पर्वत श्रेणी में से एक है। इसकी ऊँचाई समुद्र की सतह से 2250 फीट है। अमवार ग्राम के उत्तर में लगभग दो किलोमीटर पर नूनसराई ग्राम है। पश्चिम में सुनेहरा और रेवहंटा ग्राम बसे हैं जबकि दक्षिण पश्चिम

में सुरक्षित वन क्षेत्र स्थित है। कभी यह बनग्राम कहा जाता था। 1961 के अध्ययन के समय अमवार ग्राम की जनसंरचना निम्न प्रकार की थी।

क्र.	जनजाति/जाति का नाम	घरों की संख्या	जनसंख्या पुरुष	स्त्री	कुल	कुल जनसंख्या में प्रतिशत
1.	बैगा	22	43	38	81	52.60
2.	गोंड	7	22	14	36	23.10
3.	अगरिया	4	9	10	19	12.20
4.	अहीर	2	6	7	13	8.30
5.	धोबी	1	2	-	2	1.30
6.	मुसलमान	1	4	2	2	2.50

इस प्रकार बैगा, गोंड और अगरिया यहाँ की मुख्य जनजातियाँ हैं। तीनों जनजातियाँ मध्यप्रदेश में संवैधानिक रूप से अनुसूचित जनजाति के रूप में घोषित हैं।

इस दूरस्थ आदिवासी अंचल में प्रचलित स्त्री आभूषण निम्नानुसार हैं–

1. घर कान : चाँदी से बनी एक गोल आकृति वाला आभूषण। इसमें कोई जंजीर नहीं होती ह।

2. पोला कान : लकड़ी का एक मोटा गोल टुकड़ा अथवा मक्के के भुट्टे से बना टुकड़ा जो कान के निचले हिस्से में तब खोंसा रहता है जब स्त्रियाँ धातु का कोई आभूषण नहीं धारित करती हैं।

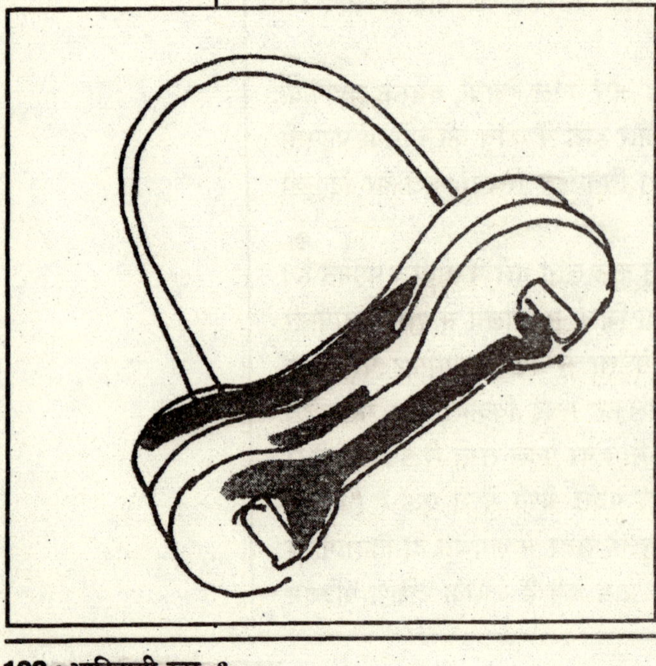

3. तरकी कान : पोला के समान ही किन्तु यह सोने का बना होता है।

4. खुटिया/लौंग या फुल्ली : नाक सोने की फूल की आकृति में बना नन्हा सा आभूषण।

5. हवेल गला : चाँदी के सिक्के अथवा सोने के मुहर से रंगीन धागे में गुँथी माला।

6. सुतिया या हंसली गला : चाँदी से बनी एक बड़े आकार की गोलाकार आकृति जिसे साँप के रूप में गढ़ा गया होता है।

7. गुथी माला गला : काले रंग के काँच के मनकों की माला।

8. फुटा गला : काँच के रंगीन मोतियों की माला।

9. सुरिया बिछूली गला : काँच के रंगीन चौखुटे टुकड़ों को गुँथ कर बनाई गई माला।

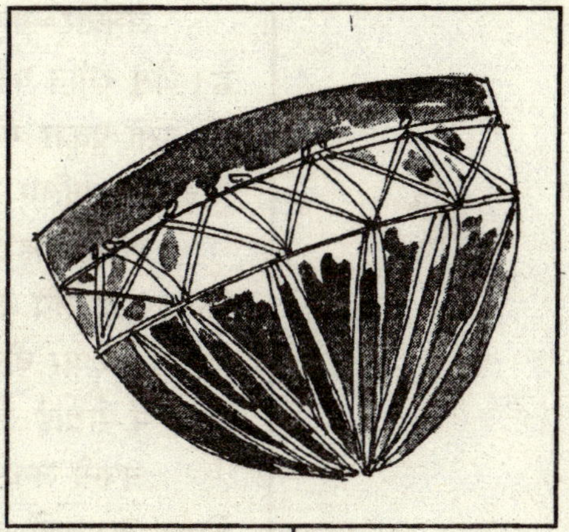

10. चूड़ा कलाई : चाँदी अथवा गिलट धातु से बनी गोलाकार आकृति वाला आभूषण।

11. चूड़ी कलाई : गिलट अथवा रंगीन काँच से बनी गोलाकृति।

12. बहंटा कुहनी : कुहनी के ऊपर पहना जाने वाला धातु से बना गोलाकार आभूषण।

13. नागामोरी कुहनी : बहंटा के समान किन्तु इसकी आकृति साँप की तरह लहरदार होती है।

14. करधन कमर : कमर में पहना जाने वाला चाँदी का आभूषण, यह चौड़े बेल्ट के समान सुंदर आकृति का आभूषण होता है।

15. चूड़ा पैर : पीतल का गोलाकार भारी आभूषण जो टखनों पर पहना जाता है।

16. मुंदरी हाथ की उँगलियाँ : अँगूठी के समान धातु का बना आभूषण।

17. छुकटा पैर की उँगलियाँ : बिछुआ या विछिया के समान धातु का आभूषण।

प्रचलित उपरोक्त आभूषणों में से बैगा, गोंड और अगरिया अपनी गरीबी के कारण कुछ ही आभूषण धारण कर पाते हैं। अमवार ग्राम के आदिवासियों द्वारा धारित आभूषणों की संख्या निम्न तालिका के अनुसार है–

क्र.	आभूषणों का नाम	बैगा	गोंड	अगरिया	योग
1.	सुतिया या हंसली	3	3	1	7
2.	हवेल	3	4	2	9
3.	चूड़ा	8	4	3	15
4.	चड़ी	19	7	4	30
5.	फूटा	22	-	-	22
6.	गुँथी माला	9	-	1	10
7.	बहंटा	-	2	-	2
8.	नागमोरी	-	1	1	2
9.	खुंटिया या फुल्ली	-	1	-	1
10.	लुरकी	-	1	-	1
11.	तरकी	-	1	-	1
12.	मोहर/गोंड	-	1	-	1

अमवार—ग्राम में आभूषणों के धारण में कुछ जातीय विशेषताएँ परिलक्षित होती है। जैसे रंगीन काँच की गुरियों से बनी माला छूटा केवल बैगा स्त्रियों की ही विशेषता हैं। इसी प्रकार गोंडों को छोड़कर ग्राम की अन्य जाति/जनजाति की स्त्रियाँ नाक नहीं छिदातीं, इसलिए उनमें नाक के अन्य किसी आभूषण के पहनने का प्रचलन नहीं है।

गाधेर—यह ग्राम गुना जिले की गुना तहसील में बंबई-आगरा राजमार्ग-3 पर गुना जिला मुख्यालय के दक्षिण में 11वें किलोमीटर में स्थित है उसके पश्चिम में लगभग एक किलोमीटर पर बीना-कोटा रेलमार्ग गुजरता है। गाधेर का सबसे नजदीक का रेलवे स्टेशन उत्तर में रोथाई और दक्षिण में गुना है। इनकी दूरी लगभग 10 किलोमीटर है।

अपनी जनसंख्या के बल पर गाधेर एक सहरिया ग्राम है। यहाँ की सहरिया स्त्रियाँ निम्न आभूषणों का प्रयोग करती हैं—

(1) **सिर के आभूषण**—सिर पर धारण किए जाने वाले आभूषण बोर, गुट्टी तथा झेला हैं।

बोर माथे के ऊपर बीचों-बीच धारण किया जाता है। यह एक बेलनाकार आकृति का खोखला चाँदी या गिलट का बना आभूषण है जिसके सिरे तिकोने होते हैं जिन्हें बालों के बीच फँसा कर पहना जाता है।

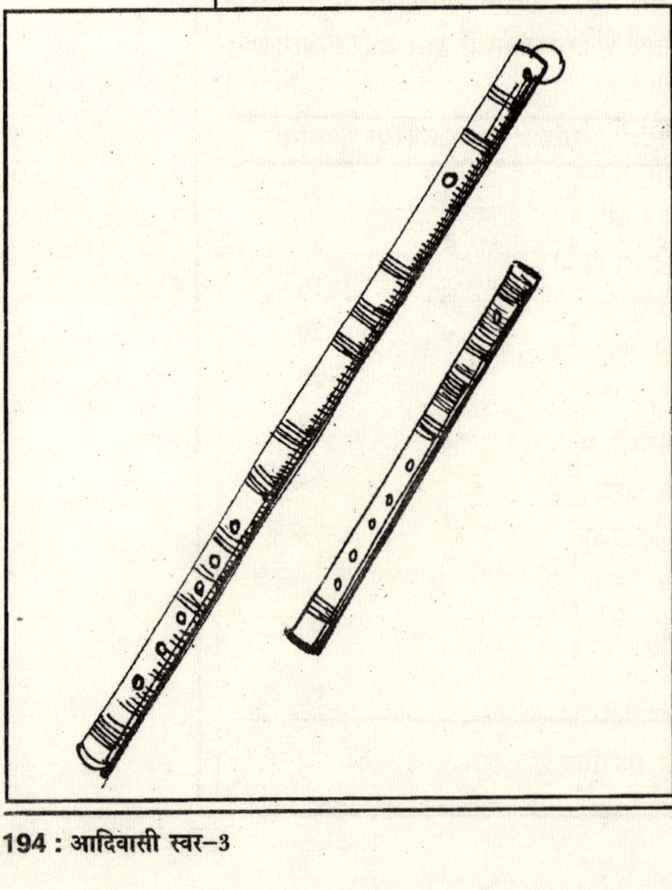

गुट्टी एक चाँदी का बना भारी आभूषण है इसका वजन 100 ग्राम के लगभग होता है। इसे नव-विवाहिता स्त्रियाँ बड़े शौक से धारण करती हैं। इस क्षेत्र में केवल सहरिया औरतें ही यह आभूषण पहनती हैं।

झेला बोर के ऊपर लटका कर माथे के बीचोंबीच पहना जाता है। यह चाँदी का बना होता है। और इसे केवल विवाहित सहरिया स्त्रियाँ ही पहनती हैं। यह आजट या राजपूत की स्त्रियों द्वारा पहनी जाने वाली सोने की बेंदी का सहरिया संस्करण है।

(2) **कान के आभूषण**—सहरिया स्त्रियों में कान में पहना जाने वाला आभूषण कर्णफूल है। यह चाँदी का बना छोटे आकार का आभूषण है। इसे विवाहित और विधवा दोनों ही पहनती हैं।

(3) **नाक के आभूषण**—नाक में पहना जाने वाला एक मात्र आभूषण लौंग है। यह

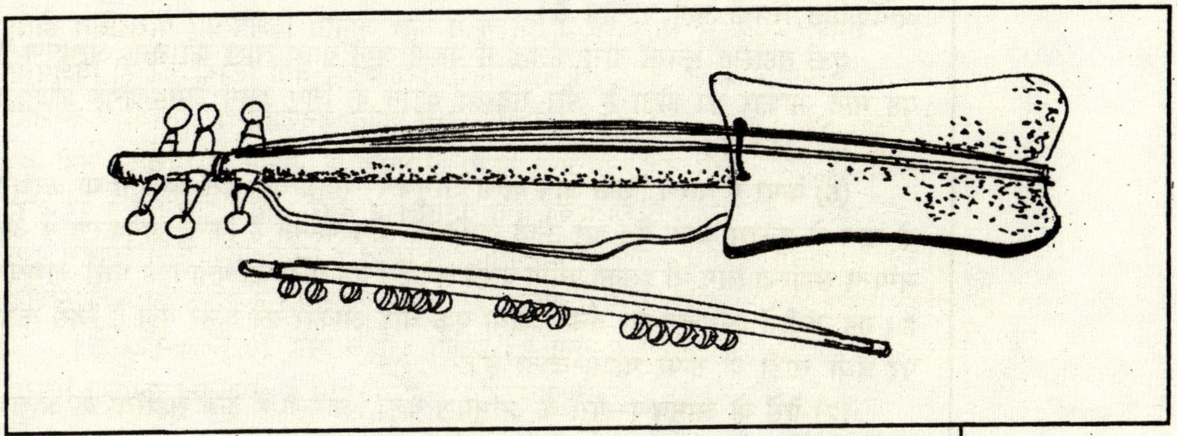

बचपन में ही किए गए नाक के छेद में फँसा कर पहना जाता है। लौंग सभी जाति की स्त्रियाँ पहनती हैं। यह सोने या चाँदी की बनी होती है। अपनी गरीबी के कारण सहरिया स्त्रियाँ चाँदी से बनी लौंग ही धारण करती हैं।

(4) गले के आभूषण—गले में पहनने वाले आभूषण खँगवाड़ी, जंजीरा-एक, जंजीरा-2 तथा धुलनिया हैं।

खँगवाड़ी गले में पहना जाने वाला सबसे लोकप्रिय आभूषण है और सभी जाति की स्त्रियाँ इसे पहनती हैं इसका वजन 225 ग्राम के लगभग होता है और यह चाँदी का बना होता है। इसे सभी उम्र की स्त्रियाँ पहनती हैं। बनावट में यह आभूषण होता है।

जंजीरा दो प्रकार का होता है। यह एक रंगीन काँच और लाख के टुकड़ों से मिलकर बना होता है। इसका रंग-बिरंगापन आकर्षक होता है और सहरिया स्त्रियों का प्रिय आभूषण है। दूसरे प्रकार का जंजीरा भी पहले के समान ही होता है और बच्चों को पहनाया जाता है।

धुलनिया यह गले में पहनी जाने वाली माला है। यह माला धागे या सोने अथवा चाँदी की जँजीर में पिरोकर पहनी जाती है। इसे सभी जाति के स्त्री और पुरुष समान रूप से धारण करते हैं।

(5) कलाई के आभूषण—कलाई के आभूषणों में चूड़ा, कँगना और चूड़ी है।

चूड़ा सभी जातियों द्वारा पहने जाने वाला चाँदी का गोलाकृति का आभूषण है। इसका वजन लगभग 50 ग्राम होता है। बच्चों के लिए यह कम वजन का बनता है। दस-बारह साल की उम्र से लेकर यह सारी उम्र पहना जाने वाला आभूषण है। गरीब सहरिया चाँदी के स्थान पर सस्ती धातुओं का बना चूड़ा पहनते हैं जो स्थानीय हाट-बाजारों में बहुतायत से मिलता है।

कंगना चूड़ा की तुलना में हल्के वजन का चाँदी का आभूषण है और इसे चूड़े के साथ अतिरिक्त सौंदर्य के लिए पहना जाता है। यह विवाहित स्त्रियों का चिह्न है। इसे

अविवाहित स्त्रियाँ नहीं पहनती हैं।

चूड़ी सहरिया स्त्रियों द्वारा कलाई में पहना जाने वाला लाख का बना आभूषण है, यह मोटे आकार का होता है और सुंदरता बढ़ाने के लिए इसमें जगह-जगह शीशे के टुकड़े जड़े रहते हैं।

(6) कमर में धारण किया जाने वाला आभूषण—सामान्यतः इसे करधनी या करधुनी के नाम से पुकारा जाता है। इसे ऊँची जाति के लोग पहनते हैं किन्तु अनुकरण में अब सम्पन्न सहरिया लोग भी इसका प्रयोग करने लगे हैं। यह चाँदी का बना एक भारी आभूषण है। यह जंजीरों को जोड़ कर बनाया गया एक चौड़े आकार का कमर पट्टा है जिसे कमर पर बँधी साड़ी के ऊपर पहना जाता है।

(7) पैरों के आभूषण—पैरों के आभूषण कड़ा, आमला हैं इन्हें सहरिया के अलावा सभी जाति की स्त्रियाँ पहनती हैं।

कड़ा गोलाकार खोखला आभूषण है जो चाँदी या सस्ती धातुओं का बना होता है और दोनों पैरों में टखनों के ऊपर पहना जाता है। इसका वजन लगभग 50 ग्राम होता है।

आमला भी कड़े के समान एक आभूषण है। किन्तु यह कड़े की अपेक्षा सुंदर और नक्काशीदार होता है। यह कड़े के नीचे धारण किया जाता है।

प्रदेश के उत्तर, मध्य और दक्षिण क्षेत्र की प्रमुख आदिम जातियों द्वारा धारण किए जाने वाले उपरोक्त सभी आभूषण यदि वे सस्ती धातुओं अथवा काँच के बने होते हैं तो सामान्यतः आस-पास हाट-बाजार में मिल जाते हैं। किन्तु यदि वे चाँदी या सोने जैसे कीमती धातुओं के बने होते हैं संबंधित क्षेत्र के जिला या तहसील के मुख्य बाजारों के सर्राफों या सुनारों से खरीदे जाते हैं। आदिवासियों के भोलेपन के कारण वे सर्राफ या सुनार मिलावटी आभूषणों को इनके हाथ बेचकर खूब ठगते हैं।

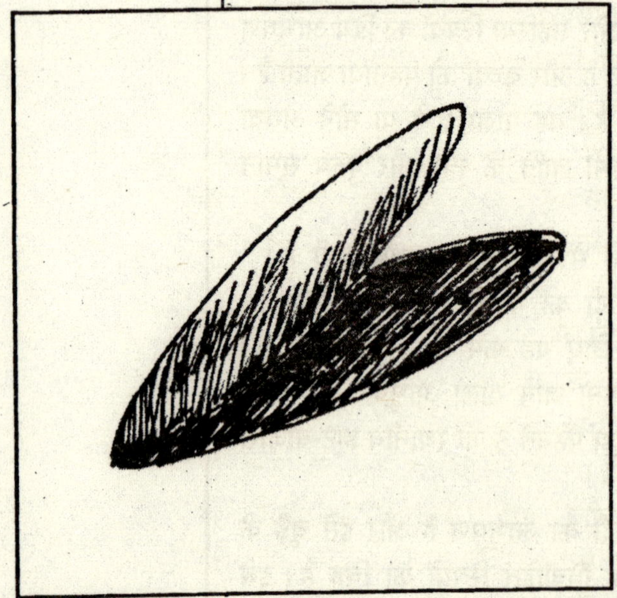

प्रायः छोटे-मोटे सुनार आदिवासी ग्रामों में फेरी लगाकर आभूषण बेचते हैं। यह आभूषण उनके द्वारा लंबी उधारी पर बेचे जाते हैं और नगद कम न रहने पर अनाज या अन्य वनोपजों या कृषि उत्पादों के बदले में भी दिए जाते हैं। फेरी लगाने वाले इनके बीच छोटी-छोटी साहूकारी भी करते हैं घर की स्त्रियों को उनके आभूषणों के बदले वे ब्याज पर गुप-चुप रुपए भी देते हैं और इसके द्वारा भारी ब्याज कमाते हैं। आभूषणों के मोह में आदिवासी स्त्रियाँ आभूषणों की कीमत से अधिक मोल चुकाती हैं और उफ भी नहीं निकालती हैं।

कमार जनजीवन

आदिवासी भारतीय प्रजातंत्र के अभिन्न अंग हैं। भारतीय ही क्यों विश्व की जितनी भी जनजातियाँ हैं वे किसी भी देश की मूल निवासी सहज रूप से कही जा सकती हैं। आदिवासी जनजीवन को देश के सभी विकसित भागों से परिचय कराना आवश्यक है। इस पुस्तक में आदिवासी जनजीवन की पूर्ण जानकारी देनेवाले अन्य लेखों की शृंखला में कमार जनजाति का जोड़े जाना इसलिए भी महत्त्वपूर्ण है क्योंकि इस जनजाति को मध्यप्रदेश की सात चिह्नित जनजातियों में से जाना जाता है और इस जनजाति की संख्या 13600 है जो कि 200 ग्रामों में फैली हुई है।

रायपुर के दक्षिण-पूर्वी छोर पर दुर्गम पर्वतीय जंगलों में कमार जाति रहती है। इस क्षेत्र में हालाँकि छत्तीसगढ़ का प्रभाव है, यहाँ परन्तु बोली क़मारी ही बोली जाती है। इस जनजाति का क्षेत्र सूअरमार, फिंगेश्वर जमींदारियों, घमतरी तहसील में सिंहावा क्षेत्र है।

किंवदंतियाँ हैं कि कमार ही इस क्षेत्र के मूल निवासी हैं। इनका कोई क्षेत्राधिकारी न होने से भुँजिया क्षेत्र के अधिकारियों ने इन्हें परास्त किया व गौड़ क्षेत्र के शासक अधिकारियों में सिंहशाह का पुत्र कचना ध्रुर्वा अनेकों लड़ाइयों पर विजय पाकर यहाँ का शासक बना।

राजा कचना ध्रुर्वा थे इस बारे में एक कथा प्रचलित है कि उसे गुप्त वरदान प्राप्त था कि धरती पर उसे कोई नहीं मार सकता। परन्तु यह गोपनीय सूचना किसी शत्रु को पता होने पर डावा अरेली ग्राम के पास नदी में राजा कचना का सिर धरती पर व धड़ नदी के पानी में पड़ा मिला। वरदान सच ही था, धड़ पानी या नदी में बह गया था और सिर पृथ्वी पर था। एक बुढ़िया जंगली स्त्री उधर से गुजर रही थी राजा के मुख ने सिर को नवागढ़ किले तक पहुँचाने की प्रार्थना की। बुढ़िया ने बात मान ली और सिर को टोकरी में रख ले चली। यात्रा में बरुका गाँव के पास पहुँचने पर पैरी नदी के किनारे जंगल में झाड़ियों के बीच किसी पत्थर के ऊपर टोकरी सम्मान सहित रख दी, यह स्थान कचना ध्रुर्वा का प्रथम स्मृति स्थल है वहाँ आज भी लोग बकरे की बलि देते हैं, उत्सव मनाया जाता है, कभी तो घोड़े-बैल आदि भी

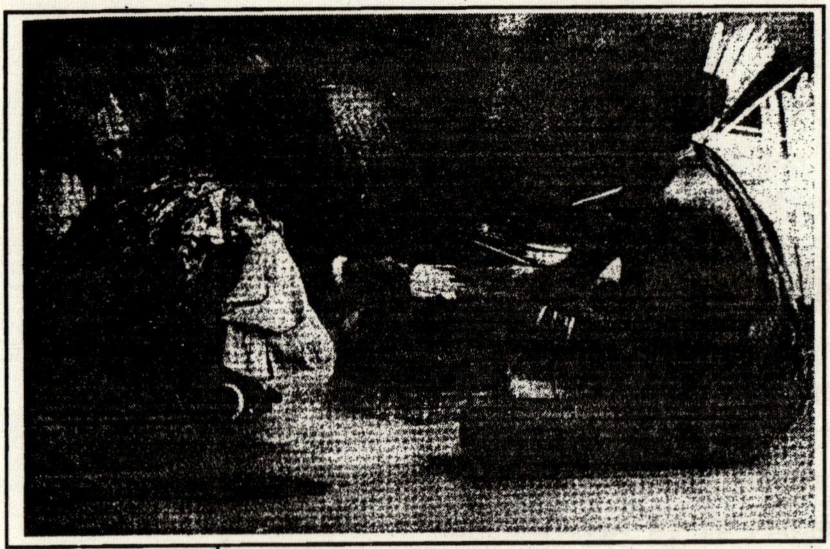

पूजा में अर्पित किए जाते हैं।

बुढ़िया रास्ते भर जहाँ-जहाँ पर सिर रखी टोकरी रखती गयी वे सभी स्थल आज भी दर्शनीय व पूज्य माने जाते हैं तथा इन्हें पवित्र स्थलों की संज्ञा दी जाती है। बुढ़िया द्वारा कंचना ध्रुर्वा का सिर नवागढ़ तक पहुँच गया, जहाँ सिर को जमीन में गाड़ा गया इस मूल स्थान पर आज भी समय-समय पर मेले लगते हैं और जन नायक की स्मृति में श्रद्धा-सुमन अर्पित किए जाते हैं। क्योंकि घटना सैकड़ों वर्ष पुरानी है खुदाई में वहाँ तलवार, कुल्हाड़ी व अन्य हथियार मिले हैं, क्योंकि वह राजा था इसलिए घोड़े, हाथी, सिपाही सभी उसके साथ दफनाये गये थे जो कि खुदाई में मिले हैं। इन सभी पुरातत्त्व की चीजों को प्रदर्शित किया गया है। इस पूजा स्थल पर श्रद्धालुओं द्वारा आज भी ऐसे ही प्रतीक चिह्न चढ़ाये जाते हैं जबकि यहाँ खुदाई में प्राप्त वस्तुएँ सैकड़ों वर्ष पुरानी हैं और प्रदर्शित भी हैं।

राज्य सरकार की सूचना के अनुसार 200 गाँवों में फैले कमार जन-जाति के लोगों के अभी भी पूरे के पूरे गाँव हैं जिनमें सिर्फ कमार जन-जाति के लोग रहते हैं, परन्तु कुछ गाँवों में भुंजिया, सवटा, गोंड, कंकर जनसमुदाय भी रहते हैं।

कमार स्त्री व पुरुष की आँखें काली, मध्यम कद, गठीला बदन, सिर पर घने बाल, रंग गेहुँआ व दाढ़ी मूँछ घनी होती है। पुरुष छोटी धोती पहनते हैं। जंगल या शिकार पर जाते हुए लँगोटी पहनते हैं। तीर-कमान इनका प्रमुख हथियार है। साप्ताहिक बाजार जाने पर कुर्ता पहनते हैं।

कमार स्त्रियों का पहनावा अत्यन्त साधारण है। वे लुगड़ा पहनती हैं। लुगड़ा एक छोटा वस्त्र ही है जो कि सामान्यतः वक्ष व कंधे के ऊपर ढँका जाता है। यह कपड़ा घुटनों के ऊपर ही रहता है। इस वस्तु का प्रयोग जीवन के अन्य कार्यों में भी होता है जैसे कि बच्चों को खिलाने या गोद में बैठाने के लिए टाँगों के बीच में टोकरी जैसा बनाकर बैठाना या कभी-कभी कोई सामान भी रखा जा सकता है। खेत, जंगल में अधिक कार्य करने के कारण कमार स्त्रियाँ अधिक वृद्ध दिखाई देती हैं हालाँकि अशिक्षा के कारण वे गर्भ का सही ढंग से पोषण भी नहीं कर पाती हैं

इस कारण इनकी शारीरिक संरचना स्वस्थ नहीं रह पाती है।

कमार जनजाति का घर झोंपड़ी जैसा ही होता है, अधिकांश घरों में मंडवा यानि छोटा छप्पर बना रहता है जब कि बड़े कमरे में जिसमें जीवन-यापन का सामान होता है और एक कमरा मध्य में भी रहता है जिसमें रसोई घर की प्रमुख चीजें व पूजनीय देवी-देवता का स्थान बनाया जाता है। जानवरों हेतु अलग बाड़ा बनाया जाता है परन्तु जंगली हिंसक जानवरों/ पशुओं से रक्षा के लिए उसे सुरक्षित बनाया जाता है। यह जनजाति सूअर अथवा मुर्गी पालन भी करती है, परन्तु इस तरह के जानवर पालना इनकी परम्परा में नहीं है, समय के दबाव में धन और आजीविका उपार्जन के लिए ऐसे जानवरों का पालन किया जाता है।

कमार जनजाति के घरों का आकार निश्चित नहीं होता है। जैसा कि अन्य जनजातियों में घरों की शैली लगभग निश्चित सी रहती है या घरों पर एक विशेष प्रकार की चित्र आकृतियाँ बनाई जाती हैं ऐसा इनके घरों पर नहीं है। या तो ये घर दूर-दराज़ के जंगलों में घनी वादियों में बने होते हैं या फिर सड़क के किनारे, किसी भी आकार में घनी आबादी या जंगलों में। इनके घर काफी बड़ी संख्या में एक-साथ बने होते हैं। अक्सर इनके घर की बनावट ऐसी होती है कि, चार लकड़ी के खम्भों को चारों ओर गाड़ दिया जाता है तत्पश्चात् इन खम्भों के ऊपर लकड़ी चारों ओर से बाँध दी जाती है जिसको मंडप की वेदी का आकार दिया जाता है। बड़ोला की पत्तियों के ऊपर 'दाग' एवं 'सुकला' घास डाक का छाजन तैयार किया जाता है। बाँस के टुकड़ों में पेड़ों की छोटी डालियों को बाँध कर गीली मिट्टी में समतल बनाया जाता है मिट्टी के ऊपर गोबर से पुताई की जाती है बैठने का स्थान खम्भों के पास ही रहता है, सामान्यतया कमार जनजाति के लोग अधिक चिंता कर संचय की नीति से दूर रहते हैं। बिना कल की चिंता किए कम-से-कम सामान रखते हैं और निश्चिंत रहते हैं।

कमार जनजीवन

रायपुर के दक्षिण-पूर्वी छोर पर अपेक्षाकृत दुर्गम पर्वतीय घने

जंगलों के क्षेत्र में कमार जनजाति, जो एक अत्यन्त पिछड़ी जनजाति है, निवासरत है। यह द्रविड़ मूल की जाति है और पूर्व संदर्भों में इन्हें एक जंगली जनजाति के नाम से पुकारा गया है। छत्तीसगढ़ी प्रभाव के बावजूद इनमें कमारी बोली अभी भी प्रचलित है।

इस जनजाति का प्रमुख निवास स्थल भूतपूर्व बिंद्रानवागढ़, सूअरमार और फिंगेश्वर जमींदारियों का क्षेत्र एवं धमतरी तहसील का नगरी सिंहावा क्षेत्र है। छत्तीसगढ़ के मैदानी अंचल के दक्षिणी भाग का पर्वतीय क्षेत्र ही कमार भू-देश है।

कमार अंचल की सुरम्य हरित घाटी उच्च किस्म के साल, सागौन एवं अन्य इमारती लकड़ी के वृक्षों से भरपूर है। मैनपुर पहाड़ी एवं निकटवर्ती क्षेत्र बाँसों के विशाल भंडार से भरे पड़े हैं। तेन्दू, अचार एवं महुआ प्रमुख फलदार वृक्ष हैं, झाड़ियों एवं बेलों की बहुतायत है, जंगली कंद मूल, फल, जड़ एवं पत्तियाँ हैं जो प्रचुर मात्रा में पाई जाती हैं। एक समय था, जब उस जंगल में अनेक वन्य प्राणी पाए जाते थे। शेर, तेन्दुआ, चीतल, एवं रीछ जंगलों के आम जानवर थे। आज ये सभी जानवर लुप्त प्राय से हैं। बिंद्रानवागढ़ के आसपास जंगली भैंसे आज भी पाए जाते हैं। नदियों एवं पहाड़ी नालों में मछलियाँ बहुतायत में हैं। पक्षियों में तोता, कबूतर, उल्लू आदि जंगलों में आमतौर से देखे जा सकते हैं।

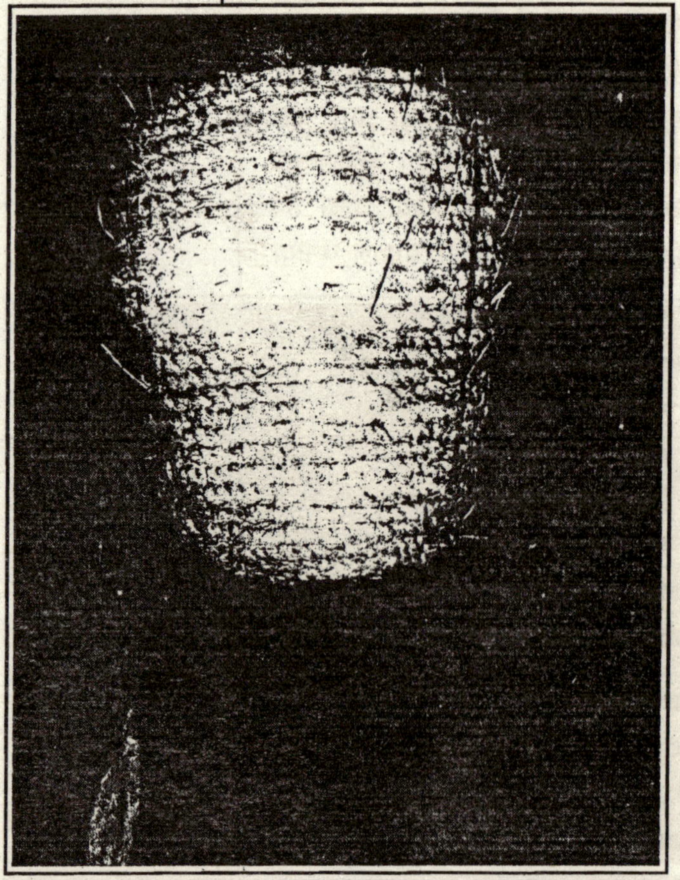

लोक-श्रुति के अनुसार कमार ही इस क्षेत्र के मूल निवासी हैं। जो इस समस्त भू-भाग के स्वामी थे पर उनका कोई राजा नहीं था। कालान्तर में भुजिया, क्षेत्र के अधिपति बने, जिन्हें परास्त कर गोंड क्षेत्र के शासक बन गए।

स्थानीय लोगों के अनुसार कालांतर में गोंड अधिपति सिंहशाह का पुत्र कचना ध्रुवा क्षेत्र का शासक बना, जिसने अनेकों लड़ाइयाँ लड़ीं और विजय पाई। कहा जाता है कि उसे यह वरदान था कि वह जमीन पर नहीं मारा जा सकेगा, इसलिए उसे कोई शत्रु मार नहीं सका। परंतु यह गोपनीय तथ्य उसके

किसी शत्रु ने जान लिया एवं युद्ध के दौरान जब 'कचना ध्रुर्वा' पैरी नदी के पानी में डाबा-करेली ग्राम के पास था तब उसे मार दिया गया। उसका सिर नदी किनारे गिरा तथा शरीर नदी की धारा में। घटना के कुछ क्षण पश्चात् उस स्थान से एक बुढ़िया गुजरी। सिर ने बुढ़िया से नवागढ़ किले तक पहुँचाने की प्रार्थना की। बुढ़िया ने सिर अपनी टोकरी में रख यात्रा प्रारंभ की। बरुका गाँव के पास पहुँचने पर पैरी नदी के किनारे जंगली झाड़ियों के बीच पत्थर पर उसने टोकरी उतार कर रखी। यह स्थान 'कचना ध्रुर्वा' का प्रथम स्मृति स्थल है जहाँ स्थानीय जन मिट्टी के घोड़े, बैल अर्पित कर पूजा करते हैं बकरे की बलि भी देते हैं।

बुढ़िया ने उस टोकरी को नवागढ़ तक पहुँचाने के पूर्व जिस-जिस स्थान पर उतारा, वह सभी स्थान जनों के लिए कचना ध्रुर्वा के स्मृति स्थल के रूप में पवित्र स्थान बन गए।

अंततः कचना ध्रुर्वा का सिर नवागढ़ तक पहुँच गया, जहाँ सिर को जमीन पर गाड़ा गया। यह स्थान कचना ध्रुर्वा का पूजा स्थल बना और आज भी स्थानीय जन की श्रद्धा का केंद्र है। जहाँ समय-समय पर स्थानीय जन एकत्र होते हैं एवं इस जन नायक की स्मृति पर अपनी श्रद्धा अर्पित करते हैं।

पूजा स्थल का प्रमुख आकर्षण कचना ध्रुर्वा की तलवार एवं कुल्हाड़ी हैं। पूजा स्थल के आस-पास श्रद्धालुओं द्वारा चढ़ाई गई अनेक प्रकार की वस्तुएँ रखी हैं, जिसमें पत्थरों की खुदाई में दर्शित घोड़े, हाथी, सिपाही और अन्य जानवर तथा मिट्टी के बने जानवर भी मुख्य रूप से हैं। इनमें से कुछ तो सैकड़ों वर्ष पुराने दिखाई देते हैं।

उपलब्ध जानकारी के अनुसार कमार जनजाति की अनुमानित जनसंख्या 13,600 है। यह संख्या क्षेत्र के दो सौ ग्रामों में फैली है। यद्यपि कई ग्रामों में केवल कमार ही निवास करते हैं, जबकि अन्य क्षेत्रों में गोंड, भुंजिया, सवरा, बिंझवार, धनवार, कँवर जनसमुदाय भी साथ-साथ रहते हैं।

सामान्यतः कमार मध्यम कद एवं गठीले बदन के होते हैं। युवक छरहरे एवं बलिष्ठ तथा आकर्षक व्यक्तित्व के होते हैं। सामान्यतः रंग गेहुँआ एवं सिर पर बाल घने काले होते हैं, पर मूँछ और दाढ़ी घनी नहीं होती। आँखें सामान्यतः काली या

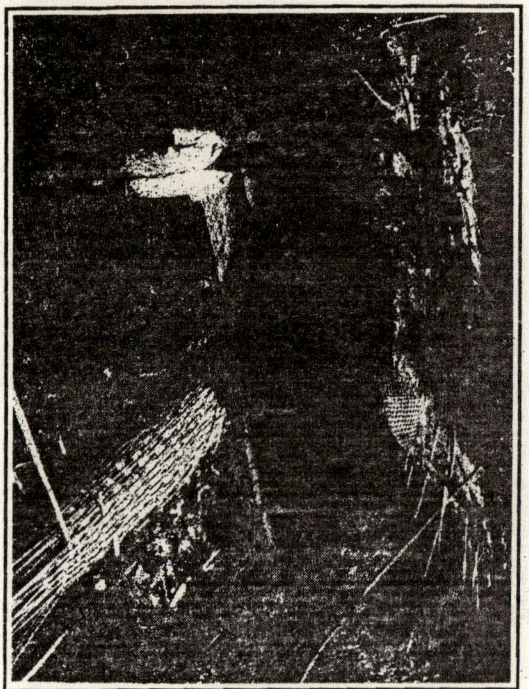

गहरी रहती हैं। कमार जनजाति का पहनावा बहुत ही साधारण है। पुरुष छोटी धोती अथवा पटुका पहनते हैं। सामान्यतः वे लँगोटी लगाए रखते हैं। कमर के ऊपर सामान्यतः गाँव में रहने, जंगल जाने एवं खेत में जाने पर कपड़े नहीं पहनते हैं। साप्ताहिक बाजार में जाने पर ये कुर्ता का प्रयोग करते हैं। हर समय ये नंगे पाव रहते हैं। कमार स्त्रियों का पहनावा भी अत्यन्त साधारण है। सामान्यतः ये एक लुगड़ा पहनती हैं जिसके एक छोर से वे अपने कंधे एवं वक्ष को ढँकती हैं। इस प्रक्रिया में लुगड़ा घुटनों के ऊपर ही रहता है। कभी-कभी ये इसे ऐसा लपेटती हैं जिसमें गोदी का बच्चा या कभी कोई सामान रखा जा सके। छोटी लड़कियाँ भी एक कपड़े का टुकड़ा कमर पर लपेटे रहती हैं।

कमार पुरुष एवं स्त्रियाँ दोनों ही कुछ आभूषण भी प्रयुक्त करते हैं। कभी-कभी हाथ में कड़े एवं अँगुली में अँगूठी भी पहनते हैं। सामान्यतः ये आभूषण अल्यूमिनियम के बने होते हैं। स्त्रियाँ भी हाथ में कड़े पहनती हैं, साथ ही गले में मनकों से बनी कई मालाएँ पहने रहती हैं। ये सूती फँदरा से अपने बाल कसे रहती हैं, बालों में खिलवा एवं पैरों में अल्यूमिनियमं की पैरी आम आभूषण हैं। वृद्ध स्त्रियाँ इन स्थानों पर गोदने भी गुदवाए रहती हैं।

खेतों एवं जंगलों में कठिन परिश्रम करने एवं बार-बार गर्भ धारण करने के फलस्वरूप अधिकांशतः कमार स्त्रियाँ उम्र से अपेक्षाकृत अधिक दिखाई पड़ती हैं

दूरी से देखने पर कमार गाँव इधर-उधर घरों का एक समूह दीखता है। जिनका कोई निश्चित आकार अथवा स्वरूप नहीं है। बड़े गाँव अधिकतर घने जंगलों में पर्वत मालाओं पर अथवा उनके पास हैं। छोटे गाँव सड़क के किनारे अथवा अन्य पड़ोसी बहुजातीय ग्रामों के निकट हैं। घर कहीं-कहीं खुले स्थान अथवा कहीं वृक्षों के बीच में स्थित हैं।

कमार जनजाति का घर झोंपड़ीनुमा होता है। इसमें एक सोने का कमरा होता है जिसमें घर के समस्त उपयोग में लाए जाने वाले सामान भी रखे रहते हैं मध्य में एक छोटा कमरा होता है, जिसमें साथ-साथ देवी-देवता का स्थान तथा रसोई रहती है। अधिकांश घरों में एक छोटा छप्पर, जिसे मँडवा कहते हैं, रहता है, जहाँ वे खाली समय में बैठकर गपशप करते हैं। जानवरों हेतु पृथक से कमरा होता है। कहीं-कहीं सूअर पालन हेतु भी अलग-अलग स्थान रहते हैं।

कमार जनजाति के घरों के निर्माण के समय चार लकड़ी के खंभे चारों ओर गाड़ दिए जाते हैं। उनके दोनों तरफ खंभों को जोड़ते हुए लकड़ी बाँधी जाती है। इसके ऊपर छाजन कर दी जाती है। यह छाजन बोड़ला की पत्ती के ऊपर 'दाऊ' एवं 'सुकला' घास डालकर बनाई जाती है। दीवारें पेड़ों की छोटी डगालों से बनाई जाती है, जिन्हें बाँस के टुकड़ों से बाँध कर समतल बनाकर गीली मिट्टी से लीपते हैं उसके ऊपर गोबर की पुताई की जाती है। बैठने का स्थान एवं जानवरों का स्थान सिर्फ चार खम्भों पर खड़ा रखा जाता है। दरवाजे सामान्यतः बाँस की जाली के बने होते हैं। कमार जनजाति का घर स्वच्छ एवं सुंदर दिखाई पड़ता है। साफ-सुथरे, गोबर से लिपे-पुते घर में कहीं-कहीं सुघड़ता से डिजाइन भी बनाए जाते हैं। घर की दीवारों पर मछली फँसाने के दाँदर, टोकरियाँ तथा बाँस की अन्य वस्तुएँ लटकाई जाती हैं।

सामान्यतः कमार लोग कल की चिंता करते हैं। उनके घर में सामान भी बहुत कम दिखाई पड़ता है।

धान की पुआल से बने अनाज रखने की कोठी, माहुल पत्तों से बनी छोटी टोकरियाँ, बाँस की बनी टोकरियाँ, मूल्यवान वस्तु एवं कपड़े रखने के लिए बनाई गई बाँस की विशेष 'झापी' ही इनके घर में आवश्यक वस्तुएँ हैं। इसके अतिरिक्त अन्य आवश्यक वस्तुएँ हैं–

कमार जनजाति में 'झापी' (एक प्रकार की टोकरी) का विशेष महत्त्व है। इसके अलावा निम्नलिखित वस्तुएँ जीवनयापन के लिए रखी जाती हैं।

1. पानी रखने हेतु मिट्टी के बर्तन।
2. चावल एवं दाल पकाने हेतु मिट्टी की हाँडी।
3. साग पकाने हेतु कालोंजी।
4. लकड़ी का करछुल डुवा।
5. कुटाई हेतु लकड़ी का मूसर।
6. बैठने एवं सोने हेतु बाँस की चटाई।
7. तीर, धनुष।
8. बारिश से बचने की 'खुमरी'।
9. कुल्हाड़ी।
10. कंद खोदने हेतु मोरेंगा।
11. सूप।
12. चक्की।
13. आग जलाने के लिए चकमक पत्थर, लोहे का टुकड़ा तथा सेमल

की रूई।

14. लोटा।
15. पानी लाने हेतु बर्तन।
16. बाँस के काम हेतु चाकू एवं छुरी।
17. माहुल पत्ते का दोना-पत्तल।
18. मिट्टी के बर्तन।
19. कुल देव गाता-डुमा का स्थान।
20. झाड़ू।

सामान्यतः सभी कमार घरों में उपयुक्त सामान पाए जाते हैं। आर्थिक स्थिति एवं रुचि के अनुसार साइकिल, ट्रांजिस्टर, बैलगाड़ी एवं लालटेन भी कतिपय घरों में देखी जा सकती हैं।

जनजाति में परिवर्तन के लक्षण भी स्पष्ट परिलक्षित हैं। कमार युवतियों द्वारा छपी साड़ियों का प्रयोग, पेटीकोट, काँच की चूड़ियाँ, बालों की सजावट में स्टील पिनों का प्रयोग, बालों को सुगढ़तापूर्वक सँवारना परिवर्तन का प्रतीक है। अल्यूमिनियम के टुकड़े से निर्मित आभूषणों का प्रयोग किया जाना भी पाया जाता है।

कमारों के अनुसार पृथ्वी की उत्पत्ति के बाद भगवान महादेव ने जब सभी को उनके कार्य का बँटवारा किया तो 'टँकिया' तीर-कमान कमारों को प्रदत्त किए जिससे वे जंगल काटकर खेती का कार्य करें और तीर-कमान से शिकार कर अपना जीवन-यापन कर सकें। यही कारण है कि सांस्कृतिक संपर्क के बावजूद भी कमार आर्थिक जीवन अभी भी बेवरा अथवा डहिया कृषि एवं जंगलों पर निर्भर हैं और बचत की आर्थिक धारणा आज भी कमार आर्थिक जीवन का आधार नहीं बन पाई है। बचत एवं संग्रह आदि का अर्थ उनके लिए कुछ भी नहीं है। उनका पूरा श्रम जीवन बनाए रखने, प्रकृति से लड़ने एवं भूख की तृप्ति हेतु जूझने में ही लगता है। कमारों के जीविकोपार्जन के मुख्य स्रोत निम्न हैं–

1. बाँस का कार्य।
2. अस्थायी कृषि (डहिया अथवा बेवरा)।
3. तेन्दू पत्ता तथा माहुल पत्ता

एकत्र करना।

4. स्वयं के उपयोग हेतु कंद मूल एकत्र करना, शिकार करना तथा मछली पकड़ना।
5. बाड़ी में मक्का एवं सब्जी उगाना।
6. स्थानीय वन से पके आम एकत्र करना।

आज सड़कों के किनारे बसे गाँवों के कमार-परिवार स्थायी कृषि करने लगे हैं, वे धान के रोपा भी करने लगे हैं। बीज हेतु वे खेत का एक टुकड़ा पृथक से तैयार करते हैं, झाड़ियाँ एवं घास जलाकर राख करते हैं एवं खेत के पूरे हिस्से में राख फैलाकर पहली बरसात के साथ ही पौधे लगा दिए जाते हैं, जिसे तैयार होने पर खेतों में रोपा जाता है। परन्तु कृषि की प्रारम्भिक अवस्था का स्वरूप किंचित मामलों में इस कृषि तरीके में भी विद्यमान है।

डहिया और बेवरा कृषि के दो ऐसे तरीके हैं, जिसके जरिए परंपरागत कमार परिवार अपने जीविकोपार्जन करने को आज भी बाध्य हैं।

डहिया कृषि कमार जनजाति का मन पसंद तरीका है। इस हेतु सर्वाधिक उपयुक्त जमीन चुनी जाती है जो समतल हो एवं ऐसे ढलान के निकट हो जहाँ धान उगाने के मौसम में पानी अनवरत उपलब्ध रहे। इस भूमि पर प्रमुख रूप से धान की खेती की जाती है। कहीं-कहीं मड़िया एवं कोदों की पैदावार भी ली जाती है।

डहिया कृषि चक्र फागुन माह से प्रारंभ होता है। इस दौरान खेत साफ किए जाते हैं। आस-पास के जंगलों के झाड़-झंखाड़ भी काटे जाते हैं जिन्हें लाकर खेत में बिखेर दिया जाता है। कुछ दिनों तक इसे सूखने दिया जाता है। चैत माह (अप्रैल-मई) में खेत तैयार किया जाता है, जिससे उसमें वर्षा का पानी समा सके। बैशाख (मई-जून) में पौधे जला दिए जाते हैं एवं राख खाद का काम करती है। पानी बरसते ही बीज बिखेर दिए जाते हैं। इसकी कटाई दशहरा (अक्टूबर) के आस-पास होती है। खेत की खुदाई के लिए कुदाली एवं कटाई के लिए हँसिया प्रयोग में लाई जाती है।

डहिया कृषि में एक बार उपज प्राप्त करके उस खेत को एक वर्ष के लिए परती छोड़ा जाता है। तीसरे वर्ष वही प्रक्रिया अपनाई जाती है जो पूर्व में अपनाई गई थी।

बेवरा कृषि जनजाति की कृषि का एक अन्य तरीका है। यह ऐसी जमीन पर किया जाता है जिसमें धान की कृषि संभव नहीं होती। इसके चारों ओर मेंड़ नहीं बनाई जाती। इस खेत में खेती का प्रारंभ पौष-माघ (जनवरी) में किया जाता है। जब

झाड़ झंखाड़ काटे जाते हैं, लेकिन खेतों में उगे पेड़ नहीं काटे जाते हैं। बाहर के अन्य पेड़ों की डालियाँ एवं झाड़ियाँ भी काट लाई जाती हैं और उन्हें उस खेत में एकत्रित कर फैला दिया जाता है, जिससे वे सूख सकें। बैसाख (अप्रैल-मई) में उन्हें जला दिया जाता है। बरसात की शुरुआत के साथ ही बीज डालने की प्रक्रिया प्रारंभ की जाती है।

इन खेतों का उपयोग सामान्यतः मोटे अनाज मड़िया, कोसरा, उड़द एवं तिल या सरसों की फसल प्राप्त करने के लिए किया जाता है। ऐसे स्थानों पर वर्षवार निम्नानुसार उपज ली जाती है–

प्रथम वर्ष – मड़िया
द्वितीय वर्ष – कोसरा
तृतीय वर्ष – उड़द
चतुर्थ वर्ष – तिल/सरसों
पंचम वर्ष – मड़िया

उपर्युक्त से स्पष्ट है कि प्रत्येक बेवरा खेती के लिए चार या पाँच खेत आवश्यक है।

बेवरा खेती की फसल बढ़ना शुरू होते ही पेड़ों की डाल आदि से इसे चारों तरफ से घेर दिया जाता है। जिससे जानवर विशेषकर रीछ खेत उजाड़ न सकें।

मड़िया और कोसरा की हरी-भरी खेती सितम्बर माह में लहलहाती दिखाई पड़ती है। दीवाली के बाद इसकी कटाई प्रारंभ होती है।

कमार जनजाति का अधिकांश समय बाँस की टोकरी बनाने में व्यतीत होता है। इनका सबसे व्यस्त समय वर्षा काल है, पर अप्रैल और मई माह अत्यधिक व्यस्त माह नहीं है। वर्षा का जोर कम होते ही ये लोग माहुल पत्ते एकत्र करना एवं बिक्री करना प्रारंभ करते हैं। इसी अवधि में उनकी बाड़ियों का मक्का भी तैयार हो जाता है। साथ ही जंगली कन्द-मूल भी बहुतायत में उपलब्ध होने लगता है। माहुल पत्ते एकत्र करने का कार्य सितंबर माह से नवंबर माह तक किया जाता है। इसमें महिलाओं की पर्याप्त भूमिका रहती है, क्योंकि पत्ते एकत्र करने का कार्य उन्हीं के द्वारा संपन्न होता है। वे जंगल में प्रातः ही चली जाती हैं पत्ते एकत्र करती हैं एवं अपराह्न देर गए वापस लौटती हैं।

पत्तों के बंडल बनाए जाते हैं। ये बंडल सामान्यतः 30 से 35 किलो ग्राम के होते हैं एवं एक परिवार में इस बंडल के लिए पत्ते एकत्रित करने में सामान्यतः 6 से 7 दिन का समय लगता है। ठेकेदार का मुंशी सप्ताह में एक बार आकर एकत्रित पत्तों को खरीदता है। सामान्यतः एक किलो की पत्ती का बंडल 75 पैसे में बिकता है और इस

बिक्री से प्रत्येक कमार परिवार को 20 से 25 रु. प्रति सप्ताह प्राप्त हो जाते हैं।

अप्रैल और मई माह में ये लोग तेन्दू पत्ता एकत्र करते हैं। यह पत्ता बीड़ी बनाने के कार्य में प्रयुक्त होता है। इसी समय औरतें एवं बच्चे जंगलों में पके आम एकत्रित करते हैं जो इस क्षेत्र के जंगलों में बहुतायत से उपलब्ध हैं। पके हुए आमों का रस तैयार किया जाता है। जिसे एक लकड़ी के बर्तन में रखा जाता है जिसका पूरे परिवार द्वारा उपयोग किया जाता है।

इन दिनों प्रायः बाँस का काम बंद सा रहता है। इसके पश्चात् जंगल में हरे बाँस पर्याप्त मात्रा में उपलब्ध होते हैं। आदत, प्रथा एवं रुचि तीनों ही आधारों पर बाँस का कार्य केवल हरे बाँसों से ही किया जाता है। इन्हीं दिनों तेन्दू पत्तों को एकत्र करने का कार्य भी चलता है, इसलिए स्थानीय बाजार प्रायः सूने पड़े रहते हैं। इन दिनों तालाबों की खुदाई आदि कार्य में मजदूरी करने हेतु भी कमार परिवार उपलब्ध नहीं हो पाते।

कमार जनजाति द्वारा एकत्र किए गए तेंदू पत्ते ठेकेदारों को बेचे जाते हैं, एकत्र करने के बाद ये पत्ते बंडल बनाकर सूखने हेतु छोड़ दिए जाते हैं। थोड़े दिनों बाद ये ठेकेदार के एजेंटों द्वारा सूखने के स्थल से ही खरीद लिए जाते हैं।

तेंदू पत्ते का प्रत्येक बंडल 50 पत्तियों का होता है। इस प्रकार के 100 बंडलों की कीमत 20 रुपए के आसपास होती है। एक कमार पति-पत्नी को 100 बंडल तैयार करने में 2 या 3 दिन का समय लगता है। जब कार्य अतिव्यस्तता का होता है तो प्रत्येक परिवार एक सप्ताह में 3 या 4 सौ बंडल तैयार कर लेता है।

इस मौसम में कमार परिवार केवल पत्तों के पैसे मिलने के पश्चात् चावल खरीदने के लिए साप्ताहिक बाजार जाते हैं।

मई के अन्त तक कार्य वर्षा के आगमन से समाप्त हो जाता है एवं कमार जनजाति के परिवार पुनः कृषि की ओर अपना ध्यान केंद्रित कर देते हैं।

जंगलों से 'कांदा' या 'कंद' खोदने का कार्य प्रायः बंद सा रहता है क्योंकि एक तरफ तो वे व्यस्त रहते हैं दूसरी तरफ जमीन भी सख्त हो जाती है।

कमार आर्थिक संरचना में बाँस के कार्य का महत्त्वपूर्ण स्थान है। साल के कुछ महीनों को छोड़कर पूरे समय यह कार्य संपादित किया जाता है। इस कार्य से कमार जनजाति का एक बड़ा वर्ग अपनी जीविका अर्जित करने में समर्थ है। बाँस की

चटाई एवं टोकरी बनाने में कमार जनजाति का कौशल सर्वविदित है। छुरी एवं घोड़ी की सहायता से बाँस के महीन से महीन टुकड़े भी निकाल कर कमार आवश्यकतानुसार यथा-स्थान प्रयुक्त करते हैं। चटाई एवं टोकरी के अतिरिक्त सुंदर 'झापी' बनाने में भी कमार लोग सिद्धहस्त हैं। जिन्हें बहुत उपयोगी बक्से के रूप में भी प्रयुक्त किया जा सकता है। जिसमें ताला आदि सभी कुछ लगाने की व्यवस्था रहती है। कमार लोग अपने टट्टों (बाँस का पर्दा) के लिए इस क्षेत्र में प्रसिद्ध हैं। मछली मारने के कई फंदे जैसे चुड़ोवा या दाँदर आदि बनावट एवं कुशल कारीगरी की दृष्टि से इनके द्वारा निर्मित विशेष उल्लेखनीय वस्तुएँ हैं। तेंदू और पलाश के पत्तों एवं बाँस की खपचियों के सहारे कमार जनजाति के लोग बहुत ही सुन्दर 'खुमरी' एवं 'मोरी' निर्मित करते हैं। ये सिर की टोपियों के रूप में बरसात के दिनों के लिए ग्रामीण क्षेत्रों के लिए अत्यंत उपयोगी हैं। पुरुष, स्त्रियाँ, बच्चे, बूढ़े, जवान सभी इसे बना लेने में सिद्धहस्त हैं।

कमार जनजाति द्वारा निर्मित बाँस की वस्तुएँ साप्ताहिक बाजारों में बिकती हैं। सामान्यतः उनकी कीमतें निम्नानुसार रहती हैं–

(1)	बड़ी चटाई	रुपए 5=00
(2)	टोकरी	रुपए 3=00
(3)	सूपा	रुपए 2=00
(4)	खुमरी	रुपए 7=00
(5)	छोटी टोकरी	रुपए 0=00
(6)	टट्टा	रुपए 6=00

चटाइयाँ, सूपा, टोकरियाँ आदि बड़े पैमाने पर निर्मित की जाती हैं एवं विक्रय हेतु बाजार ले जाई जाती हैं।

सिंहावा क्षेत्र के 'कमार' अब खपरे बनाना, लाख, चिरोंजी एवं शहद भी एकत्र करने का काम करते हैं। कमार जनजाति के लोग अब पशुपालन एवं मुर्गी पालन भी करने लगे हैं बैल एवं भैंस रखना भी प्रारंभ किया है। कई कमार परिवार दुग्ध व्यवसाय के क्षेत्र में प्रोत्साहित किए गए, ,परंतु अभी इसका अनुकूल परिणाम नहीं निकला है। आज भी उनके पास कृषि की आवश्यकता लायक जानवर भी

नहीं रहते। कमार जनजाति के लोग बकरी पालन करते हैं। बकरी एवं मुर्गी पालन स्वयं के उपभोग के लिए होता है, इन्हें बेचा नहीं जाता। जनजाति के लोग या तो इसे खाने में प्रयुक्त करते हैं अथवा देवी-देवताओं को अर्पण करने में। कुछ क्षेत्रों में इस जनजाति के लोग सूअर भी पालते हैं।

घने जंगलों में बसे कमार परिवार डहिया एवं बेवरा कृषि से अपने जीवन-यापन के पर्याप्त आधार नहीं प्राप्त कर पाते। मुश्किल से यह कृषि उनके चार माह का भोजन उपलब्ध करा पाती है। इसलिए वे अन्य साधनों से जीवन यापन करने को बाध्य हैं। वन उनके जीविकोपार्जन का महत्त्वपूर्ण स्रोत है। मैदानी इलाकों के कमार जिन्होंने स्थायी कृषि को अपना लिया है, वह जमीन खोदने की छड़ी 'बोंगी' का अभी भी उपयोग करते है। जंगली फल, पौधे, जड़, कंद एवं साग हेतु पत्तियाँ कमार भोजन का एक महत्त्वपूर्ण अंग हैं। ये सभी वस्तुएँ विभिन्न मौसमों में उपलब्ध होती हैं, तेन्दू एवं अचार, महुआ-फूल एवं आम भी उनके मुख्य भोज्य पदार्थ हैं। खाने वाले कंद को एकत्रित करने एवं उसका उपयोग करने का कमार जनजाति के जीवन में विशेष महत्त्व है। 'केऊ कान्दा' जंगल से एकत्र किया जाता है एवं उसे भून कर खाने के उपयोग में लाया जाता है। कुन्दुरू काँदा गरम पानी में पकाया जाता है एवं खाया जाता है। इसी प्रकार पीठ काँदा भी पानी में उबाल कर खाया जाता है। कुरू काँदा एक मिट्टी के बर्तन में आग पर पकाकर खौलने हेतु छोड़ दिया जाता है व रात भर खौलने के बाद उसका उपयोग किया जाता है। बेचाँदी नामक कंद के टुकड़े काटकर उबाल कर खाया जाता है। तीखुर भी उपयोग हेतु जंगलों से लाया जाता है।

पूरा कमार परिवार पति-पत्नी एवं बच्चे दोपहर बाद काँदा लाने हेतु जंगल जाते हैं। पुरुष सदस्य खोदते हैं व औरतें टोकरियों में इन्हें एकत्र करती हैं। बच्चे विभिन्न प्रकार के काँदे के स्थान इंगित करने में निपुण होते हैं। थोड़े समय बाद टोकरी भर काँदा लेकर लौटते हैं, जिसमें से कुछ हिस्सा रात्रि में भोजन के लिए उपयोग किया जाता है।

विशेष प्रकार के कंद निम्नानुसार मौसमों में उपलब्ध होते हैं।

(1) **पीठ काँदा**–यह वर्षा ऋतु के पूर्व खोदा जाता है क्योंकि बरसात में यह खराब

हो जाता है। इसे पकाने के बाद उपयोग किया जाता है। पर इसका उपयोग सब्जी की एवज में नहीं किया जाता है।

(2) तेनगा काँदा–यह भी बरसात के पूर्व खोदा जाता है एवं भूनकर उपयोग में लाया जाता है।

(3) करू काँदा या डाँग काँदा–इस काँदे की खुदाई मई एवं जून माह में की जाती है। इसे उबाला जाता है एवं उबालने के पश्चात् इसे धोने हेतु तालाब या नदी ले जाया जाता है। इसके बाद ही इसका उपयोग किया जाता है।

(4) बेचाँदी या कीलिया काँदा–यह काँदा भादों (अगस्त-सितंबर) में उपलब्ध है जिसका उपयोग उबाल कर किया जाता है।

(5) केऊ काँदा–यह वर्षा ऋतु के पूर्व प्राप्त होता है। इसे उबालकर खाने एवं सब्जी के उपयोग में भी लाया जाता है।

(6) डुरू काँदा–यह क्वार एवं कार्तिक (अक्टूबर-नवंबर) में उपलब्ध होता है जिसे उबालने के पश्चात् उपयोग में लाया जाता है।

(7) करीब काँदा–यह बाँस की नई निकलती कोपलें हैं जिनका उपयोग सब्जी के रूप में किया जाता है।

कमार आर्थिक जीवन में बाड़ी का महत्त्वपूर्ण स्थान है। बाँस से घेरी हुई बाड़ी में बरसात के दिनों में कमार बहुत-सी पैदावार प्राप्त करते हैं, जिनमें मौसमी सब्जियाँ बहुतायत में होती हैं। मिर्च, सेम, तरोई, लौकी, चाईभाटा उल्लेखनीय हैं लेकिन बाड़ी की सबसे महत्त्वपूर्ण पैदावार मक्का है। मक्का का भुट्टा आग में भूनकर खाया जाता है। इसका दलिया बनाकर भी खाया जाता है, जो इनके खान-पान का एक महत्त्वपूर्ण हिस्सा है। औरतें मक्के को मूसर से कूटती हैं। इसे उबाला जाता है एवं पक जाने पर खाया जाता है। मछली मारना एवं शिकार करना कमार जीवन में महत्त्वपूर्ण स्थान रखता है। इसलिए प्रत्येक कमार परिवार में मछली मारने के विभिन्न प्रकार के फंदे पाए जाते हैं। पुरुष, स्त्रियाँ, बच्चे सभी मछली पकड़ने एवं मछलियों की किस्म जानने में सिद्धहस्त हैं।

मछली पकड़ने का दूसरा तरीका पानी को मिट्टी से घेरना है, जिसमें पानी का बहाव रोककर मछली पकड़ी जाती है। इस तरीके को प्रायः छोटी चिंगरी मछली पकड़ने में प्रयुक्त किया जाता है। यह तरीका जाड़े के अंत तथा गर्मी के प्रारंभ में अपनाया जाता है। मछलियाँ पकड़ने के बाद छोटे बच्चे नदी, नाले के पास आग जलाकर उसे भूनते हैं एवं खा जाते हैं। चोरिया एवं दाँदर मछली पकड़ने के मुख्य फन्दे हैं। बरसात के मौसम में ये ऐसी जगह में लगा दिए जाते हैं जहाँ पानी की धारा बहती है। बहती हुई मछली आकर इसमें फँसती रहती है। थोड़ी-थोड़ी देर में इसे साफ कर मछलियाँ निकालते हैं।

कभी-कभी कमार जनजाति के लोग सामूहिक तौर पर मछली मारने का आयोजन करते हैं। इसमें पूरा स्थानीय समूह सम्मिलित होता है। यह सामान्यतः जाड़े के अंत तथा गर्मी के प्रारम्भ में आयोजित किया जाता है, जब पानी की मात्रा कम हो जाती है।

कमार जनजाति के लोग तीर कमान द्वारा शिकार करने में अत्यन्त निपुण हैं। तीर कमान द्वारा यह खरगोश आदि छोटे-छोटे ज़ानवरों का शिकार करते हैं, पर जंगली रीछ भी यह इससे मार लेते हैं। शिकार पर प्रतिबंध के कारण शिकार करने के अवसर अब बहुत कम हैं।

खरगोश का शिकार कमार जनजाति का प्रिय शिकार है, इसी कारण प्रत्येक कमार परिवार में खरगोश मारने का फंदा उपलब्ध रहता है। यह एक लकड़ी के टुकड़े से तैयार ऐसा घर है, जिसमें खरगोश घुसता है। प्रातः काल जैसे ही खरगोश इसमें घुसता है, रस्सी छू कर फंदा बंद हो जाता है और खरगोश इनके चंगुल में आ जाता है।

चूहे का शिकार इनके लिए मनोरंजन का एक साधन है। चूहा देखते ही बच्चे दौड़ने लगते हैं तथा वयस्क भी इसमें शरीक हो जाते हैं। पकड़े जाने पर इसे भूना जाता है एवं सभी बच्चों को दोने पत्ते पर बाँटा जाता है।

कमार सामाजिक और आर्थिक जीवन में साप्ताहिक हाट का महत्त्वपूर्ण स्थान है। इस जनजाति के लोग बाजारों में शरीक होने के लिए अत्यंत इच्छुक रहते हैं। कमार पुरुष, औरतें व बच्चे

इन बाजारों तक पहुँचने हेतु 15 से 20 कि. मी. तक की दूरी पैदल तय कर लेते हैं। वे प्रायः सूर्योदय से पूर्व बाजार के लिए निकल पड़ते हैं एवं शाम को लौटते हैं। प्रत्येक कमार परिवार बिक्री हेतु अपने बाँस के बनाए सामान बाजारों में ले जाता है। बिक्री से प्राप्त राशि का अधिक भाग चावल आदि खरीदने में प्रयुक्त होता है। कमार खाने की स्थानीय वस्तुएँ खरीदने के बाद चाय एवं शराब पीकर गाँव लौटते हैं।

क्षेत्र में साप्ताहिक बाजार प्रातः से प्रारंभ होता है। बाजार के आकार पर इस की अवधि निर्भर रहती हैं। मैनपुर का बड़ा बाजार प्रातः प्रारंभ होकर सायं तक रहता है, लेकिन इंदगाँव और उदनती जैसे छोटे बाजार प्रातः 7 या 8 बजे प्रारंभ होकर दोपहर 11 बजे तक गर्मी के दिनों में समाप्त हो जाते हैं एवं 12 बजे तक बाजार का पूरा स्थान शांत एवं जनविहीन हो जाता है।

हालाँकि क्षेत्र में अब मुद्रा का प्रसार हो गया है फिर भी वस्तु विनिमय प्रणाली का अभी भी इनकी अर्थ व्यवस्था में प्रमुख स्थान है। कुम्हार जाति द्वारा निर्मित मिट्टी के बर्तन धान देकर खरीदे जाते हैं। धान देकर सब्जी भी खरीदी जाती है। उधारी का प्रचलन भी है, क्योंकि उधार देने वाले को यह विश्वास है कि उधार लेने वाला उसका चुकारा अवश्य करेगा। जो वस्तुएँ मुख्यतः बेची जाती हैं वे दो प्रकार की होती हैं। पहली वे जो दुकानदारों द्वारा बेची जाती हैं, दूसरी वे जो ग्रामीणों द्वारा बेची जाती हैं। मिट्टी के बर्तन प्रायः कुम्हार बेचता है। सब्जियाँ मरार स्त्रियाँ, चप्पल स्थानीय चमार तथा अनाज स्थानीय ग्रामीण बेचते हैं।

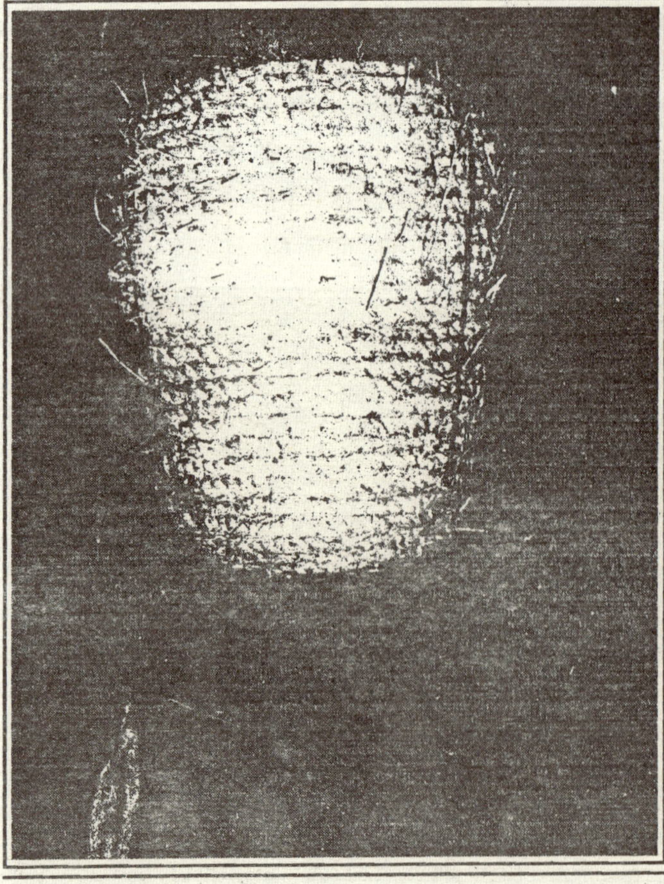

दुकानदार बहुधा आभूषण, कपड़े, एल्यूमिनियम के बर्तन, किराना सामान जैसे– साबुन, तेल आदि पीतल के बर्तन, प्लास्टिक की चप्पल या जूते तम्बाकू आदि बेचते हैं। कृषि से संबंधित औजार कुल्हाड़ी, कुदाली आदि लोहार बेचते हैं। चाय दुकानें, भजिया दुकानें, गुलगुला, भुनी हुई मछली, झींगा आदि भी बाजारों में उपलब्ध होता है। पान, बीड़ी, सिगरेट की दुकानें भी बाजारों

में रहती हैं। आजकल इस क्षेत्र के बाजारों में स्टेनलेस स्टील के बर्तन भी बिक्री हेतु आने लगे हैं। बाजार में पुरुषों की अपेक्षा स्त्रियाँ अधिक दिखाई देती हैं जो अधिकतर हरी, लाल, पीली, एवं केसरिया रंग की साड़ी पहनती हैं।

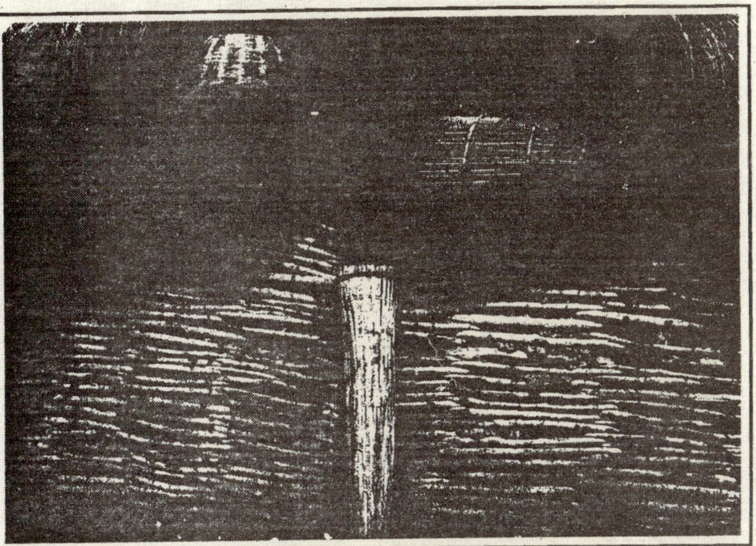

कमार की जीवनचर्या सादी है। जंगली मुर्गे की प्रथम बाँग के साथ कमार गाँव जाग पड़ता है। यह दिन के प्रारंभ का सूचक है। औरतें घर एवं बाहर की सफाई करती हैं। मिट्टी के बर्तन में पानी भरने जाती हैं। पुरुष प्रातःकाल की ठंडी हवा से बचने के लिए मंडवा के नीचे जली आग के पास बैठकर आराम से चोंगी पीने का आनंद लेते हैं। थोड़ी देर बाद वे दैनिक कार्य प्रारंभ करते है। कुल्हाड़ी एवं तीर कमान लिए बाहर निकलते हैं यदि कार्य हेतु जंगल में बहुत दूर जाना हो तो वे औरतों के लौटने एवं खाना बनने का इंतजार करते हैं। कमार सामान्यतः बासी चावल (रात्रि में पका चावल) पसंद नहीं करते एवं अधिकतर ताजा बना चावल खाना पसंद करते हैं।

पुरुषों के कार्य पर चले जाने के पश्चात् स्त्रियाँ, बच्चे एवं वृद्ध घरों में रह जाते हैं अगर घर में खाने के लिए कुछ शेष बचा रहता है तो वह बच्चों को दे दिया जाता है। बड़े बच्चे पशुओं को जंगल में चराने ले जाते हैं। इसके बाद औरतें पशुओं के रहने के स्थान की सफाई करती हैं और पुरुष वर्ग को वापस लौटना होता है, तो औरतें दिन का भोजन पकाती हैं एवं बीच-बीच में समय निकालकर टोकरी बनाने का काम करती जाती हैं, लेकिन यदि पुरुष वर्ग खाना खा कर गया होता है, तो वे बोंगी लेकर कंदमूल एकत्र करने जंगल जाती हैं और कंदमूल के साथ जंगली फल-फूल, सब्जियाँ एकत्र कर घर लौटती हैं। यदि पुरुष वर्ग के लिए दोपहर का भोजन ले जाती हैं तो लौटते समय जंगली कंदमूल फल एकत्र करती हुई घर लौटती हैं।

कमार लोग सामान्यतः दोपहर तक घर लौट आना पसंद करते हैं, यह उनके भोजन एवं क्षणिक विश्राम का समय होता है। वे इसी को दृष्टिगत रखकर अपना कार्य नियोजित करते हैं। जानवर चराने गए बड़े लड़के भी इसी समय लौट आते और भोजन करते हैं। पर ऐसा कोई आवश्यक नहीं है। यदि बच्चे घर जल्दी लौटते हैं तो वे भूखे होने की स्थिति में बड़ों की प्रतीक्षा किए बिना भोजन प्राप्त कर लेते हैं।

इसी प्रकार बड़े भी बिना बच्चों की प्रतीक्षा किए बिना ही भोजन प्राप्त कर लेते हैं।

संघर्षमय जीवन में उनको आराम का समय कम मिलता है। भोजन प्राप्त करने के पश्चात् थोड़ा आराम कर वे कार्य पर लौट जाते हैं। जो स्त्रियाँ प्रातः वन में कंदमूल एकत्र करने नहीं जा सकीं, वे दोपहर बाद जंगल जाती हैं। भोजन की वस्तुएँ एकत्र करने में बच्चे भी अपनी उम्र के हिसाब से हिस्सा बँटाते हैं।

साप्ताहिक बाजार का दिन नजदीक आने पर परिवार सामान्य दिनचर्या को छोड़कर अधिक समय टोकरी बनाने में व्यतीत करते हैं।

संध्या समय लोग काम से वापस आते हैं। आकर मड़वा के नीचे आराम करते हुए चोंगी से धूम्रपान का आनंद लेते हैं। जाड़े की शाम छोटे-छोटे समूहों में आग के पास बैठकर व्यतीत करते हैं। यही उनकी गपशप एवं आपसी वार्तालाप का समय होता है। अगर रात्रि भोजन में देर हुई तो लोक कथा, लोकोक्तियाँ अथवा गीतों का आनंद लेते हैं। वृद्ध लोग आपबीती घटनाओं की चर्चा करते हैं। भोजन तैयार होने पर यह चर्चा बंद होती है और कमार रात्रि भोजन करने चले जाते हैं। भोजन के पश्चात् आधे घंटे तक चर्चा एवं बातचीत में समय बिताकर सो जाते हैं।

कमार एक अंतर्विवाही जनजातीय समूह है। कमारों में एक ही गोत्र के लड़के लड़कियों में वैवाहिक संबंध नहीं होते। चचेरे मौसेरे भाई-बहिनों में भी वैवाहिक संबंध वर्जित हैं। पर मामा-फुआ के लड़के-लड़कियों में वैवाहिक संबंध को प्राथमिकता दी जाती है।

इस समुदाय में 12-13 वर्ष की लड़की और 14-15 वर्ष के लड़कों को विवाह योग्य समझा जाता है। लड़कियों का विवाह उनके रजस्वला होने से पहले करना उचित समझा जाता है।

विवाह से पहले पुंछनी, मंगतरपी और सगाई की रस्में होती हैं।

विवाह की बात लड़के वालों की तरफ से प्रारम्भ की जाती हैं, महलिया, जो लड़के का रिश्ते का भाई अथवा बहनोई होता है, के माध्यम से विवाह के सारे कार्यक्रम संपादित किए जाते हैं।

कमारों में विवाह का सारा खर्च वर-पक्ष को उठाना पड़ता है।

विवाह का कार्यक्रम लड़के के घर से शुरू होता है। विवाह का मंडप लड़के के घर पहले दिन गाड़ा जाता है एवं दूसरे दिन लड़की के घर। मंडप के बीचोंबीच चार, महुआ या सेमल की लकड़ी का 'खाम' गाड़ा जाता है। मंडप को आम या जामुन के पत्तों से छाया जाता है।

इनके विवाह में गड़वा बाजे का बहुत महत्त्व है। पहले दिन सवेरे कलश स्थापना के बाद लड़के को घर के भीतर चोर-तेल चढ़ाया जाता है। महलिया लड़के का शृंगार करता है। कुँआरी लड़कियाँ तेल चढ़ाती हैं। उसके बाद महलिया लड़के को गोदी में उठाकर घर से बाहर मंडप में लाता है। पीछे-पीछे सवासिन जो लड़के की बहन होती हैं, पर्रे में विवाह की तैयारी लाती हैं। महलियाँ लड़के को गोदी में लेकर 'खाम' के चारों ओर सात भाँवर लगाता है। साथ में पाँच या सात सुहागिन औरतें भी भाँवर लगाती हैं। खाम के सामने कलश और कांड (तीर) रख दिया जाता है और चारों ओर चार दीया रखे जाते हैं और धागे से बाँध दिए जाते हैं। अब मंडप में लड़के को हल्दी चढ़ाई जाती है। सबसे पहले लड़के का बाप, फिर माँ हल्दी चढ़ाती हैं। उसके बाद पाँच या सात लोग और हल्दी चढ़ाते हैं।

हल्दी चढ़ाने के बाद लड़के को गोद में लेकर पुरुष और महिलाएँ बारी-बारी से नाचते हैं। यह क्रम करीब एक दो घंटे चलता है। इसी बीच कुछ लोग भोजन व्यवस्था में लगे रहते हैं और कुछ शराब पीने में मस्त हो विवाह में लेन-देन की चर्चा करते हैं। दोपहर में लगभग दो तीन बजे सामूहिक भोज होता है। भोज के बाद बारात प्रस्थान करती है। बारात में लगभग 20 से 30 लोग जाते हैं, जिसमें पुरुष, महिला और बच्चे सभी होते हैं। बारात अक्सर पैदल जंगली रास्ते से जाती है, चाहे कितनी भी दूर जाना हो। विवाह का सामान पर्रों और झापी में ले जाया जाता है। गाँव पहुँचने पर विवाह स्थल से कुछ दूरी पर बारात रुक जाती है। कन्या पक्ष के लोग सूचना पाकर आते हैं और 'परघौनी' कर के मंडप में ले जाते हैं। महलिया के माध्यम से विवाह का सामान और माँदी (भोज) का सामान कन्यापक्ष को सौंप दिया जाता है।

बारात पहुँचने के बाद लड़की को उसके घर 'चोर-तेल' चढ़ाया जाता है। उसके बाद मंडप के नीचे लड़के और लड़की को हल्दी चढ़ाई जाती है, और भाँवरें पड़ती हैं। रात में सब लोग शराब पीते हैं और नाचते गाते हैं।

सवेरे लड़के और लड़की को नए वस्त्र

और आभूषण पहनाए जाते हैं। 'टिकावन मोर' बाँधकर टिकावन की रस्म होती है। इसके बाद सामूहिक भोज के बाद शाम को लगभग पाँच-छह बजे लड़की विदा कराके बारात अपने गाँव लौटती है। लड़के के घर बारात पहुँचने पर रात में परघौनी के बाद परिवार के लोग जोड़े से बहू-बेटे का परछन करते हैं।

इसके बाद वाले दिन सवेरे लड़के के घर मंडप में लड़के और लड़की को साथ-साथ हल्दी चढ़ाई जाती है, फिर तेल उतारा जाता है। भाँवरें होती हैं, घंटे-दो-घंटे नाच-गाना होता है। लगिन मारने के बाद चिखलाही का नेग होता है, जिसमें महलिया मंडप के ऊपर से चार-पाँच घड़े पानी वर-वधू के ऊपर डालता है। मंडप में कीचड़ हो जाती है। उपस्थित लोग उस कीचड़ में लोटते-पोटते और मस्त हो-होकर नाचते-गाते हैं।

जब सब लोग थक जाते हैं तब वर और वधू को नहडोरी के लिए नदी या तालाब में ले जाया जाता है। नदी के किनारे पेड़ की डाल पर सवासिन की गोद में वर और उसकी गोद में वधू बैठती है। महलिया वर-वधू को पानी में खींच लेता है। पानी के भीतर वर और वधू बारी-बारी से कलश छिपाने और ढूँढ़ने का खेल खेलते हैं, जिसे 'पनबुडी का खेल' कहते हैं। नहाने के बाद वर-वधू नए वस्त्र और टिकावन मौर पहिनकर घर लौटते हैं। रास्ते में 'गँवर' मारने का स्वांग रचा जाता है। पति शिकार खेलने, कुल्हाड़ी से लकड़ी काटने और पत्नी काँदा खेदने का स्वांग करते हुए घर लौटते हैं। अंत में लगिन उठाना और टिकावन का नेग होता है। इसके बाद सामूहिक भोज होता है।

कमारों की ऐसी अवधारणा है कि पति-पत्नी के सहवास से गर्भधारण होता है, पर ये यह भी मानते हैं कि दैवी इच्छा के बिना बच्चा होना संभव नहीं हैं। ये यह भी जानते हैं कि जब लड़की को मासिक धर्म होना प्रारंभ हो जाता है उसके बाद ही गर्भधारण की संभावना होती है।

गर्भधारण से बच्चे के प्रसव तक गर्भवती महिला के लिए कोई विशेष संस्कार नहीं किए जाते।

जचकी के समय जच्चा को जमीन पर कपड़े की गुड़री पर बैठाया जाता है। जच्चा अपने श्रम से बच्चे को जन्म देती है। गाँव की अनुभवी सयानी जचकी कराने में सहयोग देती हैं, कठिन प्रसव में बैगा या गुनिया को बुलाकर देवता को होम-धूप दिया जाता' है।

कमारों में बच्चे की नाल तीर की नोक या बाँस काटने के चाकू से काटा जाता है। घर के पीछे बाड़ी में गड्ढा खोदकर 'नाल-फूल' को गाड़ दिया जाता है। जच्चा को खाने में ताजा दाल और भात दिया जाता है। पीने के लिए गरम-गरम पेय दिया जाता है, कहीं-कहीं जच्चा को शुरू के दो-तीन दिन तक पीने को काँके दिया जाता है। काँके पानी, छींद की जड़ और काँके की छाल को एक साथ पानी में उबाल कर तैयार किया जाता है।

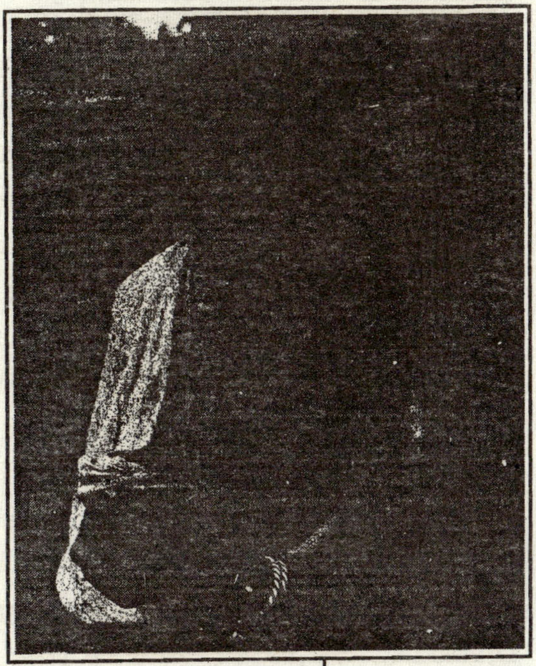

कन्या के जन्म से डेढ़ माह और पुत्र के जन्म से दो माह तक प्रसूता अपवित्र रहती है। बच्चे के जन्म के लगभग 6-7 दिन बाद उसकी नाल झर जाती है। उसी दिन छठी मनाई जाती है। उस दिन बच्चे का मुंडन किया जाता है। बच्चे और जच्चे को गरम पानी से नहलाया जाता है। तेल हल्दी लगाई जाती है और बच्चे को परिवार के लोग देखते हैं। बच्चे के पैदा होने के दिन, माह के अनुसार उसका नामकरण किया जाता है।

डेढ़-दो माह बाद हाँडी-भीतर का नेग होता है। प्रसूता अब शुद्ध हो जाती है और घर के सब काम पूर्ववत करने लगती है। यदि छठी को बच्चे का टिकावन नहीं किया गया तो इस दिन 'टिकावन' करते हैं। इस अवसर पर सयाने लोगों का खाना-पीना होता है जिसमें शराब पीना जरूरी होता है।

कमार जनजाति में मृत्यु को किसी बड़ी शक्ति के कार्य के रूप में देखा जाता है। सामान्यतः मृत्यु की स्थिति में मृतक को गाड़ा जाता है।

मृतक को गाड़ने से पहले नहलाया नहीं जाता बल्कि उसके शरीर में हल्दी चुपड़कर माथे पर हल्दी का टीका लगा दिया जाता है। शव को तेंदू की लकड़ी और बाँस की बनी 'चोली' (अर्थी) पर लिटाकर सफेद कपड़े के कफन से ढँककर गाँव के बाहर दक्षिण की ओर नदी के किनारे या जंगल में श्मशान ले जाया जाता है जहाँ गड्ढा खोदकर, कफन बिछाकर, उस पर शव को लिटा देते हैं। मृतक का सिर उत्तर और पैर दक्षिण की ओर रखा जाता है। परंतु गर्दन थोड़ी-सी पूर्व दिशा की ओर घुमा दी जाती है।

सबसे पहले मृतक का लड़का एक मुट्ठी मिट्टी शव के ऊपर डालता है, फिर अन्य लोग डालते हैं। अंत में शव को अच्छी तरह मिट्टी से ढँक दिया जाता है और सिर की तरफ एक बड़ा सा पत्थर रख दिया जाता है। शव यात्रा से लौटकर सब लोग नहाते हैं।

तीन या पाँच दिन में तीज-नहावन होता है। तब तक मृतक का सारा परिवार

सूतक में रहता है। मृतक के घर आग भी नहीं जलाई जाती। समधी सगे लोग मृतक के यहाँ खाना भेजते हैं। उनमें से ही एक दोनी भात मृतक के नाम से गाँव के चौराहे पर रखा जाता है। तीज नहावन के दिन मृतक के घर की हाँडी-कुंडी फेंक दी जाती है, घर की लिपाई-पुताई और कपड़ों की धुलाई होती है। मृतक के परिवार के लोग हजामत बनवाते हैं और बेटे सिर मुंडवाते हैं। परिवार के सदस्य नहाते हैं। नहाने के बाद हल्दी-तेल चुपड़कर शुद्धीकरण होता है।

मृतक की पत्नी की चूड़ियाँ तीज नहावन के दिन फोड़ी जाती हैं। समधी परिवार से विधवा के लिए नई साड़ी और 'पटा' भेजा जाता है।

मृतक के घर नई हंडी में खाना बनता है। मृतक की जीवात्मा बुलाई जाती है जिसे जीव उतारना कहते हैं। मृतक के नाम से एक दोनी में भात और एक दोनी में पानी रखकर उत्सर्ग किया जाता है। उसके बाद मरनी भोज होता है। जिसमें सब लोग थोड़ी-थोड़ी शराब भी पीते हैं। मरनी भोज तीज नहावन के दिन या साल के भीतर कभी भी हो सकता है।

होली त्यौहार में पितर-मिलौनी होती है। इसी समय मृतक को पूर्वजों में मिलाया जाता है। इस रीति के बिना मृतक परिवार के पूर्वजों में नहीं गिना जाता है।

असाधारण रूप से घटित मृत्यु के लिए अलग प्रक्रियाएँ हैं।

यदि किसी व्यक्ति को बाघ या भालू मार डाले तो उसकी लाश को घर नहीं लाया जाता। उसे उसी स्थान पर गाड़ दिया जाता है। यदि किसी गर्भवती या प्रसूता की मृत्यु होती है तो शव को श्मशान में गाड़ने के बाद उस को 'बैगा' से बँधा दिया जाता है। मिट्टी ढँकने के बाद उस पर काँटे बिछा दिए जाते हैं। ताकि वह भूत बनकर किसी को न सताए। जब किसी नवजात शिशु की मृत्यु छठी से पहिले हो जाती है तो उसे महिलाएँ ही गाड़ती हैं।

कमार धर्मतंत्र में हिंदू धर्म व्यवस्था के बहुत से तत्त्व विद्यमान है। इसके बावजूद पुरातन धार्मिक स्वरूप की झलक स्पष्ट दिखती है। ये आज भी भूत एवं प्रेतात्मा पर विश्वास करते हैं।

कमारों के देवी-देवता निम्नानुसार हैं–

(1) **बाम्हन देव**–सबसे बड़ा देव जिसकी पूजा 'जात्रा' त्यौहार के अवसर पर की जाती है, काले बकरे की बलि दी जाती है।

(2) **भीमा देव**–गोल पत्थर के आकार के सरई के पेड़ के नीचे स्थान बनाया जाता है। बकरे, मुर्गे की बलि देते हैं और नारियल समर्पित किया जाता है।

(3) **मुरमाटी**–यह इनके गोत्र भूमि की मिट्‌टी है जिससे इनके पूर्वजों का संबंध होना माना जाता है। नई फसल चढ़ाई जाती है तथा काली मुर्गी की बलि दी जाती है।

(4) **गाता डूमा**–यह कुल देव हैं जिसे काले मुर्गे एवं बकरे की बलि दी जाती है तथा शराब अर्पित की जाती है।

(5) **हिंगलाजिन**–ऐसी देवी जिन्हें खैरा रंग के बकरे की बलि चढ़ाई जाती है।

(6) **काली पाट**–ऐसी देवी जिन्हें काली बकरी की बलि देते हैं।

(7) **कंकालनी**–ऐसी देवी जिन्हें काली बकरी एवं काली मुर्गी की बलि चढ़ाई जाती है।

(8) **नरवाली**–ऐसी देवी जिन्हें सफेद मुर्गी एवं केला चढ़ाया जाता है।

(9) **करियापाट**–ऐसा देवता जिसे काला मुर्गा बलि में चढ़ाया जाता है।

(10) **जूनामठियार**–ऐसा देव जिसे एक ही रंग का बकरा अर्पित किया जाता है।

(11) **परेतिन**–काली चूड़ियाँ तथा सिंदूर चढ़ाया जाता है और काली मुर्गी की बलि दी जाती है।

(12) **बड़े लालिन (बढ़ी बहिन)**–नारियल चढ़ाते हैं एवं बकरी की बलि दी जाती है।

(13) **छोटे लालिन (छोटी बहिन)**–जिसे मुर्गी की बलि देते हैं एवं नारियल अर्पित होता है।

(14) **बूढ़ा देव**–बाँझ को बच्चा देने वाला देवता है।

(15) **बस्तारिन माता**–साजा पेड़ के नीचे पत्थर गाड़कर इनका स्थान बनाया जाता है। जिसमें 2 त्रिशूल, मिट्‌टी का रूखा, चाकू लगे रहते हैं। चारों ओर लकड़ी की छोटी-छोटी खूँटिया रहती हैं।

कमार घर के अंदर के हिस्से में कुलदेव (गाता डूमा) का स्थान रहता है। यह एक लोहे की कड़ी रहती है। जिसमें ऊपर अँगूठी के आकार का लोहा रहता है। यह अँगूठीनुमा लोहा रस्सी के सहारे छत पर से बँधा रहकर झूलता रहता है। जमीन पर मिट्‌टी के बर्तन में जहाँ लाहे की चैन रहती है, मोर के पंख रखे रहते हैं। 'नवाँ' त्यौहार के अवसर पर नई फसल अर्पित की जाती है। डूमा के स्थान पर छोटे मिट्‌टी के बर्तन, घोड़े,

बैल की आकृति भी रखी रहती है।

भीमा देव का स्थान ग्राम से बाहर रहता है। सरई पेड़ के नीचे बहुत से पत्थर रख दिए जाते हैं। प्रत्येक वर्ष के दिसंबर माह में एक बकरी एवं नारियल अर्पित किया जाता हैं। इस अवसर पर पूरे गाँव का सामूहिक भोज भीमा देव के स्थान के पास सरई पेड़ के नीचे आयोजित होता है, जिसमें चावल एवं बलि चढ़ाए गए बकरे का मांस पकाकर परोसा जाता है।

मुरमाटी कमार गोत्र की मूल भूमि है। जो गाँव के बाहर रहती है और इसका कमार सामाजिक जीवन में बहुत महत्त्व है।

कमारों के परंपरागत कार्यों को संपन्न करने के लिए तीन प्रमुख हैं। पुजारी परंपरागत देवी-देवताओं को पूजा अर्पण करता है। यह पद परंपरागत है। झाखर पुजारी का सहायक है, उसका प्रमुख कार्य बकरे की बलि के अवसर पर उसकी रस्सी पकड़ना है। वह मंत्रों द्वारा मृतक आत्मा की वापसी के लिए मंत्रोच्चारण, कभी-कभी जोर से बोलकर और कभी गाकर करता है और कभी किंगरी बाजा बजाकर इधर-उधर दौड़ता-नाचता है। उसकी सेवाएँ कुल देव माता डूमा की अर्चना के लिए तथा प्रेतात्मा से रक्षा के लिए भी प्राप्त की जाती हैं। इस अवसर पर वह मंत्रोच्चारण करता है। काले मुर्गे की बलि देता है और नारियल आदि कुल देवता को अर्पित करता है।

कमार समुदाय में बैंगा या गुनिया परंपरागत पद है, वह कभी झाड़फूँक, तो कभी जंगली जड़ी-बूटियों से रोगियों का इलाज करता है। झाड़फूँक के दौरान रोगी व्यक्ति के हाथ पकड़कर वह मंत्रों का उच्चारण करता है एवं बीच-बीच में प्रेतात्मा के नामों का उच्चारण भी करता जाता है। इस क्रिया के पश्चात कभी-कभी काली मुर्गी की बलि दी जाती है।

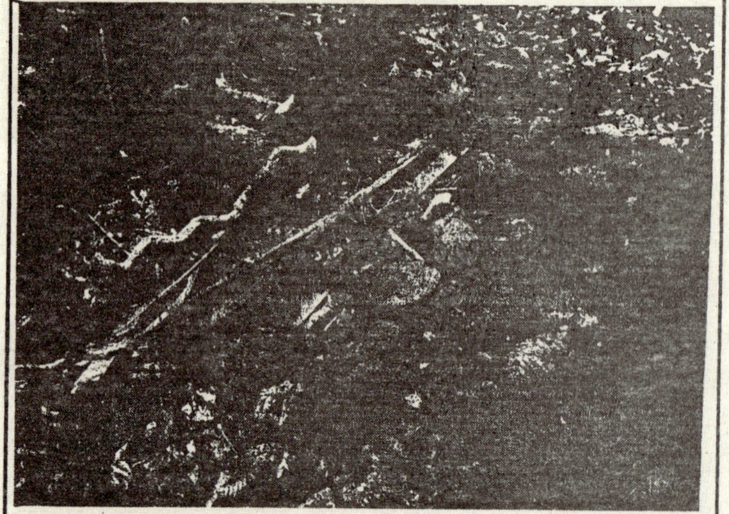

संसार की उत्पत्ति, पशुओं की उत्पत्ति, मनुष्य की उत्पत्ति विभिन्न प्रकार के व्यवसाय आदि के बारे में कमार जनजाति की अपनी लोक कथाएँ हैं।

कृषि का तरीका प्रारंभ करने एवं मानव जाति की उत्पत्ति के साथ ही महादेव ने व्यवसाय समूहों का वर्गीकरण किया। उसने कई औजार एवं उपकरण बनाए एवं नदी में फेंक दिए। मनुष्यों से कहा गया कि वे उन हथियारों में से किसी एक को निकाल लें एवं उसी अनुसार

अपना व्यवसाय प्रारंभ करें। उन्होंने देखा कि उनमें से प्रत्येक ने अपना पृथक व्यवसाय प्रारंभ कर दिया है, परंतु एक आदमी टोकरी के साथ जमीन पर बैठा है। जब उससे यह पूछा गया कि वह टोकरी को साथ लेकर चुपचाप क्यों बैठा है, तो उसने उत्तर दिया कि सिर्फ एक टोकरी के सहारे वह कौन-सा कार्य कर सकता है। ऐसा सुनकर महादेव ने उसे एक कुल्हाड़ी और तीर कमान प्रदान किया और जंगल एवं डहिया खेती कर जीवनयापन करने को कहा एवं औरत को बाँस की टोकरियाँ बनाने की सलाह दी। वह कमार था और उसी दिन से कमार डाही कृषि, बाँस का कार्य, शिकार एवं जंगली वस्तुएँ इकट्ठा करने का कार्य करते आए हैं।

कमार जनजाति का दावा है कि वे ही महादेव द्वारा रचित मनुष्य जाति की प्रथम संतान हैं एवं देवडोंगर (मैनपुर विकास खंड का क्षेत्र) वह क्षेत्र है जो सर्वप्रथम गहरे पानी से धरती के रूप में प्रगट हुआ।

कमार जनजाति के पास तीर कमान होने की कथा भी रोचक है। प्रारंभ में कमार जनजाति के लोग भूस्वामी थे एवं गोंटिया के रूप में जाने जाते थे। एक दिन कमार जनजाति के कुछ पूर्वज 'काँदा' की खोज में जंगल में घूम रहे थे। उन्होंने दो अनजान व्यक्तियों को पेड़ के नीचे खड़े होकर रोते हुए देखा। कमार पूर्वजों ने यह जानना चाहा कि वे कौन हैं और क्यों रो रहे हैं। पता लगा कि वे राम-लक्ष्मण हैं एवं कई दिनों से कुछ न खा सकने की वजह से दुखी एवं कष्ट में हैं। कमार पूर्वजों ने उन्हें रोने से चुप कराया एवं समझाया कि यह जंगल जंगली काँदों से भरा पड़ा है एवं हर जगह उपलब्ध है जिन्हें खोदकर कहीं से भी निकाल सकते हैं। राम का उत्तर था कि वे इस स्थिति में नहीं हैं कि काँदे की जगह पहचान सकें एवं उसे खोद सकें। कमारों ने कहा कि वे शहद उतार कर अपनी भूख मिटाएँ। पर राम ने उन्हें मधु-मक्खियों का डर बताया, जिस पर सभी गोंटिया हँस पड़े। गोंटियों ने पेड़ पर चढ़कर मधु-मक्खियों का छत्ता उतारा एवं साल के पत्तों में राम एवं लक्ष्मण को शहद पीने को दिया।

शहद प्राप्त करने के बाद राम एवं लक्ष्मण बहुत प्रसन्न हुए एवं गोंटियों को इसके बदले कुछ देने की इच्छा प्रकट की, लेकिन उनके पास 'कमान' एवं कुछ तीरों

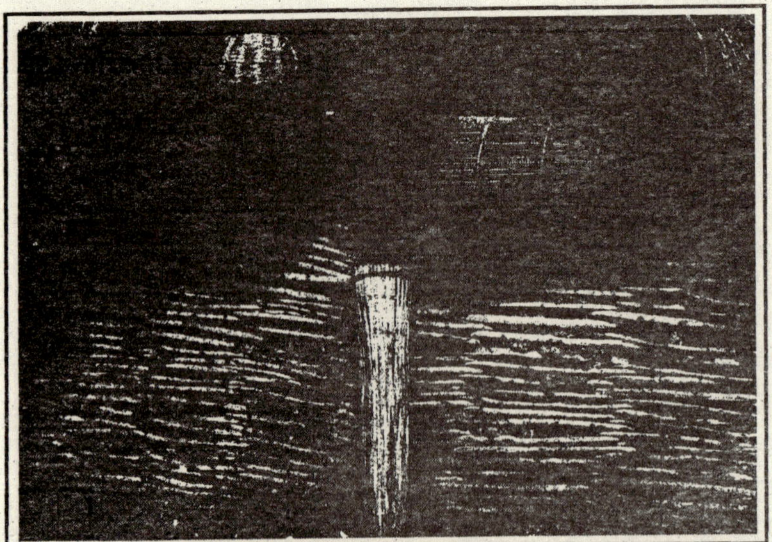

के अलावा कुछ भी नहीं था। राम ने एक 'कमान' एवं कुछ तीर देकर लक्ष्मण से उन्हें इसके प्रयोग बताने को कहा। इसका प्रयोग सीखकर गोंटियों ने जाने की इच्छा प्रकट की, तब राम एवं लक्ष्मण ने उनसे उनका जातीय नाम जानना चाहा। उन्होंने स्वयं को गोंटिया बताया एवं कोई भी जाति नाम न होने की बात कही। तब राम ने यह कहा कि चूँकि उन्हें 'कमान' दी गई है इसलिए आज के दिन से वे कमार के रूप में जाने जाएँगे। तबसे इस समुदाय जाति नाम के रूप में कमार नाम प्रचलित हुआ।

कमार जनजाति में अनेकों त्यौहार मनाए जाते हैं, जिनमें 'हरियाली' 'पोला' 'नवरात्रि' 'दशहरा' 'दीपावली' 'छेरछेरा' 'होली' एवं पंचमी विशेष उल्लेखनीय हैं। 'जात्रा' कमार जनजाति का महत्त्वपूर्ण त्यौहार है। यह अगहन पून्नी (पूर्णिमा) जो दिसम्बर माह के अन्तिम सप्ताह में आती है, को संपन्न होता है।

त्यौहार केवल धान की भरपूर फसल पैदा होने के साल मनाया जाता है, अतः इसकी बारी 4-5 साल में एक बार आती है यही कारण है कि प्रत्येक कमार के लिए यह अवसर अत्यंत महत्त्व का रहता है। इस अवसर पर बाम्हन देव की पूजा की जाती है। जिनका स्थान घने जंगलों, नदी-नाले के किनारों अथवा घने बाँस के झुरमुटों में रहता है। मिट्टी के बने दीये 'रुखे' कतार से रखे रहते हैं। सबसे ऊँचाई पर दीया जलाया जाता है। त्यौहार के अवसर पर नए 'रुखे' भी कतार में जुड़ जाते हैं। इस प्रकार इस स्थान पर बरसों से रखे गए रुखे देखे जा सकते हैं।

'जात्रा' त्यौहार का प्रारंभ सायंकाल से होता है। अगले दिन प्रातः 5 से 8 बकरे 'बाम्हन देव' के समक्ष बलि चढ़ाए जाते हैं और पुजारी चावल के गोले बनाकर बाम्हन देवता को अर्पित करता है। दोपहर बाद सामुदायिक भोज आयोजित होता है। आसपास के गाँवों के कमार इसमें हिस्सा लेते हैं। त्यौहार के अवसर पर कमार युवक एवं युवतियाँ दो-दो के समूह में गाँड़ा बाजा की धुन पर नृत्य करते हैं, जो देर रात तक चलता है एवं परस्पर हँसते-गाते आनंद में त्यौहार व्यतीत हो जाता है। दूसरे दिन सायं तक सारा समारोह समाप्त हो जाता है और अन्य गाँव के अतिथि विदा लेते हैं।

आभार

प्रस्तुत पुस्तक माला के 'आदिवासी स्वर : संस्कार और प्रथाएँ' नामक इस खंड में रचनात्मक सहयोग देने के लिए हम ऐसे ज्ञात-अज्ञात संदर्भ, जो इस पुस्तक में लिए गए हैं, उन सभी के प्रति आभारी हैं।

'प्रभार खबर' राँची तथा इसके संपादक श्री हरिवंश जी का विशेष आभार।